conversas
cruciais

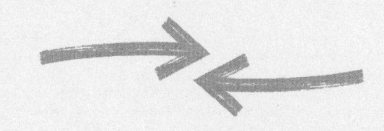

JOSEPH GRENNY • KERRY PATTERSON • RON MCMILLAN
AL SWITZLER • EMILY GREGORY

conversas cruciais

TERCEIRA EDIÇÃO

**HABILIDADES PARA SE COMUNICAR
QUANDO HÁ ALTOS INTERESSES EM JOGO**

SEXTANTE

Título original: *Crucial Conversations*
Copyright © 2022 por VitalSmarts
Copyright da tradução © 2023 por GMT Editores Ltda.

Todos os direitos reservados. Nenhuma parte deste livro pode ser utilizada ou reproduzida sob quaisquer meios existentes sem autorização por escrito dos editores.

tradução: Ivanir Calado
consultoria técnica de conteúdo: Josmar Arrais e Marcelo Arrais | Aspectum Brasil
preparo de originais: Sheila Louzada
revisão: Luis Américo Costa e Rita Godoy
projeto gráfico e diagramação: Ana Paula Daudt Brandão
adaptação de capa: Natali Nabekura
impressão e acabamento: Cromosete Gráfica e Editora Ltda.

CIP-BRASIL. CATALOGAÇÃO NA PUBLICAÇÃO
SINDICATO NACIONAL DOS EDITORES DE LIVROS, RJ

C783

Conversas cruciais / Joseph Grenny ... [et al.] ; tradução Ivanir Calado. - [3. ed.]. - Rio de Janeiro : Sextante, 2023.
272 p. ; 23 cm.

Tradução de: Crucial conversations
ISBN 978-65-5564-667-2

1. Comunicação na administração. 2. Comunicação interpessoal. 3. Relações humanas. I. Grenny, Joseph. II. Calado, Ivanir.

23-83987

CDD: 153.6
CDU: 316.772.4

Meri Gleice Rodrigues de Souza - Bibliotecária - CRB-7/6439

Todos os direitos reservados, no Brasil, por
GMT Editores Ltda.
Rua Voluntários da Pátria, 45 – Gr. 1.404 – Botafogo
22270-000 – Rio de Janeiro – RJ
Tel.: (21) 2538-4100 – Fax: (21) 2286-9244
E-mail: atendimento@sextante.com.br
www.sextante.com.br

Dedicamos este livro a Celia, Louise, Bonnie, Linda e Alan – seu apoio é desmedido, seu amor nos nutre e sua paciência é quase infinita.

Aos nossos filhos: Christine, Rebecca, Taylor, Scott, Aislinn, Cara, Seth, Samuel, Hyrum, Amber, Megan, Chase, Hayley, Bryn, Amber, Laura, Becca, Rachael, Benjamin, Meridith, Lindsey, Kelley, Todd, Spencer, Steven, Katelyn, Bradley, Anna, Sara, Rebecca, Maren, Tessa e Henry, que são uma maravilhosa fonte de aprendizado.

E à nossa família mais ampla, composta pelas centenas de colegas de trabalho, dezenas de milhares de instrutores certificados e milhões de clientes que compartilharam a jornada que fez estas ideias ganharem a forma atual. Eles foram nossos modelos para indicar o que funciona. E aos nossos parceiros, pela paciência enquanto buscávamos melhorar nossas próprias Conversas Cruciais. Hoje temos a honra de fazer parte de uma comunidade global de professores e praticantes talentosos dedicados a viver e transmitir princípios que tornam o mundo melhor para todos.

SUMÁRIO

PREFÁCIO — 9

1 O QUE É UMA CONVERSA CRUCIAL? — 13
E quem se importa?

2 DOMINANDO A ARTE DAS CONVERSAS CRUCIAIS — 31
O poder do diálogo

PARTE 1
O que fazer antes de abrir a boca

3 IDENTIFICAR O ASSUNTO — 45
Como ter certeza de que você está tendo a conversa certa

4 COMEÇAR PELO CORAÇÃO — 63
Como manter o foco no que você realmente quer

5 DOMINAR SUAS NARRATIVAS — 79
Como manter o diálogo quando você está com raiva, com medo ou magoado

PARTE 2
Como abrir a boca

6 APRENDER A OLHAR — 113
Como perceber quando a segurança está ameaçada

7 CRIAR SEGURANÇA — 133
Como criar um contexto que permita falar sobre quase tudo

8 DECLARAR CALMA — 161
Como falar de modo persuasivo, e não agressivo

9 EXPLORAR OS CAMINHOS DOS OUTROS — 185
Como ouvir quando as pessoas explodem ou se fecham

10 PEGAR SUA CANETA DE VOLTA — 209
Como ser resiliente ao ouvir um feedback difícil

PARTE 3
Como encerrar

11 PARTIR PARA A AÇÃO — 225
Como transformar Conversas Cruciais em ação e resultados

12 É, MAS... — 239
Conselhos para casos difíceis

13 JUNTANDO TUDO — 247
Ferramentas para a preparação e o aprendizado

NOTAS — 261

PREFÁCIO

Quando publicamos *Conversas Cruciais* pela primeira vez, em 2002, fizemos uma afirmação ousada. Argumentamos que a causa fundamental de muitos (se não da maioria) dos problemas humanos está em como as pessoas se comportam quando as outras discordam delas em relação a algo que envolve questões importantes e de forte carga emocional. Sugerimos que as organizações podiam melhorar substancialmente seu desempenho se seus colaboradores aprendessem as habilidades praticadas rotineiramente por aqueles que haviam encontrado um modo de dominar esses *momentos cruciais*, quando há altos interesses em jogo.

Nas décadas seguintes, nossa convicção quanto a esse princípio só fez crescer. Um volume cada vez maior de pesquisas vem fornecendo evidências de que quando os líderes criam uma cultura de honestidade intelectual e emocional, usinas nucleares ficam mais seguras, ambientes de trabalho se tornam mais inclusivos, empresas de serviços financeiros obtêm maior lealdade dos clientes, hospitais salvam mais vidas, órgãos públicos fornecem um serviço melhor, empresas de tecnologia aprendem a operar globalmente sem entraves, organizações sem fins lucrativos realizam melhor sua missão e a intolerância é refreada.

Mas, para sermos sinceros, devemos admitir que os resultados mais gratificantes dos últimos 20 anos vieram não dos números apresentados nas pesquisas, e sim dos milhares de histórias contadas por leitores corajosos e talentosos que usaram as ideias aqui apresentadas para provocar a mudança em momentos em que ela era mais necessária. Uma das primeiras pessoas que nos escreveram foi uma mulher que, após ler o livro, retomou o contato com o pai. Uma enfermeira nos relatou que salvou a vida de um paciente ao intervir com uma Conversa Crucial ao ver o médico dar um diagnóstico errado. Um homem habilmente evitou que os irmãos rompessem laços por causa do testamento do pai deles. Dois irmãos superaram uma década de separação que tinha começado quando um deles revelou sua orientação sexual. Uma leitora intrépida chegou a atribuir ao treinamento em Conversas Cruciais a ajuda para sair viva de um sequestro-relâmpago.

Multiplique essas histórias por nossos mais de 5 milhões de leitores e você terá uma ideia de como tem sido gratificante e satisfatório o contato com pessoas como você.

O QUE HÁ DE NOVO?

Nesta nova edição fizemos várias mudanças importantes que certamente enriquecerão ainda mais este livro. Algumas delas tratam de como os conceitos se aplicam a formas de comunicação modernas. Afinal, hoje em dia a maior parte das nossas Conversas Cruciais acontece por vídeo, redes sociais assíncronas, áudio ou (Deus nos livre!) apenas texto. Aprendemos muito sobre o que funciona e o que não funciona nessas esferas. Além disso, na última década estudamos muito a respeito do que é necessário para trazer à tona e confrontar questões de diversidade, inclusão e até mesmo preconceitos inconscientes. Um dos nossos estudos fundamentais envolveu mais de 13 mil participantes e testou os efeitos de algumas das habilidades que agora podemos compartilhar. Outras mudanças abordam novas formas de trabalho e novas tensões que resultam da nossa sociedade cada vez mais global e heterogênea. As Conversas Cruciais assumem uma importância ainda maior agora que relações remotas e culturas diversas são a norma, não exceções, na maioria dos locais de trabalho. Por fim, nos últimos anos vimos mais e mais evidências de que conflitos perigosos resultam de não sabermos discutir sobre nossas diferenças políticas e sociais de modo honesto e respeitoso. Algumas atualizações neste livro abordarão diretamente o melhor modo possível de agir nos momentos decisivos que envolvam esses novos desafios.

Uma das mudanças mais úteis que você perceberá é a reestruturação de todo o conteúdo do livro em torno de um modelo facilmente compreensível que você poderá seguir para planejar, começar e concluir uma Conversa Crucial. Descobrimos que, com as habilidades apresentadas em ordem temporal, fica muito mais fácil para os leitores saber qual a melhor habilidade a usar em cada etapa.

Uma das mudanças mais evidentes para os leitores antigos é que temos mais uma autora nesta edição. Emily Gregory tem sido uma colaboradora importante há quase 20 anos. Ela vem trabalhando lado a lado conosco, aprofundando as pesquisas, reforçando os cursos e expandindo nossa influência para quase 20 mil facilitadores por todo o mundo. Sua voz enriqueceu cada capítulo desta edição.

Confiamos que essas mudanças não somente melhorarão sua experiência de leitura como aumentarão sua capacidade de transformar as palavras aqui impressas em hábitos construtivos na sua vida profissional e pessoal.

⟶

É incrível que tantas pessoas tenham tido uma resposta positiva a este trabalho. Para sermos sinceros, 20 anos atrás nós ousamos torcer para que estas ideias gerassem uma mudança no mundo. Só não sabíamos se o mundo reagiria como gostaríamos.

Até agora, tudo vai muito bem. Tem sido extremamente gratificante ver tantas pessoas abraçando a ideia de que as Conversas Cruciais podem de fato fazer diferença. Já tivemos o privilégio de ensinar governantes, magnatas dos negócios e influentes empreendedores sociais. O dia em que tivemos nas mãos um exemplar do nosso livro em árabe e outro em hebraico nos fez ver ainda mais novas possibilidades. Ensinamos esses princípios em áreas turbulentas, tais como Cabul e Cairo, bem como em áreas de crescimento e influência, como Bangkok e a Cidade do Benin. A cada público novo e a cada história de sucesso cresce nossa motivação para garantir que nosso trabalho faça uma diferença duradoura.

Daí lançarmos esta nova edição.

Esperamos que os aperfeiçoamentos melhorem substancialmente sua experiência com estas ideias capazes de transformar vidas.

JOSEPH GRENNY
KERRY PATTERSON
RON MCMILLAN
AL SWITZLER
EMILY GREGORY

> *O maior problema de comunicação é a ilusão de que ela aconteceu.*
> – GEORGE BERNARD SHAW

1
O QUE É UMA CONVERSA CRUCIAL?
E quem se importa?

Quando ouvem pela primeira vez a expressão "Conversa Crucial", muitas pessoas imaginam presidentes, imperadores e primeiros-ministros debatendo o futuro do planeta ao redor de uma mesa enorme. Essas discussões, embora de fato tenham um impacto gigantesco, não são as únicas que temos em mente. As Conversas Cruciais acontecem com qualquer pessoa. São as conversas cotidianas que alteram nossa vida.

Bom, o que faz com que uma conversa seja crucial e não apenas mais uma das muitas conversas que temos todos os dias? Primeiro, ela *envolve opiniões divergentes*. Por exemplo, você está falando com sua chefe sobre uma possível promoção. Ela acha que não é o momento; você acha que é. Segundo, *há coisas muito importantes em jogo*. Você está numa reunião com quatro colegas de trabalho para definir a nova estratégia de marketing. Vocês precisam fazer algo diferente, senão a empresa terá problemas. Terceiro, *as emoções afloram*. No meio de uma discussão casual com seu cônjuge, vem à tona um "incidente chato" que aconteceu ontem numa festa. Supostamente, você não somente flertou com uma pessoa como, segundo seu cônjuge, "vocês estavam praticamente se agarrando". Você não se lembra de ter flertado com ninguém, só de ter agido com educação e gentileza. Seu cônjuge se afasta em fúria.

Por falar na festa, em determinado momento você se viu conversando com o vizinho rabugento e dramático do apartamento ao lado do seu. Num minuto ele está contando que tem problema nos rins, no outro começa a reclamar que o cheiro do seu jantar da noite anterior estava entrando pela janela dele.

– Eu sou alérgico a gengibre, sabia?

A partir desse momento, vocês começam um debate acalorado sobre o seu direito de cozinhar e o fato de que o cheiro do tempero faz os olhos dele lacrimejarem. Não é o seu momento mais diplomático. A discussão esquenta, vocês começam a gritar e o vizinho termina ameaçando abrir um processo contra "agressão culinária", enquanto você o deixa falando sozinho. As emoções estavam *realmente* intensas.

O QUE TORNA ESSAS CONVERSAS CRUCIAIS?

O que faz com que essas conversas sejam cruciais (e não simplesmente frustrantes, tensas ou irritantes) é que elas podem ter forte impacto em relacionamentos ou resultados que afetam você profundamente.

Em cada um dos casos apresentados, algum elemento da sua rotina poderia ser alterado para sempre – para melhor ou para pior. Sem dúvida, uma promoção faria uma grande diferença na sua vida; os resultados da empresa em que você trabalha afetam você e seus colegas; seu relacionamento com seu cônjuge influencia cada aspecto da sua vida. Até mesmo uma coisa trivial como uma discussão sobre cheiro de comida pode prejudicar sua qualidade de vida.

É claro que esses exemplos são apenas a ponta de um iceberg de questões capaz de provocar um desastre social. Há muitos outros, entre eles:

- Terminar um relacionamento
- Conversar com um colega de trabalho que faz comentários ofensivos
- Cobrar uma dívida de um amigo
- Dar feedback à chefe sobre o comportamento dela
- Abrir o jogo com o chefe que está violando as próprias políticas de segurança ou de qualidade
- Apontar comportamentos racistas ou machistas
- Avaliar o trabalho de um colega

- Pedir à pessoa com quem você divide o apartamento que se mude
- Resolver problemas de guarda ou visitas aos filhos com um ex-cônjuge
- Lidar com um adolescente rebelde
- Cobrar maior comprometimento de um membro da equipe que não esteja cumprindo suas tarefas
- Discutir problemas sexuais
- Abordar problemas de abuso de substâncias com uma pessoa amada
- Falar com um colega de trabalho que esteja ocultando informações ou recursos
- Fazer uma avaliação de desempenho desfavorável
- Pedir aos sogros que parem de interferir na sua vida conjugal
- Falar com um colega de trabalho sobre um problema de higiene pessoal

São situações que causam estresse e tensão, em que um passo em falso pode ter graves consequências. Mas não precisa ser assim. Se souber conduzir Conversas Cruciais, você conseguirá discutir praticamente qualquer assunto e resolver a situação. Mas não é isso o que costuma acontecer.

Conversa Crucial

Diálogo entre duas ou mais pessoas em que (1) elas têm opiniões divergentes sobre (2) uma questão delicada, que envolve altos interesses, e (3) emoções afloradas. Ver Figura 1.1.

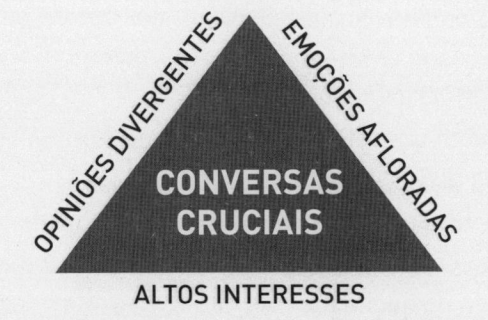

Figura 1.1 Definição de uma Conversa Crucial

O tempo de espera é determinante

Em todos os exemplos citados, o fator que vai determinar o sucesso ou o fracasso da conversa é o tempo que se passou entre o surgimento do problema e o momento em que as pessoas envolvidas encontram um modo de resolvê-lo com honestidade e respeito. O que estamos sugerindo é: o que causa maior dano no seu relacionamento com seus sogros não é a interferência ocasional deles, mas as emoções tóxicas e o comportamento disfuncional que surgem na ausência de uma conversa franca. Ações preconceituosas no ambiente de trabalho são um problema, mas seu impacto se multiplica quando as pessoas deixam de abordar, discutir e resolver a questão. Uma coisa é ter uma chefe que não cumpre o que diz, outra é deixar o problema infeccionar com fofocas pelos corredores, desconfiança e ressentimento encoberto, em vez de abordá-lo com franqueza. O verdadeiro dano se dá durante o tempo de espera – o período entre o momento em que as pessoas veem o problema e aquele em que discutem esse problema.

Pense em relacionamentos em que você não costuma esperar muito para discutir os problemas à medida que os percebe. É bem provável que esses relacionamentos sejam marcados por confiança, crescimento e intimidade. Agora pense no inverso. Pense em equipes nas quais podem se passar semanas, meses ou anos até que alguém mencione o elefante na sala. O que acontece na ausência de um diálogo sincero? Emoções reprimidas. Ressentimento. Manipulações. Decisões ruins. Trabalho malfeito. Oportunidades perdidas. *No cerne de quase todos os problemas crônicos de relacionamentos, equipes, organizações e até nações existem Conversas Cruciais que não acontecem ou até acontecem, mas não de modo adequado.* Décadas de pesquisas nos levaram a concluir que:

> *É possível medir a saúde dos relacionamentos, das equipes e das organizações pelo tempo de espera entre o momento em que o problema é identificado e o momento em que é resolvido.*

E o único modo confiável de solucionar problemas é encontrar o caminho mais curto para uma conversa eficaz.

Por que a espera? Como costumamos lidar com Conversas Cruciais

Quando vemos que estamos precisando de Conversas Cruciais, temos três opções básicas:

- Evitá-las
- Enfrentá-las de um jeito errado
- Enfrentá-las do jeito certo

É muito simples: fuja das Conversas Cruciais e sofrerá as consequências; enfrente-as de um jeito errado e sofrerá as consequências; ou enfrente-as do jeito certo, resolva a situação e veja o relacionamento melhorar.

"Hum...", você pensa. "Diante dessas três opções, prefiro enfrentar as Conversas Cruciais do jeito certo."

Mas é isso o que fazemos? Quando uma conversa fica difícil, fazemos uma pausa, respiramos fundo e dizemos a nós mesmos "Epa, esta discussão é crucial, é melhor eu ficar atento" e lançamos mão do nosso melhor comportamento? Às vezes. Às vezes abordamos os temas complicados, monitoramos nosso comportamento, resolvemos problemas e preservamos relacionamentos. Às vezes somos pura e simplesmente *bons*.

Mas muitas vezes caímos nos outros dois campos. O tempo de espera entre a identificação de um problema e sua solução eficaz cresce porque não o abordamos ou porque o abordamos de modo ineficaz, e assim o problema persiste.

Evitamos Conversas Cruciais

Apesar da importância das Conversas Cruciais, muitas vezes as evitamos, por medo de piorar a situação. Com o tempo, nos tornamos mestres em fugir de tópicos difíceis. Colegas de trabalho mandam e-mails quando deveriam pegar o telefone e falar abertamente, chefes mandam mensagens de texto em vez de fazer uma chamada de vídeo, familiares mudam de assunto quando a conversa entra em terreno pedregoso. Temos um amigo que ficou sabendo por um post-it que, depois de 17 anos, sua companheira tinha ido embora de casa. Usamos todo tipo de tática para desviar de temas sensíveis.

Claro, existem riscos em levantar o assunto, principalmente com pessoas que têm mais poder do que nós. Mas raramente enxergamos com clareza que alternativa temos. Quando se trata de Conversas Cruciais, existem apenas duas opções viáveis:

1. Conversar.
2. Agir.

Se você não conversar sobre os problemas que vem enfrentando com seu chefe, seu companheiro, seu vizinho ou seu colega de trabalho, esses problemas vão desaparecer num passe de mágica? Não. Pelo contrário: eles se tornarão as lentes pelas quais você enxerga a outra pessoa. E o modo como você a enxerga sempre transparece no modo como você age com ela. Seu ressentimento se infiltrará no seu modo de tratá-la. Você vai começar a dar respostas atravessadas, por exemplo; vai passar menos tempo com ela; sem pensar duas vezes, vai passar a acusá-la de desonestidade ou egoísmo, ou então negará informações ou afeto. O problema vai persistir, e agir movido pelos seus sentimentos em vez de conversar sobre eles aumentará a tensão numa situação que já é crucial. Quanto maior o tempo de espera enquanto você age movido pelos sentimentos em vez de falar sobre eles, mais prejudica os relacionamentos e os resultados.

Lidamos de um jeito errado
No lado oposto da evitação temos o problema de lidar mal com as Conversas Cruciais. Nesses momentos difíceis, somos as piores pessoas possíveis: exageramos, gritamos, nos retraímos, dizemos coisas das quais nos arrependemos mais tarde. A triste ironia das Conversas Cruciais é que *quando mais importa, agimos do pior modo.*

Por quê?

Nossa estrutura genética nos leva a isso. Quando uma conversa passa de rotineira a crucial, nossos instintos conspiram contra nós. Emoções fortes não são exatamente as melhores conselheiras para uma conversa produtiva. Incontáveis gerações de estruturação genética impulsionam os seres humanos a reagir às ameaças interpessoais do mesmo modo que lidam com ameaças físicas. Em momentos que parecem ameaçadores, nossa reação natural tende mais para o instinto de luta ou fuga do que para a disposição a ouvir e falar.

Considere uma Conversa Crucial típica. Alguém diz algo do qual você discorda sobre um assunto muito importante para você. Seu corpo registra a ameaça e, por instinto, se prepara para garantir sua segurança física. Dois órgãos minúsculos localizados em cima dos rins lançam adrenalina na sua corrente sanguínea. Seu cérebro desvia o sangue de atividades que não considera essenciais (como iniciar uma conversa de modo sensato e respeitoso) e o redireciona para tarefas que priorizam a sobrevivência (como dar um soco na pessoa e fugir). Os grandes músculos dos seus braços e pernas recebem *mais* sangue, enquanto as áreas racionais de alto nível do seu cérebro recebem *menos*. Assim, você termina enfrentando conversas desafiadoras com o mesmo equipamento intelectual disponível para um roedor. Seu corpo está se preparando para enfrentar um tigre-dentes-de-sabre, e não seu chefe, seu vizinho ou seus entes queridos.

Estamos sob pressão. Muitas Conversas Cruciais surgem de repente. E, por sermos apanhados de surpresa, somos obrigados a realizar uma interação extraordinariamente complexa em tempo real: sem livros, sem orientação e certamente sem pausas curtas em que uma equipe de diplomatas vem correndo em nosso socorro e nos dá todas as dicas.

O que você tem disponível nesses momentos? O assunto em questão, a outra pessoa e um cérebro tão bêbado de adrenalina que se torna quase incapaz de um pensamento racional. Não é de espantar que tantas vezes façamos ou digamos coisas que fazem todo o sentido no momento porém mais tarde parecem… bem, idiotas.

Você se pergunta: "Onde eu estava com a cabeça?" Mas deveria se perguntar: "Onde estavam as outras partes do meu cérebro?"

A verdade é que você estava tentando resolver um problema interpessoal complexo com um cérebro projetado para fazer pouco mais do que garantir sua sobrevivência. Você tem sorte de não ter tido um AVC.

Ficamos perdidos. Não sabemos por onde começar uma Conversa Crucial de modo construtivo. Vamos improvisando, porque poucas pessoas têm modelos reais de comunicação eficaz em que se espelhar. Digamos que você tenha realmente se preparado para uma conversa difícil, talvez tenha até ensaiado mentalmente. Você se sente tranquilo. Vai se sair bem? Não, se não tiver visto de verdade como é uma Conversa Crucial bem conduzida. A prática não leva à perfeição; a prática *da perfeição* leva à perfeição.

Isso significa que primeiro você precisa saber *o que* praticar. Provavelmente você já teve muitas oportunidades de ver o que *não* fazer – a partir do exemplo de amigos, colegas de trabalho e, sim, dos seus pais. Você pode até ter jurado mil vezes que não agiria do mesmo modo. Talvez tenha visto seu pai fechar a cara enquanto sua avó criticava as escolhas de vida dele; sua mãe talvez tenha ensinado você, pelo exemplo, a responder a grosserias com um sarcasmo mordaz; e seu ex-chefe tinha como lema "Se não puder dizer algo bom, não diga nada" – pelo menos até que a pessoa sobre quem ele não podia dizer nada de bom saísse da sala.

Sem modelos saudáveis a copiar, o que você faz? Exatamente o mesmo que a maioria: improvisa. Tenta encontrar as palavras e fazer com que não pareçam ameaçadoras, torcendo para que a pessoa concorde imediatamente com seu ponto de vista. Mas como você não sabe de fato como tocar no assunto com segurança ou responder aos argumentos dessa pessoa, suas tentativas tendem a ser malsucedidas, e assim o tempo de espera cresce.

Agimos de maneira autodestrutiva. Em nosso estado de paralisia e despreparo, às vezes as estratégias que escolhemos para nossas Conversas Cruciais são perfeitas para nos *impedir* de alcançar o que realmente queremos. Somos nossos piores inimigos.

Digamos que seu companheiro ou sua companheira esteja lhe dando cada vez menos atenção. Você sabe que o trabalho exige muito da outra pessoa, mas mesmo assim sente necessidade de mais tempo juntos. Você dá algumas indiretas, mas ela parece se incomodar. Você então decide não pressionar mais e se fecha. Claro, como você não está nem um pouco feliz com a situação, agora sua insatisfação fica evidente em falas sarcásticas ocasionais: "Trabalhando até tarde de novo, é? Tenho amigos do Facebook que parecem mais próximos de mim."

Infelizmente (e é aqui que seu comportamento se torna autodestrutivo), quanto mais você reclama e revida, menos seu marido ou sua esposa quer ficar perto de você. Assim, você se chateia ainda mais e o ciclo continua. Agora o seu comportamento está criando exatamente o que você não queria. Você se vê preso numa espiral autodestrutiva.

Ou talvez um dos amigos com quem você divide o apartamento (vamos chamá-lo de Rafael) tenha mania de usar coisas dos outros sem pedir. Um dia, saindo do quarto, ele tem a cara de pau de anunciar, sem constrangimento algum, que está com uma peça de cada um de vocês: uma calça do Filipe, uma camisa do Francisco e os sapatos novinhos do Cris. Que roupa *sua* ele pode estar usando? Eca!

Sua reação, naturalmente, é falar mal de Rafael pelas costas. Até o dia em que ele ouve. Você fica tão sem graça que passa a evitá-lo. Agora, só por vingança, ele aproveita quando você sai e veste suas roupas, come sua comida e usa seu laptop.

Outro exemplo: você é mulher e faz parte de um projeto liderado por um homem. Nos últimos dois meses você tem percebido que nas reuniões, quando os homens da equipe propõem ideias, seu chefe diz "Boa observação" e assente, mas, quando é uma mulher a fazer sugestões, ele mal faz contato visual e murmura apenas "Ok". Na primeira vez que isso aconteceu, você ficou intrigada. Sentiu que seria útil falar com ele, mas decidiu não fazê-lo, por medo de gerar conflito tão cedo no projeto. Depois de ver isso se repetir, você se convence de que é um padrão e que Rafael provavelmente é incorrigível. Na oitava vez, você sente uma fúria incandescente subir pela coluna. Ele nota seu ar raivoso e fechado e conclui que você não o respeita ou, pior, que está sabotando o projeto. Em vez de falar dessas preocupações com você, ele as alimenta até se tornarem um veredicto. Resultado: ele agora raramente olha na sua direção durante as reuniões e interpreta seus comentários potencialmente construtivos como ataques pessoais.

Nos dois casos, você se vê numa espiral autodestrutiva. Quanto mais os dois optam por perpetuar esse silêncio tenso, mais criam os próprios comportamentos que um odeia no outro.

Em todos esses exemplos de espirais descendentes pouco saudáveis, os riscos variavam de moderados a altos, as opiniões divergiam e as emoções afloravam. Em dois deles, o que havia em jogo a princípio não era tão importante, mas, com o tempo e as emoções crescentes, os relacionamentos azedaram e a qualidade de vida foi prejudicada – aumentando os riscos.

Há esperança

Então qual é a solução? Como ter essas conversas e resolver as situações antes que se arrastem e cheguem a um nível insustentável?

Desenvolvendo as habilidades necessárias para enfrentar e solucionar esses problemas de relacionamento através de Conversas Cruciais. Quando você se sentir confiante de que tem as habilidades necessárias, não hesitará em ter essas conversas. Sabendo que é possível chegar a um bom resultado, você será capaz de criar um contexto em que todos os envolvidos se sintam seguros para discutir suas preocupações.

Todo o restante do livro o ensinará a alcançar esses resultados positivos. Por enquanto, vejamos como essas habilidades podem melhorar cada área da sua vida.

> **▷ MOMENTOS CRUCIAIS**
>
> As habilidades que você aprenderá neste livro o ajudarão em alguns dos momentos mais fundamentais da sua vida. A coautora Emily Gregory precisou delas quando se viu diante de uma grande decisão a tomar, e elas fizeram toda a diferença. Veja a história dela no vídeo *Working Through Divorce* (*Resolvendo um divórcio*). Para isso, acesse www.conversascruciais.com.br e preencha o formulário para receber seus Recursos Adicionais.

A PESQUISA: COMO AS HABILIDADES PARA CONVERSAS CRUCIAIS PODEM MELHORAR SUA VIDA

Relacionamentos sólidos, carreiras bem-sucedidas, organizações fortes e comunidades integradas bebem, todos, da mesma fonte de poder: a capacidade de falar abertamente sobre temas delicados e controversos.

Veja a seguir uma pequena amostra das décadas de pesquisas que nos levaram a esse importante insight.

Maior influência

Será que a capacidade de conduzir Conversas Cruciais pode beneficiar a carreira? Sem dúvida. Numa série de estudos realizados em 17 organizações, identificamos milhares de "líderes de opinião" (no próximo capítulo falaremos mais sobre o significado dessa expressão): indivíduos admirados pelos colegas e pelos chefes devido a sua competência e sua visão. Um dos pontos mais citados por pessoas ligadas a esses líderes de opinião era o fato de conseguirem abordar temas emocional e politicamente delicados de um modo que outros não conseguiam. Os colegas invejavam sua capacidade de falar a verdade para quem estava no poder. Quando a equipe se via sem saber como dizer aos superiores que eles haviam perdido o contato com a realidade, eram essas mulheres e esses homens que reduziam o tempo de espera.

Todos já vimos profissionais prejudicarem a própria carreira por não saber discutir temas delicados. Você mesmo pode ter feito isso. Farto de nunca resolver situações delicadas, você finalmente falou – mas de modo um pouco abrupto demais. Ops. Ou talvez um assunto tenha esquentado a tal ponto que, enquanto seus colegas se contorcem numa massa trêmula à beira de um infarto, você decide se pronunciar. Não é uma discussão bonita, mas alguém precisa ter coragem de impedir que o chefe faça uma grande burrada (ai!).

Desde os 3 ou 4 anos de idade, a maioria das pessoas chega à perigosa conclusão – ainda que não conscientemente – de que não raro precisa escolher entre falar a verdade e manter o amigo. O tempo de espera se torna um modo de vida enquanto adiamos conversas que poderiam solucionar o problema e fortalecer o relacionamento. Mas não. Em vez disso, desenvolvemos ressentimento e nos distanciamos, pois respondemos pelo comportamento em vez de pela conversa.

As pessoas que têm Conversas Cruciais rotineiramente e as administram bem conseguem expressar opiniões polêmicas e até mesmo arriscadas de modo que sejam ouvidas. Seus chefes, colegas e subordinados diretos ouvem sem ficar na defensiva ou com raiva.

Já vimos, vezes e mais vezes, líderes de opinião encontrando maneiras de dizer a verdade ao mesmo tempo que preservavam os relacionamentos.

Ficamos maravilhados vendo-os iniciar conversas que fortaleceram as relações de trabalho. Descobrimos, assim, que o único modo de realmente fortalecer relações é *através* da verdade, não *se desviando* dela.

E quanto à *sua* carreira? Existem Conversas Cruciais que você está evitando ou não está sabendo conduzir de modo saudável? Isso está prejudicando sua influência? E, mais importante, sua carreira daria um passo adiante se você soubesse lidar bem com essas conversas?

Melhoria da organização

Será mesmo possível que o desempenho de uma organização dependa de algo tão subjetivo e emocional quanto a forma como seus funcionários lidam com Conversas Cruciais?

Estudos após estudos vêm sugerindo que a resposta é *sim*.

Começamos nosso trabalho, há 30 anos, procurando o que chamamos de *momentos cruciais*. Nossa dúvida era: "Será que existe um número reduzido de momentos em que as ações de alguém *afetam desproporcionalmente* seus principais indicadores de desempenho?" Caso existissem, quais seriam esses momentos e como deveríamos agir quando ocorressem?

Foi essa busca que nos levou às Conversas Cruciais. Descobrimos que o mundo ao nosso redor muda de acordo com a reação das pessoas quando se veem diante de uma questão delicada, que traz altos riscos. Por exemplo:

O silêncio mata. Um médico está se preparando para inserir um cateter venoso central num paciente mas não coloca as luvas, o jaleco e a máscara que garantiriam segurança ao procedimento. A enfermeira o lembra dos procedimentos, mas ele a ignora. Num estudo feito com mais de 7 mil profissionais da saúde, descobrimos que esse tipo de momento crucial acontece o tempo todo. De fato, 84% dos participantes responderam que regularmente veem colegas de trabalho pegando atalhos, demonstrando incompetência ou violando regras.

E nem é esse o problema!

O verdadeiro problema é *não dizer nada* ao ver os desvios ou infrações serem cometidos. Em todo o mundo, verificamos que as chances de uma enfermeira se manifestar nesse momento crucial são de menos de 1 em 12.

E as chances de médicos iniciarem Conversas Cruciais semelhantes não são muito melhores.

Quando eles não se manifestam, quando não acionam uma Conversa Crucial eficaz, isso impacta resultados fundamentais, como a saúde do paciente, a rotatividade dos profissionais de enfermagem, a satisfação do médico e a produtividade da equipe de enfermagem.

O silêncio leva ao fracasso. No mundo corporativo, a reclamação mais comum de executivos e gerentes é que seu pessoal trabalha em "panelinhas". Eles são fantásticos em tarefas que possam realizar totalmente dentro da própria equipe. Infelizmente, quase 80% dos projetos que exigem cooperação interfuncional *custam muito mais que o esperado, produzem menos que o desejado e estouram o orçamento*. Ficamos nos perguntando qual seria o motivo.

Para entender por quê, estudamos mais de 2.200 projetos realizados em centenas de organizações de todo o mundo. As descobertas foram espantosas. É possível prever, com meses ou anos de antecedência e quase 90% de precisão, quais projetos vão dar errado. O elemento que definia isso era se as pessoas envolvidas conseguiam ter Conversas Cruciais específicas e relevantes. Digamos, será que elas se manifestavam quando achavam que o escopo e o cronograma eram pouco realistas? Ou será que permaneciam em silêncio quando um membro de uma equipe interfuncional começava a atrasar o serviço? Ou, mais complicado ainda, o que faziam quando um executivo falhava em seu papel de líder?

Na maioria das organizações que estudamos, os funcionários se calavam nesses momentos cruciais. Já nas organizações em que as pessoas podiam e sabiam falar francamente e de modo eficaz sobre essas questões, os riscos de fracasso dos projetos se reduziam a menos da metade. Quando aconteciam fracassos, os problemas se traduziam em termos de indicadores de desempenho tais como aumento desenfreado de custos, atrasos nas entregas e indisposição generalizada. No entanto, nossa pesquisa mostrou que a causa subjacente era a indisposição para se manifestar em momentos cruciais ou a incapacidade de fazê-lo.

⟶

Outros estudos que realizamos demonstram que as empresas com funcionários hábeis em Conversas Cruciais:

- Reagem cinco vezes mais rápido a reveses financeiros (e fazem ajustes de orçamento muito mais inteligentes).
- Têm probabilidade 66% maior de evitar acidentes e mortes por condições de trabalho inseguras.
- Poupam mais de 1.500 dólares em um dia útil de oito horas para cada Conversa Crucial entre funcionários.
- Aumentam substancialmente a confiança e reduzem os custos em equipes de trabalho remotas. Empresas que não conseguem ter suas Conversas Cruciais sofrem (com fofocas, sabotagens, agressão passiva, etc.) até três vezes mais em equipes remotas do que em equipes presenciais.
- Influenciam a mudança em colegas que são abusivos, coniventes, desonestos ou incompetentes. Dos mais de 4 mil participantes, 93% disseram que, em sua organização, pessoas assim são praticamente "intocáveis" – permanecendo no cargo por quatro anos ou mais sem que sejam responsabilizadas.

A maioria dos líderes não compreende isso. Acham que a produtividade e o desempenho da organização dependem simplesmente de políticas, processos, estruturas ou sistemas. Assim, quando seu projeto não é finalizado a tempo, começam a querer imitar os processos de desenvolvimento de outras empresas. Ou, quando a produtividade cai, mexem em seu sistema de gestão de desempenho. Quando não há cooperação suficiente, reestruturam a equipe.

Nossa pesquisa mostra que esse tipo – não humano – de mudança tem mais probabilidade de falhar. Isso porque o verdadeiro problema não está em implementar um novo processo, e sim em fazer com que as pessoas cobrem umas das outras a responsabilidade por se ater ao processo. E isso exige habilidades para Conversas Cruciais.

Nas *piores* empresas, funcionários com desempenho ruim são primeiro ignorados, depois transferidos. Em *boas* empresas, os chefes enfrentam os problemas após certo tempo. Nas *melhores* empresas, todos cobram responsabilidade uns dos outros – seja qual for o nível hierárquico ou o cargo. O caminho para a alta produtividade passa não por um sistema estático, e sim por conversas cara a cara.

E você? Sua organização está empacada no progresso em direção a alguma meta importante? Na sua organização, qual é o tempo de espera médio – o tempo decorrido entre o momento em que se identifica uma questão política ou emocionalmente delicada e o momento em que essa questão é discutida? As pessoas iniciam Conversas Cruciais ou fogem delas? Você poderia dar um grande passo adiante reduzindo esse tempo de espera?

Aprofundamento dos relacionamentos

Será que Conversas Cruciais malsucedidas estragam relacionamentos? Quando se pergunta a alguém o que faz com que casais se separem, em geral as pessoas dizem que isso se deve a diferenças de opinião, isto é, preferências distintas com relação a como administrar as finanças, apimentar a relação ou criar os filhos.

Na verdade, *todo mundo* discute sobre questões importantes. Mas nem todo mundo rompe um relacionamento. A diferença está em *como* se discute.

Por exemplo, o psicólogo Howard Markman investigou casais no auge de discussões acaloradas e descobriu que as pessoas se dividem em três categorias: as que se desviam do assunto recorrendo a ameaças e xingamentos, as que alimentam a raiva em silêncio e as que falam de modo aberto, honesto e construtivo.

Depois de centenas de horas de observação, Markman e seu colaborador na pesquisa, Clifford Notarius, previram os resultados dos relacionamentos e acompanharam os casais durante a década seguinte. Eles acertaram o impressionante número de quase 90% dos divórcios.[1] Acima de tudo, porém, descobriram que ajudar os casais a aprender a ter Conversas Cruciais construtivas reduzia em mais de 50% a probabilidade de rompimento ou infelicidade na relação.

E você? Pense nos seus relacionamentos importantes. Existem algumas Conversas Cruciais que você tem evitado ou com as quais venha lidando mal? Você se afasta de algumas questões e ataca outras violentamente? Você omite opiniões desagradáveis porém acaba deixando-as escapar sob a forma de falas sarcásticas ou comentários depreciativos? Você exibe seu pior comportamento justamente com as pessoas mais importantes da sua vida? Nesse caso, sem dúvida você tem algo a ganhar em aprender mais sobre como conduzir Conversas Cruciais.

Fortalecimento da saúde

Se as evidências apresentadas até aqui não foram suficientes, o que você diria se lhe contássemos que a capacidade de conduzir Conversas Cruciais construtivas é essencial para uma vida mais saudável e mais longa?

Sistema imune. Considere a pesquisa pioneira feita pela Dra. Janice Kiecolt-Glaser e pelo Dr. Ronald Glaser. Eles estudaram o sistema imunitário de pessoas em relacionamentos de 42 anos de duração, em média, comparando os casais que brigavam constantemente com aqueles que resolviam suas diferenças de modo eficaz. Foi demonstrado que décadas sucessivas *não* reduzem a força destrutiva de brigas constantes. Pelo contrário: as pessoas que deixavam de ter suas Conversas Cruciais (e viviam brigando) tinham um sistema imune muito mais fraco e uma saúde pior do que aquelas que conseguiam resolvê-las bem.[2]

Doenças potencialmente fatais. Naquele que talvez tenha sido o mais revelador estudo relacionado à saúde, pessoas que haviam contraído melanoma maligno receberam tratamento tradicional e em seguida foram divididas em dois grupos. Um grupo se reuniu semanalmente durante apenas seis semanas; o outro, não. Facilitadores ensinaram habilidades específicas de comunicação ao primeiro grupo de pacientes em recuperação.

Foram apenas seis desses encontros, e em seguida cada um seguiu seu caminho. Após cinco anos, as pessoas que tinham aprendido a se expressar de modo saudável tiveram uma taxa de sobrevivência mais elevada – apenas 9% faleceram, em comparação com quase 30% do grupo que não recebera treinamento.[3] Pense nas implicações desse estudo. Uma pequena melhora na capacidade de conversar e se conectar com os outros foi capaz de reduzir em cerca de dois terços a taxa de mortalidade.

Esse estudo é apenas uma amostra de como seu modo de falar ou não falar pode afetar sua saúde. Incontáveis estudos sugerem que os sentimentos negativos acumulados e a dor emocional decorrentes de conversas pouco saudáveis corroem nossa saúde pouco a pouco. Em alguns casos, o impacto das conversas malsucedidas não é tão forte, mas, em outros, resulta em desastre. Em todos os casos, as conversas malsucedidas jamais nos tornam mais felizes, mais saudáveis ou pessoas melhores.

⟶

E você? Quais são as conversas específicas que mais lhe fazem mal? Que conversas (se você pudesse tê-las ou melhorá-las) reforçariam seu sistema imunitário, ajudariam a afastar doenças e aumentariam sua qualidade de vida e seu bem-estar?

RESUMO: O QUE É UMA CONVERSA CRUCIAL?

Quando há coisas importantes em jogo, as opiniões divergem e as emoções afloram, conversas casuais se transformam em Conversas Cruciais. Ironicamente, quanto mais crucial é a conversa, menor a probabilidade de lidarmos bem com ela. Quando temos uma Conversa Crucial malsucedida, cada aspecto da nossa vida pode ser afetado – nossa empresa, nossa carreira, nossa comunidade, nossos relacionamentos e até mesmo nossa saúde. E quanto maior o tempo de espera para tocar no assunto, maior é o espaço para estragos.

Mas calma. Quando aprendemos a enfrentar Conversas Cruciais – e a lidar bem com elas –, somos capazes de influenciar praticamente todas as áreas da nossa vida.

Qual é esse importantíssimo conjunto de habilidades? O que as pessoas hábeis em Conversas Cruciais fazem de diferente? E, mais importante, será que somos capazes de agir como elas?

> *Nossa vida começa a terminar no dia em que silenciamos diante das questões que importam.*
> – MARTIN LUTHER KING JR.

2
DOMINANDO A ARTE DAS CONVERSAS CRUCIAIS
O poder do diálogo

Para sermos honestos, nós não estudamos para chegar à descoberta das Conversas Cruciais. Aconteceu por acaso.

No decorrer dos anos, trabalhamos com dezenas de líderes que tentavam implementar grandes mudanças em vários ramos de atividade. Nosso método de consultoria incluía ajudá-los a encontrar em sua organização líderes de opinião que pudessem auxiliá-los nesse esforço. Fazíamos isso de modo bastante direto. Primeiro pedíamos às pessoas que citassem dois ou três colegas que elas procuravam quando tinham dificuldade para fazer alguma coisa. Nas últimas décadas, pedimos a dezenas de milhares de pessoas que identificassem em suas organizações aqueles que sabiam como fazer as coisas acontecerem quando outros se sentiam bloqueados. Não queríamos encontrar os influentes, e sim aqueles que eram *muito mais* influentes que os demais.

Todas as vezes, à medida que compilávamos os nomes, surgia um padrão. Muitas pessoas eram citadas por um ou dois colegas e algumas entravam em cinco ou seis listas. Essas eram pessoas *boas* em influenciar, mas não o suficiente para ser amplamente identificadas como grandes líderes de opinião. Por fim, havia alguns poucos que eram citados 30 vezes ou mais. Esses eram os *melhores* – aqueles que conseguiam fazer grandes coisas acontecerem em sua área. Alguns eram gerentes e supervisores, mas muitos não eram.

Um dos líderes de opinião que quisemos conhecer se chamava Kevin. Ele foi o único dos oito vice-presidentes de sua empresa a ser identificado como extremamente influente. Fomos observá-lo em ação para descobrir o motivo.

A princípio, Kevin parecia não fazer nada fora do comum. Na verdade, parecia qualquer outro VP. Atendia ao telefone, falava com seus subordinados diretos e seguia sua agradável – mas *rotineira* – rotina.

A DESCOBERTA SURPREENDENTE

Depois de observar Kevin por quase uma semana, começamos a nos perguntar se ele realmente agia de modo a se destacar dos outros ou se sua influência era apenas uma questão de popularidade. Até que o acompanhamos numa reunião.

Kevin, os outros VPs e o CEO (chefe deles) estavam decidindo sobre uma nova localização para o escritório da empresa – deveriam ir para outra área da cidade, do estado ou do país? Os dois primeiros executivos a falar apresentaram argumentos para suas principais opções e, como era esperado, seus pontos de vista foram recebidos com perguntas pertinentes de toda a equipe. Nenhuma afirmação vaga deixou de ser esclarecida, nenhum raciocínio sem base deixou de ser questionado.

Então Chris, o CEO, apresentou sua preferência – que não se mostrou popular e poderia ser desastrosa. Mas quando as pessoas tentaram discordar ou questionar, Chris reagiu mal. Como era o chefão, não precisava exatamente intimidar as pessoas para obter o que queria. Em vez disso, ficou ligeiramente na defensiva. Primeiro levantou uma das sobrancelhas. Depois levantou o dedo. Por fim, levantou a voz – só um pouquinho. Não demorou muito para que parassem de questioná-lo, e assim sua proposta equivocada foi aceita a contragosto.

Ou quase. Foi então que Kevin se manifestou. Suas palavras foram bastante simples, algo como: "Ei, Chris, posso levantar uma questão?"

Todo mundo na sala parou de respirar. Mas Kevin ignorou o terror à sua volta e continuou. Em alguns minutos, disse ao CEO, em essência, que ele parecia estar violando as próprias diretrizes de tomadas de decisão, que estava sutilmente usando seu poder para levar o novo escritório para sua cidade natal.

Kevin continuou, explicando o que estava vendo acontecer. Quando ele terminou, Chris não disse nada por alguns instantes. Então assentiu.

– Você tem toda a razão – concluiu por fim. – Eu estava tentando impor minha vontade. Vamos tentar de novo.

Foi uma Conversa Crucial. E Kevin não se valeu de tática alguma. Tampouco se calou como os colegas nem tentou impor seus argumentos. Conseguiu transmitir uma sinceridade absoluta, mas fez isso demonstrando profundo respeito por Chris. Foi algo incrível de assistir. O resultado foi que a equipe escolheu um local muito mais adequado e o CEO gostou do respeitoso feedback recebido.

Quando Kevin terminou, um dos outros VPs comentou conosco:

– Viram isso? Se querem saber como ele consegue as coisas, descubram como ele faz o que acabou de fazer.

E foi o que fizemos. Na verdade, passamos os 30 anos seguintes esmiuçando o que Kevin e pessoas como ele fazem. O que os distinguia era a capacidade de contornar o que chamamos de Dilema do Tolo.

Veja bem, a contribuição de Kevin não foi sua opinião. Quase todos os presentes enxergaram o que estava acontecendo. As pessoas sabiam que estavam se permitindo ser empurradas em direção a uma decisão ruim. Mas todos, exceto Kevin, acreditavam que tinham apenas duas alternativas, ambas ruins:

- **Opção 1.** Manifestar-se e transformar a pessoa mais poderosa da empresa em um inimigo mortal.
- **Opção 2.** Sofrer em silêncio e tomar uma decisão ruim capaz de arruinar a empresa.

O erro mais comum em Conversas Cruciais é acreditar que é preciso escolher entre dizer a verdade e preservar a amizade. Como sugerimos no capítulo anterior, passamos a acreditar no Dilema do Tolo ainda na infância. Por exemplo, aprendemos que quando a vovó servia uma fatia da sua famosa torta de brócolis e perguntava "Gostou?", o que ela *realmente* queria dizer era: "Você gosta *de mim*?" Quando respondíamos honestamente e víamos a dor e o horror no rosto dela, tomávamos uma decisão que afetaria o resto da nossa vida: "De agora em diante, vou ficar alerta para os momentos em que precisar escolher entre a sinceridade e a gentileza."

ALÉM DO DILEMA DO TOLO

E daquele dia em diante vivemos um monte de situações assim – com chefes, colegas de trabalho, familiares e estranhos tentando furar filas. Aumentar o tempo de espera se tornou um estilo de vida, e as consequências chegaram.

Por isso é que nossa pesquisa com Kevin (e com centenas de pessoas como ele) é tão importante. Descobrimos um grupo de seres humanos que se recusavam a se render ao Dilema do Tolo. Eles tinham um objetivo diferente. Quando Kevin se manifestava, sua pergunta implícita era: "Como posso ser 100% sincero com Chris e ao mesmo tempo 100% respeitoso?"

Depois daquela reunião com ótimo resultado, começamos a procurar outros Kevins, e eles estavam no mundo inteiro: na indústria, no governo, no mundo acadêmico, em ONGs. Era bastante fácil localizá-los, porque quase sempre estavam entre os mais influentes de sua organização. Não somente se recusavam a aceitar o Dilema do Tolo como também eram muito mais hábeis no modo de agir.

Mas o que exatamente eles faziam? Kevin não era *tão* diferente dos seus colegas. Será que o que ele fazia poderia ser aprendido por outras pessoas?

Para responder a essa pergunta, primeiro vamos explorar o que Kevin conseguiu *alcançar*. Isso nos ajudará a ver aonde estamos tentando chegar. Depois examinaremos os recursos que os bons comunicadores usam rotineiramente e aprenderemos a usá-los em nossas Conversas Cruciais.

DIÁLOGO

Pessoas hábeis em Conversas Cruciais encontram um modo de deixar às claras todas as informações importantes – as delas próprias e as dos outros.

É isso. No cerne de cada conversa bem-sucedida está o livre fluxo de informações. As pessoas expressam suas opiniões de modo aberto e honesto, expressam seus sentimentos e articulam suas teorias. Elas expõem seus pontos de vista voluntariamente e com competência, mesmo quando são ideias controversas e impopulares. Esse era o fator em comum entre Kevin e os outros comunicadores extremamente eficazes que estudamos.

O que eles fazem é criar efetivamente um diálogo.

> **diálogo**
> Livre fluxo de ideias entre duas ou mais pessoas.

Ao falarmos sobre diálogo, nos vemos diante de duas perguntas. Primeira: Como esse livre fluxo de ideias leva ao sucesso? E a segunda: O que podemos fazer para encorajar as ideias a fluir livremente?

Neste capítulo vamos explicar a relação entre o livre fluxo de ideias e o sucesso. Todo o restante do livro tratará de responder à segunda pergunta: o que fazer para alcançar o diálogo nos momentos em que ele é mais importante?

Abastecendo o Reservatório de Ideias Compartilhadas

Ao iniciar qualquer conversa, cada pessoa traz seus próprios pensamentos e sentimentos sobre o assunto em questão, uma combinação específica que compõe seu reservatório pessoal de ideias. Esse reservatório não somente a informa, mas também impele cada ação realizada.

Quando duas ou mais pessoas iniciam Conversas Cruciais, por definição não compartilham o mesmo reservatório. Têm opiniões diferentes. Eu acredito em uma coisa; você, em outra. Eu tenho uma versão da história; você tem outra.

Pessoas hábeis em dialogar procuram fazer com que todos se sintam seguros para acrescentar ideias ao reservatório *compartilhado* – até mesmo ideias que a princípio pareçam controversas ou equivocadas. Obviamente, nem todos vão concordar com todas as ideias; as pessoas hábeis simplesmente fazem o máximo para garantir que todas as ideias sejam apresentadas.

À medida que cresce, o Reservatório de Ideias Compartilhadas tem duas utilidades. Primeira: se informações mais exatas e mais relevantes são expostas, as pessoas fazem escolhas melhores. Não é exagero afirmar que o Reservatório de Ideias Compartilhadas é uma medida do QI do grupo. Quanto maior ele for, mais sábias serão as decisões tomadas.

Todos já vimos o que acontece quando o reservatório é raso. Se as pessoas escondem informações umas das outras, indivíduos *inteligentes* acabam por fazer coisas *burras* coletivamente.

Como exemplo, vamos citar a história que um cliente nos contou.

Uma mulher se internou no hospital para retirar as amígdalas e a equipe cirúrgica, erroneamente, retirou parte do seu pé. Como isso foi acontecer? Aliás, por que ocorrem quase 22 mil mortes por ano em hospitais americanos em decorrência de erro humano?[1] Em parte, porque muitos profissionais da saúde têm medo de dizer o que pensam. Neste caso, nada menos do que sete pessoas ficaram se perguntando por que o cirurgião estava mexendo no pé da paciente, mas não disseram nada. As ideias não fluíam livremente pela equipe, porque as pessoas tinham medo de se manifestar.

Os hospitais certamente não detêm o monopólio do medo. Em todo contexto em que há chefes muito bem pagos, confiantes e francos (isto é, na maioria dos lugares), as pessoas preferem guardar para si suas opiniões a correr o risco de irritar o indivíduo que está numa posição de poder.

Por outro lado, quando as pessoas se sentem confortáveis para se manifestar e as ideias fluem livremente, o reservatório compartilhado pode aumentar bastante a capacidade do grupo de tomar decisões melhores. Lembre-se do que aconteceu com a equipe de Kevin na reunião que relatamos. Quando as pessoas começaram a expressar sua opinião, foi possível formar uma imagem mais clara e mais completa das circunstâncias.

Quando passaram a entender as motivações e os porquês das diferentes propostas, eles se apoiaram mutuamente. Uma ideia levou a outra, e assim por diante, até que eles chegaram a uma alternativa em que ninguém havia pensado de início e com a qual todos concordaram plenamente. Em função do livre fluxo de ideias, o todo (a escolha final) se tornou verdadeiramente maior do que a soma das partes originais. Assim, a segunda utilidade é:

O Reservatório de Ideias Compartilhadas é o berço da sinergia.

Quando têm uma discussão aberta, as pessoas entendem por que a solução compartilhada é a melhor opção e se comprometem a agir. Kevin e os outros VPs não aceitaram a decisão final apenas porque estavam envolvidos no processo, mas porque compreenderam que fazia sentido.

Quando as pessoas não se envolvem, quando não se manifestam durante conversas sensíveis, raramente se comprometem com a decisão final. Já que suas ideias permanecem na cabeça e suas opiniões jamais chegam ao reservatório, elas acabam criticando silenciosamente e resistindo passivamente. Da mesma forma, quando alguns enfiam suas ideias à força no reservatório, os outros têm dificuldade para aceitá-la. Podem até *dizer* que concordam, mas depois cumprem a decisão sem muito empenho. É como disse Samuel Butler: "Aquele que cede contra a vontade não muda de opinião."

O tempo gasto estabelecendo um reservatório de ideias compartilhadas é mais do que compensado posteriormente por ações mais rápidas, mais unificadas e mais comprometidas.

Por exemplo, se Kevin e os outros líderes não se comprometessem com a decisão de realocação do escritório, haveria graves consequências. Algumas pessoas concordariam com a mudança, enquanto outras empurrariam com a barriga. Algumas se queixariam nos corredores, enquanto outras não diriam nada e resistiriam em silêncio. Provavelmente a equipe seria obrigada a se reunir de novo, discutir de novo, decidir de novo – já que apenas uma pessoa era a favor de uma decisão que afetava a todos.

Não nos entenda mal. Não estamos sugerindo que toda decisão deve ser tomada em consenso nem que o chefe não deveria participar do processo ou mesmo dar a palavra final. Estamos simplesmente sugerindo que, seja qual for o método de tomada de decisões, mais ideias compartilhadas no reservatório levam a escolhas melhores, mais unidade e convicção mais forte – independentemente de quem fizer a escolha.

Sempre que nos pegamos discutindo, evitando um assunto ou agindo de modo ineficaz, é porque não sabemos compartilhar ideias e opiniões.

Em vez de nos engajarmos num diálogo saudável, entramos em jogos que custam caro.

Às vezes, por exemplo, recorremos ao silêncio. Brincamos de Cumprimentar e Calar, isto é, não confrontamos figuras de autoridade. Ou, em casa, brincamos de Dar Gelo, uma técnica de tortura em que ignoramos nosso cônjuge para forçá-lo a nos tratar melhor (qual é a lógica disso?).

Às vezes usamos indiretas, sarcasmo, insinuações e cara feia para expressar insatisfação. Bancamos o mártir e depois fingimos que estamos tentando ajudar. Ou talvez, com medo de confrontar uma única pessoa, culpamos uma equipe inteira por um problema, na esperança de que o verdadeiro responsável entenda o recado. Qualquer que seja a tática, o método é basicamente o mesmo: não contribuímos para o reservatório e ficamos em silêncio.

Em outras ocasiões, sem saber como permanecer no diálogo, tentamos impor nosso posicionamento. Usamos de violência emocional, que vai desde grosserias até manipulação velada e ataques verbais. Agimos como se soubéssemos tudo, achando que os outros vão aderir aos nossos argumentos. Desacreditamos os outros. Usamos de força. Minamos o poder do chefe. Monopolizamos a fala com monólogos distorcidos. Fazemos comentários ofensivos. O objetivo de todos esses comportamentos é o mesmo: impor nosso ponto de vista.

Resumindo: quando há coisas importantes em jogo, quando as opiniões divergem e as emoções afloram, frequentemente agimos da pior maneira possível. Para mudar isso, precisamos encontrar um modo de explicar o que existe em cada um dos nossos reservatórios pessoais de ideias – especialmente nossas ideias e opiniões arriscadas, sensíveis e controversas – e levar os outros a compartilhar seus reservatórios. Para isso, é preciso desenvolver competências que nos deem segurança para discutir essas questões e chegar a um Reservatório de Ideias *Compartilhadas*.

HABILIDADES DE DIÁLOGO PODEM SER APRENDIDAS

Aqui vai a notícia *realmente* boa: as habilidades para dominar as interações delicadas são bastante fáceis de ser identificadas e razoavelmente fáceis de ser aprendidas. Uma Conversa Crucial bem conduzida é algo evidente.

Quando você vê alguém entrando nas águas perigosas de uma discussão de alto risco, de forte carga emocional e controversa e se saindo bem, sua reação natural é de admiração. O que começa como uma discussão condenada termina com uma decisão saudável. É impressionante.

Ainda mais importante, as habilidades de diálogo não são apenas fáceis de ser identificadas, também são fáceis de aprender. É o que veremos em seguida. Em décadas de pesquisa, isolamos e capturamos as habilidades das pessoas que têm o dom do diálogo. Primeiro acompanhamos Kevin e outros como ele. Quando as conversas se tornavam *cruciais*, fazíamos anotações detalhadas. Depois comparávamos nossas observações, testávamos nossas hipóteses e aprimorávamos nossos modelos até encontrarmos as habilidades que explicam o sucesso dos comunicadores brilhantes. Por fim, combinamos nossas teorias, nossos modelos e nossas habilidades num pacote de recursos que podem ser acionados quando há altos riscos e coisas importantes em jogo. Depois ensinamos essas habilidades e observamos enquanto os indicadores fundamentais de desempenho e os relacionamentos melhoravam.

Agora estamos prontos para compartilhar o que aprendemos. Fique conosco enquanto exploramos como transformar Conversas Cruciais de eventos assustadores em interações que levam a sucesso e bons resultados. É o conjunto de habilidades mais importante que você dominará na vida.

Minha Conversa Crucial: Bobby R.

Minha Conversa Crucial começou na noite anterior à minha primeira missão militar no Iraque, em 2004. Havia muita tensão entre pessoas da minha família, provocada por acontecimentos do passado e perspectivas conflitantes. O estresse da minha partida para o combate só fez aumentar a tensão. Naquela noite, uma pergunta bem-intencionada porém muito carregada feita pelo meu pai me tirou do sério. O modo como reagi nas duas horas seguintes provocou uma espiral descendente que afetou toda a minha família. Irmãos, primos, tios, tias, pais, filhos e avós, todos ficaram de algum lado na questão.

Meus elos familiares continuaram a se deteriorar enquanto eu comandava um pelotão de soldados pelas ruas de Bagdá. Minha esposa estava em casa com nosso filho de 1 ano e grávida do segundo. Durante meu período de serviço, outros contatos familiares só fizeram piorar a situação, e quando voltei para casa, após 14 meses de combate, encontrei uma família completamente rachada em todas as gerações. O silêncio entre mim e meu pai se manteve por cinco anos.

As Conversas Cruciais salvaram minha relação com meus pais. Um vizinho que é instrutor de Conversas Cruciais me convidou para fazer seu curso antes de eu partir para meu terceiro período de serviço no Iraque. Duas semanas antes, procurei meu pai para falar sobre as duas crianças que ele nunca tinha visto e dizer que eu em breve voltaria para o combate. Disse que não podia cometer o mesmo erro de cinco anos antes e concordamos em nos encontrar.

Diante de um lindo pôr do sol numa sacada em Houston, meu pai e eu passamos três horas tensas lidando com muita dor e muito ressentimento acumulados. Eu tinha em mente o que havia aprendido e, em vez de comprometer a sinceridade, me esforcei ao máximo para criar condições em que nós dois pudéssemos ser honestos e respeitosos. Foi incrivelmente difícil. Às vezes a honestidade ameaçava nos colocar de volta no estado raivoso que tinha nos levado até ali, mas me mantive concentrado no que realmente queria: um relacionamento com minha família.

No fim da conversa, fomos encontrar minha mãe para jantar. Ela havia sido a pessoa mais ferida pela minha raiva, portanto estava cética. Tinha certeza de que eu continuava sendo o brigão, sarcástico, maldoso e arrogante que era quando jovem. Minha mãe só me deu uma chance porque meu pai lhe garantiu que estava arrependido e determinado a alcançar um Objetivo Mútuo. Hoje tenho um relacionamento amoroso com minha esposa, meus quatro filhos e meus pais. Concordamos em nunca mais enterrar nossas preocupações sob o silêncio.

Atribuo o relacionamento que tenho hoje àquela Conversa Crucial na sacada. Se eu não tivesse colocado em prática as lições que aprendi, meu relacionamento com meu pai teria se desfeito em raiva e indiferença. E essa conversa aconteceu graças a um amigo que me apresentou às Conversas Cruciais.

PARA ONDE VAMOS

No restante do livro vamos explorar os recursos que as pessoas usam para ajudar a criar as condições de diálogo. Ainda que as Conversas Cruciais raramente sigam um caminho predeterminado, os princípios e as habilidades que vamos ensinar geralmente são aplicados numa ordem previsível. Por exemplo, a Parte 1 do livro ("O que fazer antes de abrir a boca") descreve os "princípios preparatórios" – o que precisamos fazer antes de começar, a fim de garantir que estamos prontos para uma boa conversa. E há poucas chances de um diálogo saudável se você não se concentrar no problema certo (Capítulo 3: "Identificar o assunto"), se não entender suas motivações (Capítulo 4: "Começar pelo coração") e se não administrar suas emoções (Capítulo 5: "Dominar suas narrativas").

A Parte 2 se chama "Como abrir a boca". Aqui ensinamos a reconhecer os primeiros sinais de problemas (Capítulo 6: "Aprender a olhar"). Em seguida, explicamos como criar a condição essencial que permite conversar com praticamente qualquer pessoa sobre praticamente qualquer coisa: *segurança* (Capítulo 7: "Criar segurança"). Em seguida usamos a tática, ensinando estratégias para compartilhar seus pontos de vista de um modo que seja sincero e menos provável de provocar uma atitude defensiva (Capítulo 8: "Declarar CALMA") e para ajudar os outros a expressar seus pontos de vista de modo construtivo (Capítulo 9: "Explorar o caminho dos outros"). Depois levamos você a um lugar notável nas Montanhas Rochosas dos Estados Unidos, onde aprendemos lições para minimizar o sofrimento que sentimos ao receber feedbacks desagradáveis (Capítulo 10: "Pegar sua caneta de volta").

Na Parte 3 ("Como encerrar"), apresentamos duas ferramentas importantes para encerrar uma Conversa Crucial (Capítulo 11: "Partir para a ação").

Continuando a ler (Capítulo 12: "É, mas..."), você aprenderá as habilidades fundamentais de falar, ouvir e agir junto com os outros de um modo que melhora os relacionamentos e os resultados.

Por fim, vamos amarrar todas as teorias e habilidades (Capítulo 13: "Juntando tudo"), fornecendo um modelo e um exemplo amplo. Confiamos que, à medida que você não somente ler, mas praticar o que estiver aprendendo, *ganhará cada vez mais confiança para falar em situações delicadas*.

RESUMO: DOMINANDO A ARTE DA CONVERSA CRUCIAL

A maioria das pessoas, quando se vê diante de uma Conversa Crucial, inconscientemente entra no Dilema do Tolo: acha que precisa escolher entre "dizer a verdade" e "preservar a amizade". Comunicadores hábeis resistem a essa falsa dicotomia e procuram maneiras de fazer as duas coisas, de ser 100% honestos e ao mesmo tempo 100% respeitosos. Em síntese, buscam um modo de dialogar: uma condição em que as ideias e opiniões fluam livremente entre as partes, formando um reservatório de informações maior, que é compartilhado por todos os envolvidos.

Um reservatório de informações compartilhadas maior leva a decisões melhores, relacionamentos mais fortes e ação mais unificada. Daqui em diante, este livro vai lhe ensinar habilidades possíveis de serem adquiridas, destinadas a ajudar você a dialogar nos momentos mais cruciais.

PARTE 1

O que fazer antes de abrir a boca

Cerca de 70% de uma Conversa Crucial bem-sucedida depende do que acontece na sua mente, não do que sai da sua boca. Nos próximos capítulos vamos apresentar as habilidades que são os pré-requisitos para um bom diálogo. Depois que você aprendê-las, as palavras certas fluirão naturalmente. Não há técnica ou artifício que compense a falta delas.

Nesta seção, você vai aprender a ter certeza de que está abordando os tópicos certos (Capítulo 3: "Identificar o assunto"), a ajustar suas motivações (Capítulo 4: "Começar pelo coração") e a compreender e administrar suas emoções quando elas ameaçarem interferir no diálogo (Capítulo 5: "Dominar suas narrativas").

> *Um problema bem apresentado é um problema já parcialmente resolvido.*
> – CHARLES KETTERING

3
IDENTIFICAR O ASSUNTO

Como ter certeza de que você está tendo a conversa certa

No momento em que abre a boca para ter uma Conversa Crucial, você já tomou uma decisão: decidiu sobre o que vai falar. Um dos maiores erros que cometemos é presumir que estamos solucionando o problema só por estar tendo uma conversa. Não é tão simples assim. Se você não abordar o assunto *certo*, vai acabar tendo a mesma conversa repetidas vezes.

CONVERSAS CRUCIAIS SÃO "MULTIASSUNTOS"

As interações e as relações humanas são complexas. Existem questões múltiplas, questões secundárias e tangentes. Você acha que está planejando um encontro familiar com seu irmão e de repente se vê numa conversa completamente diferente, revisitando aquela ocasião em que seus pais lhe deram uma bicicleta nova porque você sempre foi o preferido deles e seu irmão nunca conseguia estar à sua altura. Você pensa: *Ei, como viemos parar aqui?*

As Conversas Cruciais são mais bem-sucedidas quando se concentram em um único assunto. Porém, como as interações humanas são inerentemente complexas, concentrar-se num único tema durante uma Conversa

Crucial exige esforço. É preciso separar e priorizar intencionalmente os temas diante de si.

Como exemplo, vamos ver o caso de Wanda e Sabrina. Wanda é gerente de projetos numa multinacional de tecnologia. Está na empresa há muitos anos e já liderou diversos projetos bem-sucedidos, de portes variados. Recentemente, sua chefe mudou. Agora ela trabalha com Sabrina, que foi contratada há um ano com a reputação de executiva agressiva, que faz as coisas acontecerem mesmo que precise passar por cima de algumas pessoas. Sabrina pediu a Wanda que elaborasse um cronograma para um novo projeto e agora as duas o estão revisando.

Sabrina: *Estou empolgada em contar com você e sua equipe nesse projeto. Vamos falar sobre prazos.*

Wanda: *Vai levar pouco mais de seis meses.*

Sabrina: *Hum... bem, quando eu olhei, me pareceu que vocês conseguiriam completar tudo até o fim deste trimestre.*

Nesse ponto, temos o primeiro elemento de uma Conversa Crucial: uma divergência de opiniões. Wanda acha que o trabalho vai demorar pelo menos o dobro do tempo que Sabrina esperava.

Wanda: *Que bom que estamos falando sobre isso agora, antes de assumirmos qualquer compromisso, porque a gente não tem como terminar nesse prazo. Seria metade do tempo que se leva para um projeto como esse.*

Sabrina: *Foi por isso que eu coloquei você como líder deste projeto, porque você consegue fazer o impossível. Não sei se você está totalmente inteirada da importância desse projeto, então veja bem: preciso que você pense num modo de concluir isso até o final do trimestre. Há outros lançamentos em risco. Toda a estratégia da empresa está considerando um cronograma reduzido. A diretoria está contando com a gente. Ou melhor, com* você.

E assim, num instante, os outros dois elementos de uma Conversa Crucial entram em cena: há coisas importantes em jogo e as emoções afloram. Esse é um projeto importante – para Wanda, para Sabrina e para a organização. Sabrina está se sentindo pressionada e começa a aplicar essa mesma pressão em Wanda.

O que acontece em seguida?

Wanda: *Quer dizer que você se comprometeu com esse prazo? Antes mesmo de a gente conversar para ver se era viável?*

Sabrina: *Você sabe que a gente precisa de um grande lançamento este ano, Wanda. Olha, eu realmente briguei para colocar você na liderança desse projeto. Sabe o que eu falei? Que você veste a camisa. Será que eu estava enganada?*

Uau! Tem muita coisa acontecendo nessa conversa. Wanda elaborou um cronograma e, quando foi mostrá-lo à sua chefe, bam! A coisa explodiu na sua cara. Agora, além de ainda precisar chegar a um acordo quanto ao cronograma do projeto (o assunto original), existem várias outras questões. Pense no que estaria passando pela sua cabeça nesse momento se você fosse Wanda. Digamos:

- "Como vou conseguir fazer esse projeto?"
- "Ela está armando para eu fracassar!"
- "Isso é injusto com minha equipe!"
- "Como vou explicar para a minha família os milhares de horas extras malucas que vou precisar fazer?"
- "Será que posso dizer o que realmente estou pensando? Será que vou ser demitida se fizer isso?"
- "Aliás, será que quero continuar nessa carreira? Quero mesmo trabalhar com Sabrina?"

Wanda está claramente diante de uma Conversa Crucial. Mas a questão é: qual conversa? Sobre o que ela deve falar neste momento com Sabrina?

POR QUE GERALMENTE ABORDAMOS O ASSUNTO ERRADO

Diante de problemas complexos como esse, raramente paramos para pensar qual assunto devemos abordar. Em vez disso, seguimos automaticamente em uma destas duas direções equivocadas:

O fácil em vez do difícil. Diante de uma conversa de forte carga emocional e altos riscos, costumamos escolher o assunto em que achamos que temos mais chances de vencer. Em geral, isso significa que deixamos de lado o que está realmente atrapalhando o caminho rumo aos nossos objetivos mais importantes e optamos por tratar de algo mais fácil. Pensamos: "Vou começar falando disso e aí vejo como a conversa evolui." É como se estivéssemos testando o terreno. Ou tentando atravessar um lago sem molhar os pés. Por exemplo, se você concluiu que um subordinado direto seu é incompetente em algum aspecto do trabalho, pode dourar a pílula citando pequenos erros recentes. No fundo, você torce para que ele deduza por si só o tamanho do problema, sem que você precise dizer. Bela tentativa. Mas raramente funciona.

O mais recente em vez do certo. Outro erro comum é abordar a atitude ou o episódio mais recente em vez do mais importante. Se um colega de trabalho parece desrespeitoso quando você se pronuncia durante as reuniões, você menciona a grosseria mais recente em vez de abordar o padrão mais amplo:

– Ei, você começou a falar junto quando eu não tinha terminado de expor meu raciocínio.

Ao que ele apenas dá de ombros e responde:

– Caramba, me desculpa. Acho que me empolguei um pouco demais.

Você *diz*:

– Entendi.

Mas o que *pensa* é: "Você faz isso o tempo todo, seu egocêntrico dos infernos!"

Escolhemos o mais recente em vez do certo por dois motivos. Primeiro, porque nos lembramos da situação com mais clareza. Segundo, porque não queremos ser acusados de desenterrar histórias antigas.

Três sinais de que você está tendo a conversa errada

Os resultados dessas armadilhas são bastante previsíveis. Acabamos tendo a conversa errada e não avançamos na resolução do problema.

Para evitar esse erro, aprenda a reconhecer três sinais de que você está falando sobre o assunto errado. Memorize-os. Quando encontrá-los, imagine um sinal luminoso amarelo piscando na sua mente, dizendo: "Assunto errado!" Quando essa luz piscar, recue um passo e se pergunte: "Qual é a verdadeira questão a resolver?"

1. *Suas emoções se intensificam.* Quando escolhe o assunto errado, no fundo você sabe que não está solucionando o problema, mesmo que a conversa esteja correndo bem. Você então se frustra, e esse sentimento vai aumentando durante a conversa. Isso está acontecendo agora mesmo com Wanda, no diálogo que reproduzimos anteriormente. Quando a conversa começou, ela se sentia confiante com seu cronograma. Agora está apreensiva e temendo por seu emprego. Essa emoção exacerbada deveria sinalizar que a questão não é mais o cronograma do projeto. Algo mais importante precisa ser abordado!
2. *Você sai da conversa com ceticismo.* Certo, talvez vocês até cheguem a um acordo. Mas você se afasta já pensando: "Nada vai mudar de verdade." Ou então vocês chegam a um acordo, mas você duvida que as mudanças resolvam o *verdadeiro* problema. Qualquer que tenha sido o acordo, você sente que é apenas fachada, porque não vai lhe dar o que você realmente quer.
3. *Você tem um diálogo déjà-vu.* Se você já teve a mesma conversa com a mesma pessoa, o problema não é *ela*. É *você*. Você está tendo a conversa errada. Se as suas próprias palavras lhe soam familiares porque essa conversa já aconteceu – talvez até uma dúzia de vezes –, você está abordando o assunto errado.

Uma das melhores maneiras de abordar o assunto certo é saber perceber facilmente quando está no assunto errado. Memorize esses três sinais de alerta. E, a cada vez que notar algum deles, entenda-o como uma deixa para fazer uma pausa e se perguntar qual é a verdadeira questão que precisa ser abordada.

COMO IDENTIFICAR O ASSUNTO CERTO

Você deve conhecer alguém com o dom de apontar com exatidão o xis da questão. A conversa está dando voltas e esquentando, e de repente a pessoa diz "Sabe, acho que a verdadeira questão aqui é de *confiança*. Nós perdemos a confiança um no outro" ou faz alguma outra dedução brilhante a partir dos últimos 53 minutos de caos. Uma dúzia de cabeças assente e de repente vocês começam a fazer progresso, porque agora estão falando da verdadeira questão. Como se faz isso?

A resposta é que essa pessoa é hábil nos três elementos da escolha do assunto certo. A pessoa sabe como *separar, decidir* e *simplificar* as questões envolvidas.

Vamos começar com *separar*.

Separar

Existem três níveis de conversas que talvez você precise ter sobre a questão em si, além de um quarto nível, relacionado ao processo da conversa (mais adiante falaremos sobre isso). Um bom modo de descobrir qual é o certo começa por separar as várias questões, nível por nível. Você pode se lembrar desses níveis com a ajuda da sigla CPR.

Circunstância. Na primeira vez que o problema ocorrer, fale sobre o incômodo imediato. Se o problema é a ação em si ou suas consequências imediatas, você tem um problema circunstancial. Por exemplo, seu colega não lhe entregou as análises de marketing de que você precisava para terminar um relatório para a gerência e agora o seu pescoço está na reta porque seu relatório atrasou. Ou você está fazendo uma apresentação e um dos seus colegas de equipe fica interrompendo e falando por cima de você. Se é a primeira vez que isso acontece, trata-se de um problema de circunstância.

Padrão. Na próxima vez que o problema acontecer, pense em padrão. Agora a preocupação não é somente o motivo para que isso tenha acontecido uma vez, e sim o fato de que um padrão está começando a surgir, ou já surgiu. Por exemplo: nas últimas três vezes que sua equipe recebeu um projeto muito empolgante, seu chefe o delegou a outras pessoas, apesar de você ter expressado interesse. O problema não é mais apenas um projeto recusado, é o padrão se delineando.

Talvez seja difícil determinar quando passar do nível de circunstância para o de padrão. Pode parecer que você está tirando conclusões precipitadas se passar para o nível de padrão depois de apenas uma segunda ocorrência, mas é bom abordar padrões o quanto antes e com franqueza, antes que se tornem arraigados. Pense do seguinte modo: na primeira vez que uma coisa acontece, é uma circunstância; na segunda, pode ser coincidência; na terceira, é um padrão.

Relacionamento. Se persistirem, os problemas podem começar a impactar o relacionamento. Questões de relacionamento envolvem preocupações mais profundas, relacionadas a *confiança*, a *competência* ou o *respeito*. Por exemplo: você começa a duvidar da competência de alguém ou a questionar se pode realmente confiar que essa pessoa vai cumprir com os compromissos. Ou pode concluir, após repetidos episódios, que uma pessoa não respeita sua posição ou não reconhece sua contribuição. Com essas dúvidas e perguntas na sua mente o tempo todo, você começa (seja sutil ou explicitamente) a tratá-la de modo diferente. Às vezes um problema de relacionamento pode surgir totalmente formado na primeira ocasião. Por exemplo, se você vir um colega copiar documentos sigilosos para um pen drive pessoal e levar para casa, é bem capaz de isso acionar um problema de confiança imediato.

⟶

Para mostrar como utilizar o CPR, vamos dar uma olhada num exemplo muito delicado trazido por um cliente nosso. Leia o relato dele e reflita sobre como você usaria o CPR para ajudá-lo a identificar qual assunto deve abordar.

Sou a única pessoa não branca na minha equipe. Minha gerente imediata já me chamou pelo nome errado várias vezes em reuniões. Depois da terceira vez que isso aconteceu, eu a corrigi na hora. Mais tarde ela me disse que eu não deveria ter me dado ao trabalho porque todas as pessoas da minha etnia têm nomes parecidos, de modo que isso não deveria fazer diferença para mim. Em outra ocasião, ela sugeriu que eu adotasse um nome "mais comum em inglês".

Percebe como é importante para essa pessoa decidir o assunto certo a ser abordado? O processo de separação ajuda a enxergar uma variedade de opções:

1. *Manter a questão no nível de circunstância.* Resolva o problema imediato corrigindo qualquer pessoa que chame você pelo nome errado. Ou agradeça à sua gerente pela sugestão, mas deixe claro que você gostaria de ser chamado pelo nome certo.
2. *Passar para o nível de padrão.* Deixe clara sua preocupação com a possibilidade de o engano dela ter virado um padrão.
3. *Discutir o relacionamento.* Diga à sua gerente que o seu nome é parte importante da sua identidade e que você se sente desrespeitado quando alguém no seu trabalho não se importa em aprendê-lo. Ou, talvez mais importante ainda, que você se sente desrespeitado pela sugestão de mudá-lo.

Separar as questões com o CPR ajuda a esclarecer a situação na nossa mente, além de nos preparar para fazer uma escolha consciente: em que nível queremos ter essa conversa? No entanto, antes de tomar essa decisão, vamos considerar mais uma coisa que você pode querer discutir: o processo da própria conversa.

Você precisa falar sobre o processo?
O CPR é um excelente ponto de partida para começar a separar as camadas de interações complexas e avaliar os assuntos que estão se arrastando. Mas nem todo assunto se encaixa perfeitamente nos níveis de circunstância, padrão e relacionamento. Às vezes você precisa ampliar a conversa de modo a incluir como os problemas estão sendo discutidos.

Um exemplo: há alguns anos estávamos treinando uma líder sênior,

Keila, no sentido de fazê-la melhorar seu estilo de gestão. Ela comandava uma equipe de umas 12 pessoas, entre elas uma assistente administrativa relativamente nova na equipe, Alice. Keila estava ansiosa para estabelecer um bom relacionamento profissional com Alice. Como era nova, Alice ainda precisava aprender algumas coisas e Keila era rápida, direta e respeitosa em dar feedback. Mesmo assim, Alice quase sempre ficava na defensiva. Keila tentou tudo que lhe ensinamos sobre dizer as coisas de um modo que tornasse seguro para Alice ouvi-la (vamos ensinar isso em capítulos posteriores), mas simplesmente não estava funcionando.

Depois de observar algumas interações das duas, diagnosticamos que era um problema de processo. Algo no modo como ela dava o feedback e como Alice o ouvia estava criando o problema que as impedia de avançar. Keila então elegeu esse o assunto a abordar. Ela então marcou um horário para conversar com Alice sobre como elas estavam trabalhando juntas e qual seria o melhor modo para Keila lhe dar feedback. Ela explicou sua intenção: queria que as duas trabalhassem bem juntas e queria ver Alice se saindo bem em sua função. Era por isso que dava os feedbacks. Keila disse (usando as habilidades ensinadas neste livro) que tinha notado a postura defensiva de Alice e que gostaria de encontrar um processo melhor de lhe dar feedback.

A conversa correu bem. As duas chegaram a alguns acordos concretos para que Alice pudesse e quisesse ouvir os feedbacks e Alice se comprometeu a expressar suas emoções de uma maneira que funcionasse melhor para Keila.

Reservar um tempo para falar sobre o processo de *como* estamos nos comunicando é especialmente importante quando existem diferenças nos estilos de comunicação ou quando nosso modo de comunicação muda.

Questões de processo também são comuns quando há encontro de culturas. Por exemplo, nós trabalhamos com instrutores na Europa e na Ásia. Ainda que os princípios sejam os mesmos, existem variações evidentes no modo como as pessoas se comunicam em diferentes culturas. Um dos instrutores holandeses nos relatou a seguinte experiência ao atuar com um dos nossos colegas asiáticos:

Eu queria ter uma conversa boa e honesta sobre alguns problemas que estávamos tendo no trabalho. Quando lhe pedi que me dissesse o que pensa-

va sobre a situação, ele não falou quase nada. A conversa foi um desastre. Depois mandei um e-mail para ele explicando que achava que a conversa não tinha rendido o que eu esperava, mas que eu realmente queria encontrar uma solução satisfatória para nós dois. Tivemos uma segunda conversa, mas dessa vez foi sobre o processo, e não sobre problemas específicos. Perguntei o que eu poderia ter feito de modo diferente e ele me explicou que, em sua cultura, não está acostumado a colocar os problemas na mesa explicitamente, portanto meu modo de falar lhe pareceu desrespeitoso. Segundo ele, o costume em seu país era começar falando sobre como estamos, sobre a família e outras amenidades do tipo. Segundo o costume holandês, eu tinha feito tudo certo. A conversa sobre o processo me ajudou a descobrir como esclarecer para ele minhas verdadeiras intenções.

Conversas sobre processos também são especialmente importantes em casos de relações virtuais, mesmo que apenas parcialmente. Quando o contato é frequente, é essencial falar de modo explícito sobre como vocês vão se comunicar. Por exemplo, como você vai garantir que todos da equipe tenham a oportunidade de falar? Como vai criar espaço para que as pessoas tenham tempo para pensar? Que ferramentas vai usar? Que normas devem ser estabelecidas? Como você vai acomodar diferentes fusos horários e estilos de trabalho? Para responder a essas questões, comece se perguntando: "Quando as conversas virtuais funcionam bem para mim? E quando não funcionam?" Depois avalie o processo. Lembre: se você não falar sobre isso, agirá a partir disso. E os relacionamentos virtuais deixam muito mais espaço para agir!

Decidir

O próximo passo para descobrir o assunto certo a ser discutido é *decidir*. Trata-se de passar todos os temas que você separou pelo filtro de uma única pergunta: "O que eu realmente quero?" (Você verá ainda mais o poder dessa pergunta no próximo capítulo.)

Avalie qual é sua maior prioridade e depois escolha o problema que o está impedindo de alcançar isso. Por exemplo, se o que você realmente quer é resolver o problema de um cliente, pode optar por lidar com a questão de circunstância ("Como podemos mandar isso para a Malásia em dois dias?") e não de relacionamento ("Não confio que você vá fazer isso direito") nem de padrão ("Nossa equipe de operações costuma adiar a execução de tarefas até virarem crises"). Você opta por deixar essas outras duas conversas para outros momentos.

Simplificar

Após escolher o assunto, verifique se você consegue definir com simplicidade o que quer discutir. Não estamos falando de como começar a conversa, e sim de sintetizar o problema em uma frase sucinta. É mais difícil do que parece. Tente abordar pessoas que são ótimas em Conversas Cruciais logo antes de elas levantarem uma preocupação (já fizemos isso). Pergunte a elas: "Qual é o assunto que você quer discutir?" Você descobrirá que elas precisam de muito menos palavras para responder do que a maioria. Quanto mais palavras você usa para descrever o assunto, menos está preparado para falar. Por exemplo, quando perguntamos a uma pessoa hábil qual era a mensagem que ela queria passar numa análise de desempenho que aconteceria em breve, ela disse: "Concluí que ele não é bom em gerenciar pessoas ou projetos." Bum! Claríssimo. Simples. Ela está pronta.

Por que essa clareza é tão rara? Quando nós, simples mortais, damos esse passo, geralmente sentimos medo. Então, quando começamos a admitir o verdadeiro problema, entramos em pânico com relação a *como* abordá-lo. É menos assustador quando deixamos que o problema permaneça vago. Quando você pode remexer um assunto numa gigantesca tigela de palavras, é mais fácil diluí-lo, mas, quando você simplesmente declara em palavras a essência do que precisa abordar, sente uma responsabilidade intimidadora. Você encara de frente o tamanho do problema.

Mas isso não deveria gerar pânico, e sim fortalecer sua resolução. O pânico só acontece quando você combina dois problemas. Enquanto uma parte do seu cérebro pensa "*Qual* é a verdadeira questão?", outra parte está histérica, pensando: "*Como* eu vou dizer isso?" Não caia nessa! Se você se preocupar com o *como* enquanto está tentando definir honestamente *o quê*, ficará tentado a diluir a mensagem. E aí o "Acho que você não é bom em gerenciar pessoas ou projetos" começa a ficar parecido com "Como *você* avalia o lançamento do produto?". Medimos palavras, andamos em círculos e adoçamos a conversa.

Formular uma frase simples que defina o problema ajuda a começar com um objetivo claro em mente e a se manter responsável. Dá um padrão para avaliar se você disse toda a verdade que precisava. Por ora, não se preocupe com o jeito de falar, apenas diga a si mesmo a verdade sobre o que quer dizer.

Depois de fazer isso, você pode passar para a preocupação seguinte: "Como posso dizer a verdade e, ao mesmo tempo, fortalecer o relacionamento?" Os próximos capítulos vão ajudá-lo a enfrentar esse desafio.

Por enquanto, vamos deixar isso de lado. Neste ponto, só se preocupe em acertar *o quê*. Diga a verdade a si mesmo.

Pode ser difícil. Mas ser honesto consigo mesmo é a precondição para ser honesto com os outros. Digamos, por exemplo, que você esteja conversando com alguns colegas de trabalho sobre onde instalar o grupo de novos estagiários. No meio da discussão sobre determinado estagiário, um colega diz: "Tem um monte de asiáticos na nossa equipe de análise de dados, vamos colocá-lo lá." De repente você é tomado por dois sentimentos diferentes: raiva e pavor. Você se sente ofendido porque acha que o comentário é idiota ou racista, ou ambos, mas sente medo porque não consegue imaginar um modo de repreendê-lo sem gerar desconforto. Assim, você fica tentado a simplesmente permanecer no conteúdo da discussão: sugerir outras opções para o estagiário, explicar por que outras áreas seriam melhores para ele. Mas o tempo todo a verdadeira questão estará fervilhando dentro de você.

O que fazer? Em primeiro lugar, você deve dizer a verdade a si mesmo. Mesmo não sabendo o que dizer no momento, pare e esclareça o que está realmente o incomodando. Só então você pode decidir qual é o próximo passo. Tendo dito a verdade a si mesmo (você acredita que o comentário dele foi uma prova de racismo sutil ou explícito), você pode decidir se, quando e como ter essa conversa.

UM AVISO: ESTEJA ALERTA PARA A MUDANÇA DE ASSUNTO

A maioria dos problemas cruciais que enfrentamos exige abordarmos questões no nível de padrão, processo ou relacionamento. Muito raramente uma questão pontual, isto é, de circunstância, nos absorve por muito tempo. Você pode pensar nisso como uma erva daninha crescendo no meio do seu gramado impecável. A questão de circunstância é aquela planta que chama a atenção. Ela é evidente e você pode se livrar dela facilmente. Basta cortá-la, e de repente o seu gramado voltou a ser uma perfeição verdejante. Mas você sabe o que acontece em seguida: a erva daninha cresce de novo e provavelmente se multiplica. Por quê? Porque você não arrancou as raízes.

As questões nos níveis de padrão, processo e relacionamento na nossa vida são como essas raízes. Se não as identificarmos e não dermos um jeito nelas, encontraremos as mesmas questões de circunstância mais e mais vezes.

Mas tome cuidado. Não é porque agora você sabe que precisa ter uma conversa no nível de padrão ou relacionamento que ela se tornou mais fácil. Assim que definir o nível da conversa, você precisa mantê-la ali. Com frequência, quando você inicia uma conversa em nível de padrão ou relacionamento com alguém, a tendência da outra pessoa é buscar segurança numa conversa no nível de circunstância.

Por exemplo, nos últimos meses você percebeu que um dos designers da sua equipe vem fazendo peças um tanto banais. Ele está cumprindo todos os prazos e entregando tudo que é pedido, mas a qualidade e a criatividade não atendem o padrão que você deseja. O problema não está em nenhum projeto específico. Pelo contrário: quando vistos em conjunto, os resultados dele não estão no mesmo padrão de antes. Você decide se preparar para essa conversa sobre padrão.

Você começa dizendo:

– Olha, estes são os últimos cinco projetos que você entregou e esses são os cinco anteriores. Pelo que eu vejo, no último semestre você não tem alcançado o mesmo nível de criatividade de antes. Tecnicamente você está fazendo tudo certo, mas, em termos de criatividade, está faltando brilho. Gostaria de saber o que você acha.

Ele responde rapidamente:

— Sei que o meu trabalho no projeto do Jonas essa semana não foi tão bom como poderia. Não consegui perceber muito bem o que o cliente queria e eu estava com um monte de outros projetos ao mesmo tempo.

Viu o que aconteceu? Você iniciou uma conversa de padrão (os últimos seis meses de projetos) e ele respondeu falando sobre uma questão de circunstância (o último projeto entregue). Pode ser muito fácil cair nessa armadilha. Se você disser "É, sei que estamos com muita coisa, mas o projeto do Jonas era fundamental para nós, como equipe, e precisávamos do seu melhor trabalho", num instante estará tendo uma conversa diferente daquela que pretendia ter. Você vai sair dela sentindo que não resolveu o problema. Por quê? Porque teve a conversa errada.

Não houve má intenção por parte do designer. Ele não está tentando desviar o foco da conversa de propósito, só caiu na armadilha em que todos caímos: escolher o recente em vez do certo, ou o fácil em vez do difícil. Cabe a você manter a conversa no nível que deseja, dizendo: "Sei que havia muita coisa acontecendo essa semana com o projeto do Jonas, entendo isso. Mas na verdade estou menos preocupado com esse projeto específico e mais com o padrão que venho notando no seu trabalho nos últimos meses. Fico me perguntando se tem alguma coisa maior acontecendo que esteja impedindo você de fazer seu melhor."

Em geral, você deve escolher o nível em que deseja ter a conversa e se manter ali. Mas há uma exceção.

Coloque um marcador

Clareza é fundamental. Mas flexibilidade também é. Lembre-se: você não está num monólogo. O objetivo é que seja um diálogo. Há outra pessoa nessa conversa e ela tem os próprios desejos e necessidades. Em algumas Conversas Cruciais, novos temas surgem e você precisa equilibrar foco (nos seus objetivos) e flexibilidade (para permitir que a outra pessoa também alcance os dela).

Vamos ouvir Tatiana conversando com sua colega de trabalho Carol sobre alguns dados de que ela precisa:

Tatiana: *Você ficou de me enviar o arquivo de dados brutos do Projeto Ascent ontem, mas ainda não o recebi. Você conseguiu terminar?*

Carol: *O sistema está fora do ar desde cedo. Estou totalmente sem acesso. Sério, não sei como vamos fazer nosso trabalho se eles não conseguem nem manter o sistema rodando.*

Tatiana: *Bom, talvez, mas ontem o sistema estava fora do ar também?*

Carol: *Ei, por que você está pegando no meu pé? Nós somos amigas. Não pode me dar um desconto?*

Tatiana: *Nós somos amigas. E colegas de trabalho. Não estou pegando no seu pé, só preciso desse relatório.*

Carol: *Eu sei, eu sei. Desculpa. Acho que estou tensa porque o Marcos já veio me cobrar hoje e... Nossa, não aguento aquele cara. Odeio que ele fica me despindo com os olhos. Estou no meu limite. Desculpa.*

Bom, isso foi muito mais do que Tatiana queria com aquela conversa. Ela começou a falar de algo que parecia ser um problema bastante simples: o arquivo que Carol estava lhe devendo. E recebeu de volta três problemas: o sistema fora do ar, a manipulação com a cartada do "Não somos amigas?" e, o que é mais preocupante, o relato de um possível assédio.

O que fazer quando a conversa começa com um assunto e surgem outros no caminho? É preciso escolher: ou você se mantém no problema original ou passa para um novo. Em todo caso, recomendamos colocar um marcador. É uma maneira de determinar verbalmente para onde a conversa está indo e para onde você pretende voltar.

Digamos que Tatiana queira transferir o foco para esse problema novo, a experiência negativa da amiga com Marcos. Ao passar para a nova questão, ela coloca um marcador no tema original.

Tatiana: *Caramba, você parece bem mal com isso. Me fale mais sobre esse comportamento do Marcos. Mais tarde a gente volta ao arquivo dos dados.*

Em alguns casos (provavelmente não neste, dada a seriedade da questão inesperada que Carol levantou), você poderia colocar um marcador no assunto novo e manter o foco no original. Digamos:

Tatiana: *Caramba! Isso é importante, quero conversar sobre o que você está passando, porque esse problema precisa ser enfrentado. Só que no momento eu tenho meia hora para enviar o arquivo com os dados à equipe de operações. Vamos resolver essa questão do arquivo e depois voltamos a falar do Marcos. Porque precisamos conversar sobre isso.*

Quando coloca um marcador, você faz uma escolha consciente sobre o que quer conversar naquele momento. E deixa claramente registrado com a outra pessoa que você voltará mais tarde ao assunto marcado. Jamais permita que a conversa se desvie ou que o assunto mude sem evidenciar isso verbalmente.

VOLTANDO À HISTÓRIA DE WANDA

Lembra da Wanda? Ela estava prestes a ter uma conversa bastante complexa com a chefe. As duas começaram a falar sobre o cronograma de um projeto e novos assuntos foram surgindo – como as decisões estavam sendo tomadas, quais informações estavam sendo consideradas e a pressão que Sabrina estava colocando sobre Wanda com ameaças veladas. Vejamos como Wanda reagiu.

Quando Sabrina disse "Olha, eu realmente briguei para colocar você na liderança desse projeto. Sabe o que eu falei? Que você veste a camisa. Será que eu estava enganada?", Wanda fez a escolha inteligente nessa situação: colocou um marcador no cronograma do projeto (nível de circunstância) e levou a conversa para o nível do relacionamento. Posteriormente, ela definiu para nós o problema em uma frase simples: "Eu preciso saber se posso confiar no nosso processo e em você."

E respondeu o seguinte a Sabrina:

– Sei que estamos numa situação difícil. Assim como você, não quero desapontar a chefia. E quero que você saiba que estou comprometida. Mas também quero que a gente estabeleça objetivos realistas, senão o projeto não vai ser concluído com qualidade. Acima de tudo, quero que nós possamos trabalhar juntas sendo francas uma com a outra em relação às nossas necessidades e preocupações.

Esse foi o início de uma conversa no nível de relacionamento. E o início de um relacionamento melhor.

RESUMO: IDENTIFICAR O ASSUNTO

Você não pode resolver o problema verdadeiro se não escolher o assunto certo. Eis como garantir que você está falando sobre a coisa certa:

- Aprenda a identificar os sinais de que você está tendo a conversa errada:
  1. Suas emoções se intensificam.
  2. Você sai da conversa com ceticismo.
  3. Você entra num diálogo déjà-vu.

- Siga estes três passos para identificar o assunto a abordar e se prepare para manter o foco nele:
  1. *Separar*. Classifique os vários assuntos usando o CPR. São questões em nível de circunstância, padrão ou relacionamento? Ou talvez de processo?
  2. *Decidir*. Pergunte-se: "O que eu realmente quero?" Use isso como um filtro para identificar o assunto mais relevante no momento.
  3. *Simplificar*. Condense sua preocupação numa única frase para conseguir manter o foco durante a conversa.

- Por fim, esteja ao mesmo tempo focado e flexível. Preste atenção nos esforços (intencionais ou não) que a outra pessoa faz para mudar de assunto. Não deixe que o assunto mude sem uma decisão consciente. E, se decidir mudar de assunto, ponha um marcador no assunto original para que seja mais fácil voltar a ele após lidar com o novo.

> *Fale quando estiver com raiva e você terá a vida inteira para se arrepender.*
> – AMBROSE BIERCE

4

COMEÇAR PELO CORAÇÃO

Como manter o foco no que você realmente quer

Agora que você sabe sobre *o que* quer falar, é hora de passarmos para o *como* do diálogo. Como encorajar o fluxo de ideias quando você está dominado por fortes emoções, falando sobre temas extremamente importantes para você, com alguém que discorda por completo de você? Considerando que o estilo da maioria das pessoas se baseia em hábitos arraigados, isso provavelmente exigirá muito esforço.

A verdade é que as pessoas *podem* mudar. Nós já ensinamos estas habilidades de conversas a milhões de pessoas por todo o mundo e vimos melhoras gigantescas nos resultados e nos relacionamentos. Mas isso exige trabalho. Não se pode simplesmente sublinhar um parágrafo inspirador num livro e sair transformado. É preciso, antes de tudo, olhar demorada e profundamente para si mesmo.

É por isso que Começar pelo Coração é a base do diálogo. A mudança começa no *seu* coração. Nossa tendência é a oposta. Nosso corpo é feito para coletar dados sobre os outros, não sobre nós mesmos. Parafraseando Shakespeare, o olho vê tudo, menos a si próprio. Percebemos facilmente quando alguém exagera seus argumentos ou quando cospe fogo enquanto nos dá um sermão. Mas não percebemos nosso ar de enfado, nossa expressão de desprezo, nosso sorriso de zombaria.

Uma das lições mais importantes que aprendemos com as pessoas que agem do melhor modo nos momentos cruciais é que tudo começa no *eu*. A primeira coisa que se deteriora numa Conversa Crucial não é o seu comportamento, é a sua motivação. E é raro que se consiga perceber isso a tempo de impedir o estrago. O primeiro passo para o diálogo é ajustar seu coração.

TRABALHAR *PRIMEIRO* NO "EU" E DEPOIS NO "NÓS"

Vamos começar com uma história real. Duas irmãs pequenas, Aline e Clara, entram às pressas no quarto do hotel depois de passarem um dia quente de verão na Disney. Devido ao calor sufocante, as meninas consumiram refrigerante suficiente para irrigar uma pequena fazenda. Ao chegarem ao quarto, elas só pensam em uma coisa: ir ao banheiro.

Como só há um vaso sanitário, não demora muito para a briga começar. Desesperadas, as duas começam a discutir, xingar e empurrar uma à outra enquanto dão pulinhos no banheiro minúsculo. Até que Alice chama o pai para ajudar:

– Pai, eu cheguei primeiro!

– Mas eu estou mais apertada! – diz Clara.

– Como é que você sabe? Você não está no meu corpo. Eu nem vim ao banheiro de manhã, antes de sair!

– Sua egoísta!

Numa tentativa ingênua de ensiná-las a encontrar uma solução sozinhas, o pai propõe o seguinte:

– Meninas, não vou resolver isso para vocês. Fiquem no banheiro até decidirem quem vai primeiro. Só tem uma regra: sem bater.

Enquanto as duas crianças agitadas começam sua Conversa Crucial, o pai olha o relógio, perguntando-se quanto tempo vai levar. Os minutos passam devagar. Ele ouve uma ou outra explosão de sarcasmo. Até que, depois de 25 longos minutos, vem o som da descarga. Clara sai. Pouco depois, outra descarga e Aline sai. O pai pergunta:

– Sabem quantas vezes vocês duas poderiam ter usado o vaso no tempo que levaram para decidir isso?

As duas pestinhas não tinham pensado nisso. Então o pai sonda mais fundo:

– Por que vocês demoraram tanto?

– Porque ela é sempre uma egoísta!

– Olha só! Ela está *me* xingando quando *ela* poderia ter esperado. Ela sempre consegue o que quer!

As duas disseram que o que mais queriam era usar o banheiro, mas se comportaram de tal modo que o banheiro não passasse de um sonho distante. Com base na dança de 25 minutos no banheiro, qual era a *verdadeira* motivação delas? Sentir o abençoado alívio de usar o vaso sanitário? Não. Às vezes o melhor modo de discernir uma motivação é examinar o comportamento. Observando o modo como as irmãs agiram, podemos ver que o que elas *realmente* queriam era ser a primeira, estar certa ou talvez até fazer a outra se sentir mal.

O primeiro problema que enfrentamos em Conversas Cruciais não é o nosso comportamento piorar, e sim nossas motivações – uma mudança que muitas vezes deixamos de perceber. Em vez disso, nos agarramos à motivação "declarada" e ignoramos o que nosso comportamento revela sobre a verdadeira motivação.

O primeiro passo para alcançar o que *realmente* queremos é parar de acreditar que os outros são a fonte de tudo que nos atormenta. Nosso problema não é nossa irmã, e sim nossas motivações. Nossa convicção dogmática de que "Se eu conseguisse dar um jeito nesses idiotas, tudo ficaria melhor" é o que nos impede de agir de um modo que poderia levar ao diálogo e a relações melhores. Não é surpresa, portanto, que as pessoas *mais hábeis* em dialogar virem essa lógica pelo avesso. Elas acreditam que o melhor modo de progredir no "nós" é começar pelo "eu".

As pessoas *mais hábeis* em dialogar entendem esse fato simples e o transformam no princípio "Trabalhar primeiro no *eu* e depois no *nós*". Elas não somente veem que podem se beneficiar melhorando o próprio comportamento, mas também que só podem mudar a si mesmas. Por mais que os outros talvez precisem de fato mudar e por mais que a gente *queira* que eles mudem, a única pessoa que podemos continuamente inspirar e moldar – com algum grau de sucesso – é aquela que vemos no espelho.

COMEÇAR PELO CORAÇÃO

Certo, vamos presumir que precisamos trabalhar as nossas habilidades pessoais de diálogo. Em vez de comprar este livro e entregá-lo a uma pessoa amada ou a um colega de trabalho e dizer "Você vai adorar isso, principalmente as partes que eu sublinhei para você", tentaremos descobrir como nós mesmos podemos nos beneficiar destas lições. Mas por onde começar?

As pessoas hábeis Começam pelo Coração. Isto é, começam as discussões de alto risco com as motivações corretas e permanecem focadas nessas motivações, não importa o que aconteça.

Elas conseguem manter o foco por dois motivos. Primeiro, são muitíssimo inteligentes quando se trata de saber o que querem. Apesar dos impulsos constantes para se afastar dos seus objetivos, aferram-se a eles. Segundo, não se rendem ao Dilema do Tolo. Ao contrário daquelas que justificam seu comportamento pouco saudável explicando que não tinham opção senão lutar ou fugir, as pessoas que sabem dialogar acreditam que o diálogo é sempre uma opção, sejam quais forem as circunstâncias.

A hora da verdade

Vamos examinar um exemplo real que mostra como perder de vista nossas motivações pode afetar a capacidade de manter o diálogo.

Vivian está há duas horas numa reunião bastante tensa com os principais executivos da corporação de tamanho médio da qual ela é a CEO. Há seis meses ela vem se empenhando em uma campanha pessoal pela redução de custos. Como pouca coisa foi alcançada até agora, ela convocou a reunião. Vivian está certa de que lhe explicarão por que não começaram a cortar os custos; afinal de contas, ela sempre estimulou a franqueza.

Vivian acaba de abrir para perguntas quando um gerente se levanta, hesitante e ansioso, baixa o olhar e depois indaga se pode fazer uma pergunta muito difícil. Ele enfatiza a palavra "muito" de um modo que dá a impressão de que vai acusá-la de ter tramado a queda das Torres Gêmeas.

O amedrontado gerente diz:

– Vivian, faz seis meses que você vem pedindo para reduzirmos custos.

Não posso dizer que reagimos com entusiasmo. Se não se importa, eu gostaria de mencionar algo que dificulta que levemos a proposta a sério.

– Ótimo. Manda ver – diz Vivian, sorrindo.

É exatamente isso que ela quer: descobrir quais são as barreiras, para poder enfrentá-las e assim fazer a mudança acontecer.

– Bom, você pede que a gente imprima nos dois lados das folhas de papel e cancele viagens, mas mandou construir uma sala nova.

Vivian fica paralisada e vermelha. Todo mundo está esperando para ver o que vai acontecer.

O gerente completa:

– Corre o boato de que só a mobília vai custar centenas de milhares de dólares. É verdade?

A conversa acaba de ficar crucial. Alguém acabou de derramar um líquido radiativo no reservatório de ideias. Será que Vivian continuará a encorajar os comentários honestos ou vai censurar o gerente?

A atitude de Vivian nos próximos instantes não somente vai determinar a atitude da empresa com relação à proposta de corte de gastos como também terá um impacto gigantesco na opinião que os outros líderes têm a respeito dela. Será que ela vai receber bem a abertura e a honestidade que tanto estimula? Ou será que é uma grande hipócrita, como tantos altos executivos que vieram antes dela?

Ela está agindo como se quisesse o quê?

Enquanto observamos Vivian, acontece algo bastante sutil porém muito importante. Seus dentes estão cerrados. Ela se inclina adiante, segura com força o lado esquerdo do pódio e levanta a mão direita com o dedo apontado para o gerente questionador como se fosse uma arma carregada. Ainda não disse nada, mas está claro onde isso vai dar. Ela foi atacada em público e está preparando a defesa. Mais depressa do que o tempo que levaria para clarear as ideias, sua motivação mudou, passando do corte de gastos para algo menos nobre.

Agora, o que mais importa para Vivian não são os resultados, e sim a vingança. Ela não está preocupada com o desempenho da empresa, só quer preservar sua imagem. Quando estamos sob ataque, nosso coração pode dar uma virada igualmente súbita e inconsciente. Diante de pressão e de opiniões fortes, muitas vezes deixamos de nos preocupar com o objetivo de aumentar o reservatório de ideias e começamos a procurar maneiras de vencer, manter as aparências, preservar a paz ou castigar os outros. Pergunte a Vivian. Ela pensa: "Que se dane a comunicação honesta! Vou ensinar esse imbecil a não me atacar em público."

Ela quer retrucar: "Sério?" Sente vontade de dizer: "Se queremos conquistar clientes maiores, precisamos de instalações que transmitam autoconfiança. Se tivesse uma mentalidade de executivo, você entenderia isso. Próxima pergunta."

Diante do seu dedo apontado, todo mundo se fechou imediatamente e olhou para o chão. Todos aguardavam, tensos, o desfecho do incidente.

PRIMEIRO: FOQUE NO QUE VOCÊ REALMENTE QUER

Então Vivian fez algo notável. Seu dedo se levantara como uma pistola carregada e logo em seguida voltou a descer para junto do corpo. Seu rosto relaxou. A princípio ela pareceu surpresa, sem graça e talvez até um pouco chateada. Mas então respirou fundo e disse:

– Sabe de uma coisa? Precisamos falar sobre isso. Que bom que você perguntou. Obrigada por correr esse risco. Mostra que confia em mim.

Uau! Em questão de segundos, ela se transformou de arma perigosa em aliada interessada.

Então Vivian caiu na real. Reconheceu a aparente hipocrisia em falar sobre corte de custos enquanto gastava tanto dinheiro numa sala nova. Admitiu que não sabia qual era o custo do projeto e pediu a uma pessoa que fosse verificar os números naquele instante. Explicou que a construção de uma sala nova tinha sido decidida em resposta ao conselho dado pelo marketing para melhorar a imagem da empresa e aumentar a confiança dos clientes. E, ainda que Vivian *fosse* usar a sala, o objetivo primordial era que fosse ocupada pelo marketing.

– Mas não gerenciei esse projeto com a mesma severidade financeira que estou pedindo a vocês – continuou. – E isso é hipocrisia.

Quando viu os números da construção da sala nova, Vivian ficou perplexa e admitiu que deveria ter verificado os custos antes de aprovar o serviço.

Seguiu-se uma conversa de grande honestidade, em que vários participantes opinaram quanto à adequação do projeto. No final, eles concordaram em ir em frente, desde que os custos fossem reduzidos à metade. A partir desse momento houve um apoio generalizado ao corte de custos.

Enquanto observávamos essa interação, ficamos imaginando o que teria acontecido com Vivian. Como ela conseguira permanecer tão controlada sob ataque? Em termos mais específicos, como ela havia passado tão depressa do desejo de humilhar o gerente que a questionara para uma necessidade genuína de receber feedback?

Foi o que perguntamos a Vivian mais tarde. Queríamos saber o que exatamente havia passado pela sua cabeça. O que a havia ajudado a passar de constrangimento e raiva para gratidão?

– Foi fácil – explicou ela. – A princípio realmente me senti atacada e quis revidar. Para ser honesta, eu queria colocar aquele sujeito no seu devido lugar. Ele estava me acusando em público e estava errado. Mas aprendi que, quando as emoções me dominam, o melhor modo de recuperar o controle é me concentrar numa pergunta simples.

Nosso interesse só aumentou. Será que uma única pergunta seria capaz de transformar nossas emoções, como tínhamos visto acontecer com Vivian? E, se pudesse, que pergunta seria essa?

– Quando me sinto ameaçada, faço uma pausa, respiro fundo e penso: "O que eu *realmente* quero?"

– É mesmo? E como isso a ajudou? – quisemos saber.

– A primeira resposta que me veio foi: "Quero humilhar esse cara que está me atacando!" Eram as minhas emoções falando. Então repeti: "O que eu *realmente* quero?" E foi quando vi com clareza: "O que eu realmente quero é que 200 gerentes saiam daqui apoiando a redução de custos." Quando esse comprometimento ficou claro para mim, passei a enxergar aquele homem nos fundos da sala de outra forma. Alguns segundos antes eu via um inimigo, mas, quando minha motivação mudou, vi que ele era meu maior aliado ali. Ele estava me dando a melhor chance de enfrentar a resistência que eu vinha encontrando. Então ficou fácil reagir do modo certo.

E assim a rápida transformação de Vivian, de tirana em líder, fez sentido. Quando sua motivação mudou – de salvar as aparências para solucionar um problema –, foi perfeitamente natural que suas primeiras palavras fossem: "Sabe de uma coisa? Precisamos falar sobre isso. Que bom que você perguntou. Obrigada por correr esse risco. Mostra que confia em mim."

Vivian nos ensinou que uma pequena intervenção mental – o simples ato de fazer uma pergunta poderosa – pode ter um impacto enorme, redirecionando nosso coração.

Ajuste o foco do seu cérebro

Agora passemos para uma situação que pode acontecer no seu dia a dia. Você está conversando com uma pessoa que tem uma opinião totalmente oposta à sua num assunto sensível. Como essa questão da motivação se aplica? Comece a examinar suas motivações logo no início da discussão. Depois de alguns instantes, pergunte-se o que você realmente quer.

À medida que a conversa prosseguir e você se pegar começando a, digamos, ceder às vontades do chefe ou dar gelo em seu cônjuge, observe o que está acontecendo com seus objetivos. Você está começando a se preocupar mais em preservar as aparências, evitar embaraços, vencer a discussão ou punir o outro? Essa é a parte mais complicada. Em geral, nossas motivações mudam sem que nenhum pensamento consciente nos avise. Quando a adrenalina pensa por nós, nossas motivações viajam ao sabor da maré química. De certo modo, não escolhemos nossa motivação, ela é que nos escolhe. Mas, se você conseguir enxergar isso, poderá mudá-la.

O primeiro passo para voltar a uma motivação saudável é perceber qual está dominando você. É mais difícil do que parece. Emburrecidos e embriagados de adrenalina, não somos muito hábeis na autopercepção sutil. O que fazer, então?

Procure pistas. Identifique suas motivações colocando-se como um observador externo. Para voltar a motivações que permitam o diálogo, você precisa se afastar da interação e olhar para si como se fosse alguém de fora. Pergunte-se: "Estou *agindo* como se quisesse o quê?" Dê uma olhada no seu comportamento e depois recue até a motivação. Se fizer um esforço honesto, você pode concluir: "Vejamos. Estou interrompendo as pessoas, exagerando meus argumentos e balançando a cabeça sempre que elas falam. Arrá! Fui de planejar uma viagem fantástica para tentar vencer uma discussão."

Após reconhecer humildemente os desejos inconstantes do seu coração, você pode fazer escolhas conscientes para mudá-los. O modo mais rápido de se livrar de uma motivação prejudicial é simplesmente admitir que ela existe. Quando se reconhece o jogo, é possível sair dele.

Agora se pergunte: "O que eu *realmente* quero?" Para encontrar a resposta, reflita:

"O que eu realmente quero para mim?"

"O que eu realmente quero para os outros?"

"O que eu realmente quero para este relacionamento?"

Assim que você estiver livre da motivação inferior, as respostas saudáveis chegarão rápida e facilmente: "O que eu realmente quero é que todos nós aproveitemos muito o lugar que escolhemos visitar."

Depois de identificar o que você quer, acrescente mais uma pergunta reveladora:

"O que eu devo fazer neste momento para me aproximar do que realmente quero?"

Juntas, essas quatro perguntas são poderosas para ajustar o foco. Entenda por quê:

Ajudam a pensar no longo prazo. Essas perguntas criam intervenções emocionais quando mais precisamos. Não podemos respondê-las correndo, senão acabaremos obtendo pouca sinceridade e foco no curto prazo. Talvez você precise repeti-las algumas vezes até alcançar uma profundidade que lhe permita se reconectar com uma motivação de longo prazo.

Há alguns anos, vimos isso acontecer com dois irmãos (um menino e uma menina) que estavam apostando corrida num campo. Quando chegaram ao final, a menina gritou em triunfo:

– Ganhei! Ganhei! – E logo em seguida acrescentou: – Você perdeu! Você perdeu!

O que ela queria para si mesma naquele momento? A vitória. O que ela queria para o irmão? A derrota. Quando somos apanhados na paixão do momento e nossas motivações mudam, ficamos míopes, enxergando apenas o que realmente queremos... naquele momento. Para ampliar esse foco, talvez você precise se fazer essas perguntas mais de uma vez.

Talvez seja útil acrescentar "... no longo prazo" ao fim de cada pergunta. Questionar-se "O que eu realmente quero para mim a longo prazo?" ajuda a tirar o foco dos desejos imediatos e a voltar-se para uma avaliação mais profunda: "Que tipo de pessoa quero ser?", "Como quero tratar os outros?", "Como preciso me mostrar nessa conversa para ser esse tipo de pessoa?".

Reative o cérebro

Essas perguntas também são excelentes para reativar o cérebro, pois ajudam a massagear os centros de raciocínio mais elevados do seu cérebro, fazendo-os voltar à atividade e acalmando o instinto de luta ou fuga. Funciona do seguinte modo: quando você se faz perguntas complexas e abstratas, a parte do seu cérebro que soluciona problemas reconhece que agora você está lidando com questões sociais intrincadas e não com ameaças físicas. Nosso corpo então manda mais sangue para as partes do cérebro que nos ajudam a pensar, não mais para as partes do corpo que nos ajudam a fugir ou começar uma briga.

SEGUNDO: RECUSE O DILEMA DO TOLO

Agora vamos conhecer mais uma ferramenta que nos ajuda a manter o foco no que realmente queremos. Vamos começar com uma história.

Taila está rolando o feed de uma rede social quando se depara com um debate acalorado sobre uma proposta de mudança curricular na escola de seus filhos. Como deseja ser uma mãe bem informada, ela lê com atenção a longa postagem e os numerosos comentários. A discussão é intensa e os pais estão levantando argumentos razoáveis, tanto a favor quanto contra as mudanças propostas. Taila se pega concordando com pessoas dos dois lados da discussão.

Então Glória, que mora no prédio do outro lado da rua, começa a pegar pesado. Glória exprime seu desprezo pelas mudanças propostas usando uma linguagem forte e escrevendo TUDO EM MAIÚSCULAS!!! Ela não tem a menor sombra de dúvida de que isso vai arruinar a vida de todas as crianças do bairro, que acabarão abandonando os estudos e virando traficantes de drogas.

Como é de esperar, as pessoas começam a contra-atacar Glória. E ela responde contra-atacando o contra-ataque. O debate já não é mais sobre o currículo escolar, e sim sobre os idiotas que ousam pensar diferente dela. Taila sente o sangue começar a fervilhar com o que lê. As pessoas que Glória está atacando são suas vizinhas e amigas! Isso não está certo. Alguém precisa colocá-la no seu devido lugar e fazê-la parar com esses comentários ferozes.

Os dedos de Taila voam sobre o teclado digital do celular. Ela escreve uma resposta:

"@Gloria, a idiota aqui é você. A diretora Joana deu um jeito nessa escola. Se ela diz que mexer no currículo vai ajudar nossos filhos, então é verdade. Você não tem conhecimento nenhum para contestar isso. Nem terminou o ensino médio. Em termos de educação, você é um nada, e não vou deixar que fique aqui atacando pessoas qualificadas para discutir a educação dos nossos filhos!"

Taila martela o botão de "publicar" no visor do celular, sentindo-se uma justiceira ao postar o comentário. Alguém precisa enfrentar Glória. Em instantes, ela ouve o sinal de uma mensagem privada chegando. É de outro vizinho, Miguel. "Epa, Taila, você pegou meio pesado, não acha?" Em seguida chega outra, de Sandra. E de Karen. E de Túlio. Os outros pais estão chocados com a agressividade dela em relação a Glória.

Taila pronuncia, depois digita, uma frase que todos nós odiamos: "Ei, eu fui a única que teve coragem de falar a verdade."

Que tática! Taila ataca Glória publicamente e, em vez de se desculpar ou talvez simplesmente parar de responder, argumenta que teve uma atitude nobre, isso sim.

Ela acabou de aceitar o Dilema do Tolo. Sua declaração presume que ela precisou escolher entre dizer a verdade e preservar a amizade.

Pessoas hábeis em Conversas Cruciais fazem uma pergunta mais complexa ao próprio cérebro: "O que eu quero para mim, para a outra pessoa *e* para o nosso relacionamento?"

À medida que você praticar, fazendo-se essa pergunta em momentos de forte carga emocional, descobrirá que a princípio resiste a ela. Quando nosso cérebro não está funcionando bem, resistimos à complexidade, pois parece... bem, complexa! Adoramos a facilidade de simplesmente escolher entre atacar ou nos escondermos – e o fato de acharmos que isso faz com que pareçamos bons: "Desculpe, mas eu precisava destruir a autoimagem dela para manter minha integridade. Não foi bonito, mas era o certo a fazer."

Ainda bem que, quando você recusa o Dilema do Tolo e exige que seu cérebro resolva o problema mais complexo, o cérebro obedece. Você vai descobrir que existe um modo de expressar suas preocupações, ouvir com atenção sincera as da outra pessoa e fortalecer o relacionamento de vocês – tudo ao mesmo tempo. E os resultados podem transformar vidas.

Procure o "e" esquivo

As pessoas *mais hábeis* em dialogar recusam as opções do Dilema do Tolo criando novas opções. Elas se fazem perguntas mais difíceis que transformam a escolha numa busca pelo importantíssimo e esquivo "e" (é uma espécie em risco de extinção, veja bem). Funciona assim:

Primeiro esclareça o que você *realmente* quer. Você terá um bom início se já Começou pelo Coração. Se sabe o que quer para si, para os outros e para o relacionamento de vocês, então você está em condições de escapar do Dilema do Tolo:

"O que eu quero é envolver a comunidade em uma discussão produtiva sobre um currículo que afeta todos os nossos filhos. Quero que nosso grupo de pais e mães possa trocar ideias com honestidade e ouvir uns aos outros."

Depois esclareça o que você *não* quer. Essa é a chave para enquadrar a pergunta do *e*. Pense no que você teme que aconteça caso recue da sua estratégia atual de tentar vencer ou se proteger. O que acontecerá de ruim se você parar de pressionar tanto? Ou se não tentar fugir? Qual consequência terrível faz com que fazer joguinhos seja uma opção atraente e razoável?

"O que eu não quero é que deixemos de ter uma discussão importante porque uma pessoa está monopolizando a fala e distribuindo insultos. Também não quero que nossas diferenças prejudiquem nossas relações."

Por fim, apresente um problema mais complexo ao seu cérebro. Combine as duas coisas em uma pergunta com "*e*", que obrigue você a buscar opções mais criativas e produtivas do que o silêncio ou a hostilidade:

"Como podemos ter uma conversa sincera e fortalecer nossas relações?"

⟶

É interessante observar o que acontece quando as pessoas deparam com perguntas com "*e*" depois de ficar empacadas com opções do Dilema do Tolo. Ficam pensativas, arregalam os olhos e começam a *refletir*. Com uma regularidade surpreendente, quando alguém pergunta "Será possível que exista um modo de conseguir as duas coisas?", as pessoas reconhecem que sim, talvez exista.

"Existe algum modo de expor suas verdadeiras preocupações e não insultá-la ou ofendê-la?"

"Existe um modo de conversar com seus vizinhos sobre o comportamento irritante deles e não parecer hipócrita ou exigente?"

"Existe um modo de conversar com a pessoa amada sobre como vocês estão gastando dinheiro e não iniciar uma briga?"

Isso é mesmo possível?

Algumas pessoas acreditam que toda essa nossa linha de pensamento é cômica de tão irreal. Do ponto de vista delas, o Dilema do Tolo não é uma falsa dicotomia, mas o mero reflexo de uma lamentável realidade. Por exemplo: "Você não pode contar ao chefe o nosso próximo passo. Vai acabar sendo demitido."

Para essas pessoas, nós dizemos: "Lembra do Kevin?" Assim como quase todos os outros líderes de opinião que já estudamos, Kevin sabe se posicionar *e* demonstrar respeito. Você pode até não saber como Kevin consegue fazer o que fez ou o que você precisa fazer, mas não negue a existência de Kevin ou de pessoas como ele. Há um terceiro conjunto de opções que permite acrescentar ideias ao reservatório *e* fortalecer a relação.

Quando estamos no meio de um workshop presencial e sugerimos que existem alternativas ao Dilema do Tolo, tem sempre alguém que diz: "Talvez em outras organizações você possa falar honestamente e ainda ser ouvido, mas, se tentar isso aqui, será devorado vivo!" Ou o oposto: "Você precisa saber ceder se quiser sobreviver."

A princípio achávamos que talvez *houvesse* locais em que o diálogo não poderia sobreviver. Mas então aprendemos a perguntar: "Você está dizendo que não conhece *ninguém* que seja capaz de ter uma conversa de alto risco de um modo que solucione problemas *e* fortaleça relacionamentos?" Geralmente existe.

RESUMO: COMEÇAR PELO CORAÇÃO

Eis como as pessoas hábeis em dialogar mantêm o foco em seus objetivos – principalmente quando a situação fica difícil.

Primeiro trabalham no *"eu"*, depois no *"nós"*

- Lembre-se de que a única pessoa que podemos de fato controlar diretamente somos nós mesmos.

Foque no que você realmente quer
- Quando se pegar indo em direção ao silêncio ou à agressividade, pare e preste atenção nas suas motivações.
- Pergunte-se: "Estou agindo como se quisesse o quê?"

- Em seguida, esclareça o que você *realmente* quer. Pergunte-se: "O que eu quero para mim? E para os outros? E para este relacionamento?"
- Por fim, pergunte-se: "O que devo fazer agora para ir em direção ao que realmente quero?"

Recuse o Dilema do Tolo
- Enquanto pensa no que quer, perceba quando começar a se convencer do Dilema do Tolo.
- Liberte-se do Dilema do Tolo buscando o "e".
- Esclareça o que você não quer, some isso ao que quer e peça ao seu cérebro que comece a buscar opções construtivas, que levem ao diálogo.

> *O que importa não é como você joga o jogo. É como o jogo joga você.*
> *— JOGO DE ESPIÕES (FILME)*

5

DOMINAR SUAS NARRATIVAS

Como manter o diálogo quando você está com raiva, com medo ou magoado

Estamos no seguinte ponto em nossa Conversa Crucial:

- Reconhecemos que a interação pode ser crucial (Capítulos 1 e 2).
- Até mesmo identificamos qual é a conversa que devemos ter (Capítulo 3).
- Refletimos sobre o que realmente queremos (Capítulo 4).

Estamos quase prontos para abrir a boca. Mas ainda precisamos resolver um problema: Não temos *vontade* de dialogar. Nossa *vontade* é fazer algo que arruinaria nossa imagem.

Como aprendemos no Capítulo 2, uma das características definidoras das Conversas Cruciais são as emoções afloradas. Se não fosse por isso, a maioria de nós se sairia muito bem. Somos ótimos em falar sobre o clima, mas, quando sentimentos entram em jogo, mostramos nossa pior face e o diálogo vai pelo ralo. Este capítulo explora como manter o controle das suas Conversas Cruciais aprendendo a dominar as emoções. O modo como você reage às suas emoções é o melhor fator preditor de tudo que importa na vida. É a verdadeira essência da inteligência emocional. Aprendendo a exercer influência sobre seus sentimentos, você se colocará numa posição muito melhor para usar todos os recursos das Conversas Cruciais.

"ELE ME IRRITOU!"

Quantas vezes você ouviu alguém dizer isso? Quantas vezes *você* disse isso? Por exemplo, você está em casa, vendo TV tranquilamente, e sua sogra (que mora com você) entra na sala. Ela olha em volta e começa a arrumar a bagunça que você fez alguns minutos atrás comendo um pacote de biscoitos. Isso deixa você irritado. Ela vive andando pela casa com essa cara carrancuda e presunçosa, achando que você não presta para nada.

Alguns minutos depois, sua esposa pergunta por que você está tão chateado.

– É a sua mãe de novo. Eu estava aqui descansando quando ela me olhou daquele jeito. Sinceramente, queria que ela parasse com isso. É o meu único dia de folga, estou relaxando no meu canto e ela vem e fica me julgando. Isso me irrita.

– É *ela* que irrita você? Ou é você que *se* irrita?

É uma pergunta interessante.

Seja quem for que faça a provocação, algumas pessoas costumam reagir de modo mais explosivo (ao mesmo estímulo) do que outras. Por quê? Por exemplo, o que permite que algumas pessoas ouçam comentários depreciativos sem se abalar enquanto outras têm um chilique quando você diz que elas estão com o queixo sujo de ketchup? Por que às vezes você consegue receber um soco verbal no estômago sem piscar e outras vezes perde as estribeiras com um único olhar enviesado?

AS EMOÇÕES NÃO SURGEM DO NADA

Para responder a essas perguntas, vamos começar com duas afirmações bastante ousadas (e às vezes impopulares). Depois explicaremos a lógica por trás de cada uma.

Afirmação 1. As emoções não baixam sobre nós como névoa. Não são lançadas pelos outros. Por mais confortável que você se sinta em dizer isso, não são os outros que deixam você furioso. *Você* deixa você furioso. Você deixa você mesmo com medo, irritado, ofendido, magoado. Você, e somente você, gera suas emoções.

Afirmação 2. Depois de criada e instalada a emoção, existem apenas duas opções: dominá-la ou ser dominado. Isto é, quando se trata de emoções intensas, ou você encontra uma maneira de dominá-las, ou se torna refém delas.

Vejamos como isso acontece.

A história de Maria

Maria é uma redatora que, neste momento, está refém de algumas emoções bastante intensas. Ela e seu colega de equipe Luiz acabaram de revisar com o chefe a versão final de uma proposta de projeto. Eles haviam combinado apresentar juntos suas ideias, mas Luiz aproveitou uma pausa de Maria para tomar a frente, apresentando praticamente todos os pontos que eles tinham pensado juntos. Quando o chefe se virou para Maria, não restava mais nada para dizer.

Maria vem se sentindo humilhada e com raiva durante todo esse projeto. Primeiro Luiz levou as sugestões deles ao chefe e as discutiu sem a presença dela. Agora, monopolizou a apresentação.

Maria acredita que ele está diminuindo sua colaboração porque ela é a única mulher da equipe.

Ela está farta dessa mentalidade machista. O que ela faz a respeito? Para não parecer "melindrada", na maior parte do tempo não diz nada, apenas realiza seu trabalho, mas consegue se reafirmar com ocasionais comentários sarcásticos. "Claro que eu posso pegar a impressão para você. Quer que eu traga um café e bata um bolo também, já que estou com a mão na massa?", ela murmura ao sair da sala.

Luiz, por sua vez, está perplexo com os ataques e o sarcasmo barato de Maria. Ele não sabe direito por que ela está chateada, mas começa a se ressentir da reação hostil dela a tudo que ele faz. Quando os dois estão trabalhando juntos, a tensão é quase insuportável.

O que está irritando Maria (e Luiz)?

As pessoas mais *inábeis* em dialogar caem na mesma armadilha em que Maria está presa. Ela não tem consciência de uma suposição perigosa que vem fazendo. Está chateada por ser desvalorizada, mas mantém um "silêncio profissional". Presume que suas emoções e seu comportamento sejam as únicas reações corretas e razoáveis nessas circunstâncias. Está convencida de que qualquer pessoa no seu lugar sentiria o mesmo.

O problema é o seguinte: Maria está tratando suas emoções como se fossem a única reação válida. Como, em sua mente, são sentimentos justificados e corretos, não faz nenhum esforço para mudá-los ou ao menos questioná-los. Além disso, de seu ponto de vista, a culpa é de Luiz. Em última instância, as ações de Maria (não se queixar e fazer agressões baratas) são impelidas por essas emoções. Suas emoções estão controlando seu comportamento e alimentando a deterioração de sua relação com Luiz. As pessoas *menos hábeis* em dialogar se tornam reféns de suas emoções sem nem perceber.

As pessoas *razoavelmente hábeis* em dialogar percebem que, se não controlarem as próprias emoções, a situação vai piorar. Então elas tentam algo diferente: fingem. Respiram fundo e contam até 10. Elas se contêm, evitam reagir e se esforçam para retomar o diálogo. Pelo menos tentam.

Infelizmente, assim que essas pessoas com emoções sufocadas chegam a um ponto difícil numa Conversa Crucial, as emoções reprimidas saem do esconderijo, revelando-se em dentes cerrados ou comentários mordazes, por exemplo. O diálogo morre. Ou talvez o medo paralisante leve a pessoa a omitir o que realmente pensa. As ideias não são levadas ao reservatório porque foram bloqueadas na fonte. De qualquer modo, as emoções escapam do cubículo em que foram atulhadas e encontram um modo de se infiltrar na conversa. Isso nunca é bonito e sempre mata o diálogo.

As pessoas *mais hábeis* em dialogar fazem algo totalmente diferente. Não ficam reféns das emoções nem tentam escondê-las ou reprimi-las. Elas agem *sobre* suas emoções. Quando sentem algo com intensidade, ajustam (e até mudam) suas emoções por meio de *reflexão*. Assim, elas escolhem suas emoções e, ao fazer isso, aumentam as próprias chances de escolher comportamentos mais saudáveis.

Claro, é mais fácil falar do que fazer. Não é fácil sair de um estado emotivo e perigoso para outro que coloca você de volta no controle. Mas é possível. E necessário.

O CAMINHO PARA A AÇÃO

Para repensar nossas emoções, primeiro precisamos saber de onde elas vieram. Vejamos um modelo que ajuda a examinar e controlar as emoções.

Voltemos a Maria. Ela está magoada, mas tem medo de ser tachada de hipersensível se for conversar sobre isso com Luiz. Assim, ela alterna entre esconder os sentimentos e fazer microagressões.

Como demonstra a Figura 5.1, as ações de Maria decorrem dos seus sentimentos. Primeiro ela sente, depois age. Isso é bastante óbvio, mas nos leva à pergunta: E os sentimentos de Maria decorrem de quê?

Será do comportamento de Luiz? Será que, assim como no incidente do pacote de biscoitos e da sogra, Luiz *fez* Maria ficar magoada? Maria ouviu e viu quando Luiz a atropelou e abordou vários pontos fundamentais da apresentação que cabia a ela explicar. Com base no que viu e ouviu, ela gerou uma emoção e em seguida agiu em função dessa emoção.

SENTIR
mágoa
medo

AGIR
silêncio
microagressões

Figura 5.1

Então a grande pergunta é: O que acontece entre o que Maria vê e ouve (isto é, Luiz agindo) e o que ela sente? O que nós vemos, ouvimos ou experimentamos nos faz sentir alguma coisa (ver Figura 5.2)? Se for isso, por que pessoas diferentes sentem coisas diferentes em circunstâncias iguais?

VER E OUVIR → SENTIR → AGIR

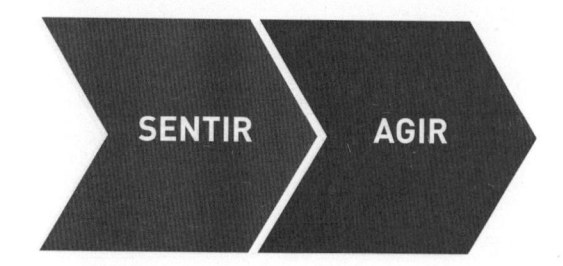

Figura 5.2

As narrativas geram os sentimentos

Existe um passo intermediário entre o que os outros fazem e o que nós sentimos. Logo *depois* de observarmos o que os outros fazem e logo *antes* de sentirmos algo a respeito, elaboramos uma narrativa que dá sentido à ação que observamos. Supomos o motivo que impulsionou aquele comportamento. Por que a pessoa fez ou está fazendo isso? Também acrescentamos julgamento: Isso é bom ou ruim? Então, a partir desses pensamentos ou dessas narrativas, nosso corpo reage com uma emoção.

É por causa desse passo intermediário que, diante das mesmíssimas circunstâncias, 10 pessoas podem ter 10 reações emocionais diferentes. Por exemplo, com um colega de trabalho como Luiz, algumas podem se sentir diminuídas, enquanto outras podem ficar meramente intrigadas. Algumas ficam com raiva, outras se preocupam ou até mesmo têm pena.

Visualmente, o modelo é quase o mesmo da Figura 5.3. Nós o chamamos de Caminho para a Ação, porque ele explica como as experiências, os pensamentos e os sentimentos levam às ações.

Você vai perceber que acrescentamos "criar uma narrativa" ao nosso modelo. Nós observamos, *criamos uma narrativa* e depois sentimos. Apesar de complicar um pouco o modelo, esse acréscimo nos dá esperança. Como nós, *e apenas nós*, acreditamos nessa narrativa, podemos recuperar o controle das nossas emoções elaborando uma narrativa diferente. Agora temos um ponto de alavancagem ou controle. Se conseguirmos encontrar um modo de mudar as narrativas que elaboramos, seja reformulando-as ou substituindo-as, podemos dominar nossas emoções e, consequentemente, dominar nossas Conversas Cruciais.

Figura 5.3 Caminho para a ação

NOSSAS NARRATIVAS

*Nada neste mundo é bom ou ruim,
nosso pensamento é que torna as coisas assim.*
– WILLIAM SHAKESPEARE

As narrativas nos fornecem justificativa racional para o que está acontecendo. Elas são interpretações dos fatos. Começam ajudando a explicar o que vemos e ouvimos ("Carlos está saindo do prédio com uma grande caixa amarela. As caixas amarelas contêm material sigiloso"), mas em geral as narrativas avançam um passo a mais no *o quê* e verbalizam *por que* alguma coisa está acontecendo ("Carl está roubando a propriedade intelectual da empresa"). Nossas narrativas contêm não somente conclusões, mas também julgamentos (se algo é bom ou ruim) e atribuições (interpretações das motivações alheias).

Ainda sobre Maria e Luiz: ela observa que Luiz começou a falar e não vai parar. O que está acontecendo? Maria conclui que Luiz *está roubando a apresentação*. Mas a narrativa de Maria não para aí. Rapidamente ela cria toda uma narrativa que explica *por que* Luiz está roubando a apresentação. "Ele não confia na minha capacidade de comunicação. Acha que os chefes têm mais probabilidade de ouvir um homem. Está tentando virar os refletores na sua direção." Ela começa a atribuir motivações aos atos de Luiz e em seguida faz um julgamento: "Ele é um babaca machista e ambicioso."

É claro que, à medida que criamos nossas interpretações e narrativas, nosso corpo não demora muito a reagir com sentimentos ou emoções fortes. Afinal de contas, as emoções estão diretamente ligadas a nossos julgamentos do que é certo e errado, bom e ruim, gentil e egoísta, justo e injusto, etc. A narrativa de Maria desperta raiva e frustração. Esses sentimentos, por sua vez, a induzem a suas ações: às vezes se fechar, outras vezes fazer microagressões (ver Figura 5.4).

VER E OUVIR
Luiz apresenta todos os argumentos, conversa em particular com o chefe.

CRIAR UMA NARRATIVA
"Ele não confia em mim/me acha fraca. Se eu reclamar, vou parecer dramática."

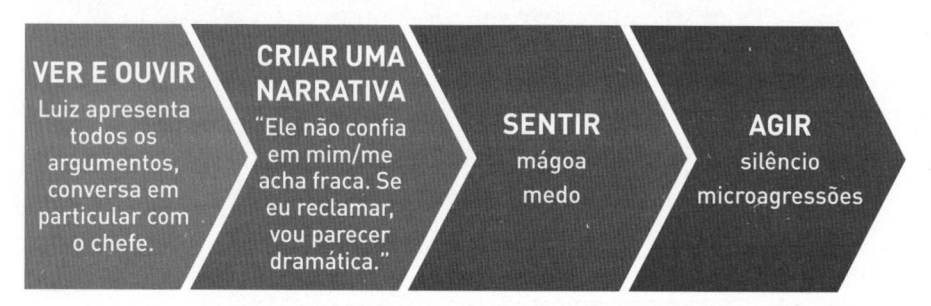

SENTIR
mágoa
medo

AGIR
silêncio
microagressões

Figura 5.4 Maria em seu Caminho para a Ação

Alguns fatos sobre as narrativas

Mesmo sem perceber, você está interpretando e criando narrativas. Em nossos treinamentos, quando ensinamos que são nossas narrativas que impulsionam nossas emoções, e não as ações dos outros, tem sempre alguém que levanta a mão para dizer: "Ué, mas eu não me lembro de contar nenhuma narrativa a mim mesmo. Quando aquele cara riu de mim durante a apresentação, eu só *senti* raiva. Os sentimentos vieram primeiro, os pensamentos vieram depois."

As narrativas internas são contadas a uma velocidade ofuscante. Quando acreditamos que estamos correndo risco, tiramos conclusões tão depressa que nem percebemos o que estamos fazendo. Se não acredita, reflita se você *sempre* fica com raiva quando alguém ri de algo que você disse. Se às vezes você ri e outras vezes não, sua reação *não é* automática. Alguma coisa acontece entre *outras pessoas rindo* e *você sentindo*. Sim, você cria uma narrativa. Mesmo que não se lembre disso.

Qualquer sequência de fatos pode originar uma infinidade de narrativas. E narrativas são apenas histórias. Essas explicações poderiam ser dadas de vários modos. Por exemplo: Maria poderia facilmente concluir que Luiz não tinha percebido que ela se importava tanto com o projeto. Poderia concluir também que Luiz estava se sentindo desvalorizado e que esse era um modo de se mostrar relevante. Ou talvez ele tivesse se queimado numa ocasião anterior por não ter analisado cada detalhe de um projeto. Os mesmos fatos se encaixariam em qualquer uma dessas narrativas e cada uma delas despertaria emoções muito diferentes das outras.

Se assumirmos o controle das nossas narrativas, elas não nos controlarão. Pessoas muito hábeis em dialogar conseguem ajustar as próprias emoções durante Conversas Cruciais. Reconhecem que, mesmo sendo verdade que a princípio controlamos nossas narrativas, assim que são aceitas como verdade, *as narrativas nos controlam*. Primeiro controlam nosso modo de pensar, e depois, nosso modo de agir. E assim controlam os resultados que obtemos com nossas Conversas Cruciais.

⟶

Felizmente, podemos criar narrativas diferentes e romper esse círculo vicioso. Ou melhor, *enquanto não* criarmos narrativas diferentes, *não será possível* quebrar esse círculo vicioso.

Se você deseja ter resultados melhores com suas Conversas Cruciais, mude suas narrativas – até mesmo durante a conversa.

POR QUE DOMINAR NOSSAS NARRATIVAS?

Vamos lhe dar algumas orientações para que você consiga expor, examinar e melhorar suas narrativas. Admitimos que não é fácil. Exige foco, concentração e humildade. Muitos leitores, quando chegam à metade desta seção, gritam para o livro: "Por que eu preciso fazer essa p**** toda?!" Traduzindo: "Por que não pegar o caminho mais simples de culpar os outros pelo que sentimos?"

A verdade é que você não precisa se dar todo esse trabalho. A menos que deseje se sair melhor nas suas Conversas Cruciais. Se quiser resultados diferentes, precisará de emoções diferentes. Se Maria quiser mudar sua situação e ter um relacionamento profissional diferente com Luiz, precisará agir de modo diferente. Para agir diferente, precisará se sentir diferente. E para se sentir diferente, ela precisa dominar sua narrativa.

Dominar nossas narrativas não é o mesmo que deixar o outro sair impune por um mau comportamento. Na verdade, é o primeiro passo para abordar esse comportamento através do diálogo. Quando dominamos nossas narrativas, nos responsabilizamos pela energia emocional que colocamos na conversa. E, quando fazemos isso, começamos a mudar a conversa.

Deixar de examinar suas narrativas é arriscado também porque elas podem estar criando a sua realidade. Quando defendem suas narrativas, as pessoas geralmente estão dizendo que aquilo é um reflexo preciso da realidade. A realidade chegou primeiro e a narrativa delas meramente a capturou. Talvez. Mas, quando a gente cava mais fundo, não é incomum descobrir que a própria narrativa criou a realidade. Ou pelo menos colaborou. É a chamada "espiral descendente".

Aqui vai um exemplo da vida real. Aconteceu com Joseph (coautor deste livro) no início do seu casamento. Ele conta:

Eu estava casado havia poucos anos. Tínhamos dois filhos e minha agenda de viagens estava começando a ficar frenética. Celia, minha esposa, concordou em cuidar das crianças sozinha na minha ausência. Uma noite, cheguei de viagem e encontrei Celia no sofá, lendo. Eu já ia dizer oi quando o telefone tocou. Duas possibilidades me vieram à mente: (1) Atender, pois talvez fosse uma emergência internacional que só eu poderia resolver. (2) Não atender! O amor da minha vida gostaria de passar um tempo comigo.

Senti claramente o que deveria fazer. Mas violei essa certeza. Peguei o telefone. Era um dos meus sócios, e começamos a conversar.

Agora me acompanhe, porque você pode duvidar de mim. Naquele instante, senti uma queimação nas costas. Uma sensação quente que se irradiou para fora. Olhei em volta para tentar descobrir de onde vinha aquilo e ali estava Celia, do outro lado da sala, com um olhar de raio laser apontado para mim. Era um olhar aterrorizante, raivoso. Olhei para ela, dei um suspiro de ressentimento e me virei para outro lado. Ouvi um livro sendo fechado com força e ela saiu da sala pisando firme. Ao vê-la passar, balancei a cabeça com ar condescendente.

O que acharam disso, em termos de Conversa Crucial? Eu não poderia ter me saído pior!

Percebe a ironia na história de Joseph? Depois de uma longa semana viajando, adivinhe o que ele mais queria ao chegar em casa? Passar um tempo com o amor da sua vida. E, quando ele entrou, adivinhe o que Celia mais queria? Passar um tempo com o amor da sua vida. No entanto, os dois conseguiram o oposto disso pelo modo como se comportaram. Por quê? Porque ambos foram feitos reféns de suas narrativas. Naquele momento, ambos acreditavam que suas narrativas eram exatas e nenhum dos dois percebeu que essas narrativas estavam criando a realidade deles.

Por exemplo, quando Joseph sentiu as costas queimarem e notou a expressão de Celia, disse a si mesmo que a esposa não lhe dava valor. Ela o estava julgando. Estava tentando controlá-lo. Na sua mente, ele justificou o fato de ter atendido ao telefone pensando: "Trabalhei a semana toda e esse é o tratamento que recebo!" Consequentemente, ficou na defensiva e ressentido. Isso levou ao seu infeliz suspiro. O resultado? Celia fechou o livro com força e saiu da sala. Nesse momento, Joseph argumentaria que sua narrativa era verdadeira: "Celia *está* me julgando. E *não está* me dando valor!" Ainda que possa existir verdade na afirmação de Joseph, o que ele está deixando de perceber é que ele faz parte da narrativa criada em sua cabeça. Suas ações ajudaram Celia a criar o tipo de narrativa que gerou as emoções negativas que levaram ao comportamento dela. Joseph foi um protagonista na espiral descendente.

Tome cuidado ao defender sua narrativa: primeiro examine se você não está ajudando a criar a realidade que afirma meramente descrever.

Então por que dominar suas narrativas? Porque esse é um passo necessário no caminho em direção ao que você realmente quer.

HABILIDADES PARA DOMINAR SUAS NARRATIVAS

Qual é o modo mais eficaz de elaborar narrativas diferentes? As pessoas *mais hábeis* em dialogar conseguem diminuir a velocidade e depois assumir o controle do seu Caminho para a Ação. Veja como:

Refaça seu caminho

Para diminuir a velocidade do processo-relâmpago de criar narrativas e do fluxo subsequente de adrenalina, refaça o seu Caminho para a Ação – um elemento de cada vez. Isso exige um pouco de ginástica mental. Primeiro você precisa parar o que está fazendo. Depois, precisa descobrir por que está fazendo assim. Veja como refazer o seu caminho:

- (Agir) Perceba seu comportamento. Pergunte-se:
  "Estou agindo em função das minhas preocupações em vez de falar sobre elas?"

- (Sentir) Ponha seus sentimentos em palavras. Pergunte-se:
  "Que emoções estão me levando a agir dessa forma?"

- (Criar uma narrativa) Analise suas interpretações dos fatos. Pergunte-se:
  "Quais narrativas estão despertando estas emoções?"

- (Ver/ouvir) Volte aos fatos. Pergunte-se:
  "O que eu vi ou ouvi que sustenta essa narrativa? O que eu vi ou ouvi que entra em conflito com essa narrativa?"

Ao refazer seu caminho, um elemento de cada vez, você se coloca em posição de pensar, questionar e mudar algum dos elementos ou mesmo todos eles.

Perceba seu comportamento

Por que você deveria parar e refazer seu Caminho para a Ação? Claro, se parar toda hora o que está fazendo e ficar procurando sua motivação subjacente e seus pensamentos, nem conseguirá amarrar o cadarço sem pensar nisso por sabe-se lá quanto tempo. Acabará paralisado (a chamada paralisia por análise). Em vez disso, considere duas situações que podem ser pistas de que é hora de parar um pouco e refazer seu Caminho para a Ação:

1. **Resultados ruins.** Você não está feliz com o que vem acontecendo.

Está numa situação que não lhe agrada. Gostaria de ser promovido, mas isso não vai acontecer; gostaria de passar mais tempo com a família, mas toda vez que vocês se encontram os ânimos esquentam. Seja qual for a situação, se você não está satisfeito, comece a examinar como se comportou e qual foi o Caminho para a Ação que levou ao seu comportamento.

2. **Emoções difíceis.** Você está experimentando emoções negativas. Intensas. Essa é uma das melhores pistas de que é hora de refazer seu caminho. Se você está frustrado, magoado, chateado ou irritado, aproveite para se perguntar o motivo: "Por que estou me sentindo assim e como esse sentimento me faz agir?"

Mas não basta examinar. Você precisa examinar *honestamente* o que está fazendo. Se acreditar que seu comportamento agressivo é uma "tática necessária", você não verá a necessidade de reconsiderar seus atos. Se reagir imediatamente com um "Foram eles que começaram" ou perceber que está racionalizando seu comportamento, também não se sentirá compelido a mudar – em vez de parar e rever o que está fazendo, vai criar narrativas para se justificar diante de si mesmo ou dos outros.

Quando uma narrativa estiver impelindo você a comportamentos negativos, pare e avalie como os outros enxergariam os seus atos. Se a situação fosse transmitida numa *live* de rede social, que imagem você passaria? Como uma pessoa isenta descreveria seu modo de agir?

As pessoas mais hábeis em Conversas Cruciais não só percebem quando estão escorregando do diálogo como também são capazes de admitir isso. Elas *não* chafurdam na autopunição, mas admitem o problema e iniciam uma ação corretiva. No momento em que percebem que estão sufocando o diálogo, ajustam seu Caminho para a Ação.

Ponha seus sentimentos em palavras

À medida que refazem seu Caminho para a Ação, as pessoas hábeis em Conversas Cruciais admitem seu comportamento pouco saudável e em seguida verbalizam suas emoções. À primeira vista, essa tarefa parece fácil. "Estou com raiva!", você pensa. O que poderia ser mais fácil?

Na verdade, identificar as próprias emoções é mais difícil do que se imagina. Há muitos analfabetos emocionais. Quando pedimos às pessoas que descrevam como estão se sentindo, é comum que usem palavras como "mal", "com raiva" ou "com medo" – o que seria ótimo se essas palavras servissem para descrever o sentimento com precisão. As pessoas dizem que estão com raiva quando, na verdade, sentem um misto de constrangimento e surpresa. Ou dizem que estão infelizes quando se sentem desrespeitadas. Talvez digam que estão chateadas quando na verdade se sentem humilhadas e magoadas.

Como a vida não consiste num teste de vocabulário, talvez você se pergunte que diferença as palavras podem fazer. Mas as palavras importam. Saber o que de fato você está sentindo ajuda a examinar com mais exatidão o que está acontecendo e por quê. É muito mais provável, por exemplo, que você avalie com honestidade a narrativa que está fazendo da situação se admitir que está se sentindo sem graça e surpreso em vez de simplesmente com raiva.

Quando você para um pouco e articula com exatidão o que está sentindo, começa colocar um pouco de espaço entre você e a emoção. Essa distância lhe permite deixar de ser refém da emoção e se tornar um observador. Quando consegue segurá-la a alguma distância, você consegue examiná-la, estudá-la e começar a mudá-la. Mas esse processo só pode começar quando você lhe der um nome.

E você? Quando sente emoções fortes, para e pensa no que está sentindo? Nesse caso, você utiliza um vocabulário rico ou recorre principalmente a termos como "bem", "chateado", "descartado" ou "frustrado"? Segundo: você fala abertamente com os outros sobre como está se sentindo? Conversa com seus entes queridos sobre o que acontece dentro de você? Terceiro: ao fazer isso, você tira um tempo para ir além das emoções fáceis de ser verbalizadas e identifica com exatidão aquelas que exigem mais vulnerabilidade para ser admitidas (como vergonha, mágoa, medo e inadequação)?

É importante entrar em contato com seus sentimentos, e para isso talvez seja útil expandir seu vocabulário emocional.

Analise suas narrativas

Questione seus sentimentos e suas narrativas. Assim que identificar o que está sentindo, pare e se pergunte se, nas circunstâncias, esse é o sentimento *certo*. Ou seja: você está interpretando corretamente a situação?

O primeiro passo para recuperar o controle emocional é questionar a ilusão de que você está sentindo a única emoção *certa* nas circunstâncias. Essa pode ser a parte mais difícil, mas é também a mais importante. Ao questionar nossos sentimentos, nos abrimos para questionar nossas narrativas. Desafiamos a confortável ideia de que nossas conclusões são certas e verdadeiras. Questionamos voluntariamente se nossas emoções (muito reais) e as explicações que elaboramos para elas (apenas algumas de muitas possíveis) são acuradas.

Nesse ponto, uma voz poderosíssima dentro de nós protesta: "Espere aí. Eu não deveria ter que mudar minha narrativa. Minha interpretação dos fatos é correta. É verdadeira! Eu estou certo!"

Esse é o equivalente emocional do Dilema do Tolo. Ele diz que as narrativas ou são certas, ou são erradas. Raramente é assim. Em geral, nossas narrativas são mais ou menos exatas. Por exemplo, Maria pode estar certa no sentido de que Luiz tem crenças machistas, mas talvez não seja *só* isso que está acontecendo nesse episódio. E se Luiz simplesmente acabou de receber uma avaliação de desempenho ruim em que o chefe o aconselhou a "ter mais voz"? Será que Maria sentiria algo diferente se soubesse que isso *também* fazia parte do que estava acontecendo? Além do mais, existem sutilezas até mesmo em nossas narrativas "corretas". Por exemplo, Maria poderia se convencer de que o machismo de Luiz é um crime imperdoável ou uma falha humana passível de mudança. Essa pequena distinção poderia levá-la a condená-lo ou a tentar influenciá-lo.

Como dissemos antes, qualquer conjunto de fatos pode gerar um número *infinito* de narrativas. Quanto mais aceitarmos a responsabilidade pelas conclusões que tiramos, mais ajustadas serão nossas reações emocionais.

Volte aos fatos

Às vezes deixamos de questionar nossas narrativas porque as enxergamos como fatos imutáveis. Quando tiramos conclusões num piscar de olhos, podemos acreditar que são fatos. *Sentimos* que são fatos. Confundimos conclusões subjetivas com dados sólidos. Por exemplo, ao tentar arrancar fatos da sua narrativa, Maria poderia dizer: "Ele é um misógino maldito! Isso é fato! Pergunte a qualquer um que tenha visto como ele me trata!"

"Ele é um misógino maldito" não é um fato. É a narrativa que Maria criou para dar sentido aos fatos. Os fatos poderiam significar praticamente qualquer coisa. Como dissemos, outras pessoas poderiam observar as interações entre Maria e Luiz e tirar conclusões diferentes.

O melhor modo de se libertar de uma narrativa poderosa demais é separar fatos de conclusões. Ao tentar despir a narrativa, vale a pena testar suas ideias usando um critério simples: É possível *ver* ou *ouvir* isso que você está chamando de fato? Foi uma ação concreta?

É fato, por exemplo, que Luiz "apresentou 95% do conteúdo e respondeu a todas as perguntas, menos uma". Isso é específico, objetivo e verificável. Qualquer pessoa que assistisse à reunião diria isso. Mas a afirmação "Ele não confia em mim" é uma conclusão. Ela expressa o que você *pensa*, não o que a pessoa *fez*. Conclusões são subjetivas.

Identifique sua narrativa prestando atenção em palavras "quentes". Ao avaliar os fatos, você poderia dizer "Ela me olhou feio" ou "Ele fez um comentário sarcástico". Palavras como "feio" e "sarcástico" são termos quentes. Expressam julgamentos e atribuições que, por sua vez, criam emoções fortes. São narrativas, não fatos. Perceba como é diferente quando você diz: "Ela semicerrou os olhos e apertou os lábios", em vez de "Ela me olhou feio". No caso de Maria, ela sugeriu que Luiz era controlador e não a respeitava. Se tivesse se concentrado no comportamento dele (falou demais e se reuniu sozinho com o chefe), essa descrição menos volátil permitiria várias interpretações. Por exemplo, talvez Luiz estivesse nervoso, preocupado ou inseguro.

Retirar as palavras quentes e ir direto aos fatos básicos é mais difícil do que parece. Por exemplo, enquanto tenta separar os fatos da narrativa, Maria pode ter que repetir algumas vezes o processo de remoção de julgamentos:

- **Primeira tentativa (só narrativa).** Luiz desrespeitou o combinado, roubou meus slides e me jogou para escanteio.
- **Segunda tentativa (alguns fatos).** Luiz roubou os 10 slides que cabiam a mim e não olhou nem uma vez na minha direção, para que eu respondesse às perguntas.
- **Terceira tentativa (mais fatos).** Luiz apresentou os 10 slides que tínhamos combinado que eu abordaria. Quando as perguntas foram feitas, ele respondeu a todas.

Busque mais fatos. Assim que uma narrativa começa a se instalar em nossa mente ("Luiz é um babaca com sede de poder!"), começamos a enxergar seletivamente as evidências ou os fatos que reforçam nossas conclusões e deixamos de ver fatos que as contradizem. Acreditamos na nossa interpretação da realidade e queremos continuar acreditando, portanto só "enxergamos" o que a confirma. Ao refazermos nosso caminho e voltarmos aos fatos, precisamos olhar de novo todos os fatos. Houve coisas que deixamos de enxergar por estarmos olhando apenas para nossa narrativa?

Por exemplo, se Maria previamente se convenceu de algo sobre Luiz, inconscientemente ela vai procurar fatos que sustentem essa narrativa. Todos gostamos de estar certos. Para tanto, procuramos dados que confirmem nossa visão e negligenciamos ou desconsideramos qualquer coisa que a contradiga. Enquanto busca fatos adicionais, Maria talvez perceba que Luiz trabalha muito bem com Silvia, uma colega que ela respeita. Ou que elogiou o trabalho da própria Maria numa reunião no mês anterior.

À medida que se liberta da necessidade de defender sua narrativa, a lista de fatos de Maria pode crescer, passando a incluir:

- **Quarta tentativa (mais fatos ainda).** Luiz apresentou 10 slides que tínhamos combinado que eu apresentaria. E eu não o interrompi. Quando as perguntas foram feitas, ele respondeu sem antes verificar se eu queria responder. E eu não acrescentei meu ponto de vista.

Enquanto examina outros fatos para completar o quadro, certifique-se de perguntar: "Que fatos contradizem minha narrativa?"

Esteja atento aos três "truques de narrativa"

À medida que aprende a questionar e analisar suas narrativas e conclusões, preste muita atenção num tipo de narrativa tão comum quanto insidiosa: aquela usada como justificativa pessoal. Por exemplo: você está diante de uma Conversa Crucial. Em vez de começar um diálogo produtivo, você se fecha ou contra-ataca. Reconhecendo em algum nível seu mau comportamento, você pensa rapidamente num motivo perfeitamente plausível para o que fez: "Claro que eu gritei com ele. Você viu o que ele fez? Ele mereceu." Ou "Ei, não venha me julgar porque eu não me manifestei. Não tive escolha. Preciso desse emprego".

Chamamos essas criações imaginativas e egoístas de "truques de narrativa". São truques porque permitem nos sentirmos bem com um comportamento ruim. Melhor ainda, permitem nos sentirmos bem com um comportamento ruim que teve resultados péssimos.

Quando sentimos necessidade de justificar nosso comportamento ineficaz ou de nos eximirmos de maus resultados, costumamos criar três narrativas previsíveis. Aprenda quais são elas e como evitá-las, para assumir o controle da sua vida emocional.

Narrativa de Vítima: "A culpa não é minha"

Julgar-se vítima, como você pode imaginar, faz de nós sofredores inocentes. A história é sempre a mesma: somos bons, corretos, inteligentes ou justos e todo o resto da humanidade está unido contra nós. Sofremos sem ter culpa alguma. Somos puros e inocentes.

Vítimas inocentes de fato existem. Quando você é assaltado, é um fato lamentável, não uma narrativa. Você *é* uma vítima.

Mas nem todas as narrativas de vitimização são tão evidentes e unilaterais. Na maioria das Conversas Cruciais, quando interpreta seu papel de vítima, você ignora intencionalmente sua parte no problema. Você interpreta a realidade de um modo que evita criteriosamente qualquer coisa que *você* tenha feito (ou deixado de fazer) e que possa ter colaborado para o problema.

Por exemplo, na semana passada seu chefe tirou você de um grande projeto e isso o magoou. Você reclamou com todo mundo, dizendo que se sentiu muito mal. O que você não disse foi que estava atrasado no tal projeto importante, deixando seu chefe na mão – motivo pelo qual ele o removeu. Essa parte da história você deixa de fora porque, bem, ele fez você se sentir mal.

Para ajudar a sustentar seu papel de vítima, você fala apenas de suas motivações nobres: "Demorei mais porque estava tentando superar as expectativas." Depois você diz a si mesmo que está sendo castigado por suas virtudes e não pelas suas falhas: "Ele simplesmente não valoriza uma pessoa tão minuciosa quanto eu." (Esse acréscimo transforma você de vítima em mártir. Que bônus!)

Narrativa de Vilão: "A culpa é toda sua"
Criamos essas historinhas feias transformando seres humanos normais e decentes em vilões. Imputamos motivos ruins e depois contamos a todo mundo sobre os males da outra pessoa como se estivéssemos fazendo um favor gigantesco ao mundo. Ignoramos qualquer virtude do nosso vilão e transformamos suas falhas em crimes hediondos.

Por exemplo, descrevemos um chefe que preza pela qualidade como "obcecado". Quando nosso cônjuge está chateado porque *nós* não cumprimos um compromisso, passamos a enxergá-lo como "neurótico".

Na Narrativa de Vítima, exageramos nossa inocência. Na Narrativa de Vilão, enfatizamos exageradamente a culpa ou a burrice da outra pessoa. Presumimos automaticamente os piores motivos possíveis ou a incompetência mais crassa, ao mesmo tempo que ignoramos qualquer intenção boa ou neutra ou qualquer habilidade que a pessoa possa ter. Com frequência desumanizamos ainda mais o nosso vilão trocando seu nome por um rótulo. Por exemplo: "Não acredito que aquele *cabeça de bagre* me deu materiais ruins outra vez." Ao empregar o rótulo disponível, agora não estamos mais lidando com um ser humano complexo, e sim com um cabeça de bagre.

As Narrativas de Vilão não nos ajudam apenas a culpar os outros por maus resultados; também nos permitem fazer o que quisermos com os "vilões". Afinal de contas, podemos nos sentir bem por insultar ou abusar de um *cabeça de bagre* ou de um *advogado* – ao passo que precisamos ter mais cuidado com uma pessoa viva, de carne e osso. E quando não conseguimos o que realmente queremos, ficamos presos no nosso comportamento não saudável porque, afinal de contas, olhe só com quem estamos lidando!

Às vezes, não satisfeitos em transformar indivíduos em vilões, fazemos isso com comunidades inteiras: "Aqueles manés da engenharia não fazem ideia de como é difícil vender nosso produto", "Advogados! Não dá para confiar em nenhum deles". Pegar um ser humano individual, jogá-lo numa categoria ruim e depois rejeitar toda essa categoria de pessoas nos permite sentir raiva delas e depois desconsiderá-las, todas ao mesmo tempo. Lamentavelmente, vilificar grupos e comunidades perpetua maus-tratos e opressão.

Esteja atento ao uso de dois pesos e duas medidas. Quando você presta atenção nas Narrativas de Vítima e de Vilão e entende o que são (caricaturas injustas), começa a enxergar o uso de dois pesos e duas medidas quando nossas emoções estão fora de controle. Quando *nós* cometemos erros, criamos logo uma Narrativa de Vítima dizendo que nossas intenções eram inocentes e puras: "Claro que demorei para chegar em casa e não liguei, eu não podia deixar a equipe na mão!" Mas quando os *outros* fazem coisas que nos ferem ou nos causam inconveniência, criamos uma Narrativa de Vilão em que *inventamos* motivações terríveis ou exageramos as falhas dos outros proporcionalmente ao incômodo que nos causaram: "Você é tão insensível! Poderia ter me ligado para avisar que ia se atrasar."

Narrativa de Impotente: "Não posso fazer nada"
Por fim, vêm as Narrativas de Impotente. Nessas invenções, fingimos que não podemos fazer nada de saudável ou útil. Ficamos convencidos de que não existem alternativas construtivas para lidar com nossa dificuldade, o que justifica a ação que vamos realizar. Uma Narrativa de Impotente pode sugerir: "Se eu não gritasse com meu filho, ele não escutaria." Por outro lado: "Se eu contasse isso ao chefe, ele só ficaria na defensiva. Então é claro que não contei nada!" Enquanto as Narrativas de Vilão e de Vítima explicam retroativamente por que estamos em determinada situação, as Narrativas de Impotente explicam o futuro, justificando por que não podemos fazer nada para mudar nossa situação.

É ainda mais fácil bancar o impotente quando transformamos o comportamento dos outros em características fixas e imutáveis. Por exemplo, quando decidimos que nossa colega é "obcecada" (Narrativa de Vilã), ficamos menos inclinados a lhe dar feedback porque, afinal de contas, pessoas obcecadas como ela não aceitam feedback (Narrativa de Impotente). Nada que possamos fazer mudará esse fato.

Como se pode ver, as Narrativas de Impotente costumam brotar de Narrativas de Vilão e nos lançam no Dilema do Tolo: podemos ser honestos e arruinar o relacionamento ou sofrer em silêncio.

Por que criamos truques de narrativa

Já deve estar claro que esses truques nos causam problemas. Uma pergunta razoável neste ponto é: "Se são tão prejudiciais, *por que* fazemos isso?" Por dois motivos:

Os truques de narrativa combinam com a realidade. Às vezes fazemos interpretações corretas. A outra pessoa está tentando nos fazer mal, somos vítimas inocentes ou talvez não possamos fazer muita coisa com relação ao problema. Isso pode acontecer. Não é comum, mas pode.

Os truques de narrativa justificam nossas ações. Com frequência, nossas conclusões vão de explicações razoáveis a truques quando, convenientemente, nos isentam de qualquer responsabilidade – embora na verdade sejamos parcialmente responsáveis. A outra pessoa não é má nem está errada, e nós não estamos certos nem somos bons. A verdade fica em algum lugar no meio. Mas, se pudermos fazer com que os outros pareçam errados e nós pareçamos certos, saímos ilesos. Melhor ainda, assim que demonizamos os outros, até podemos insultá-los e abusar deles, se quisermos.

Nossa necessidade de criar truques de narrativa costuma começar com erros que cometemos quase de modo consciente. Gostando ou não, em geral só começamos a criar narrativas que justifiquem nossos atos depois de termos feito algo com o qual não nos sentimos confortáveis.

Cometemos erros conscientes quando agimos contra nossos próprios princípios. E, se não admitimos nossos erros, procuramos justificá-los. É então que começamos a criar truques de narrativa. Lembre que, quando Joseph chegou em casa depois de uma semana viajando e ouviu o telefone tocar, ele sabia o que deveria fazer. Recebeu um claro chamado da consciência para ignorar o telefone e se concentrar na esposa. Mas não fez isso. Foi *nesse* momento que ele começou a formular um truque de narrativa. Transformou Celia em vilã ("Ela não me valoriza!") e a si mesmo em vítima ("Trabalhei a semana inteira e preciso de compreensão!") e *voilà*! Sentiu-se justificado para se comportar de um modo terrível e culpar Celia por ter arruinado o reencontro.

Vejamos outro exemplo de erro consciente: você está dirigindo no tráfego pesado. Um carro muito próximo acelerou e está entrando na sua faixa. Você pensa que *deveria* deixá-lo passar. É a coisa certa a fazer e você gostaria que, na situação inversa, alguém o deixasse entrar. Mas não: você acelera e dá uma fechada nele. O que acontece em seguida? Você começa a pensar coisas do tipo: "Ele não pode forçar o carro para cima de mim. Que sacana! Estou há um tempão nesse trânsito dos infernos. Sem contar que tenho um compromisso importante." E por aí vai.

Com esse truque, você se torna a pobre vítima inocente e a outra pessoa se torna o vilão maligno. Sob influência dessa narrativa, você agora se sente justificado por não fazer o que achava originalmente que deveria ter feito. Além disso, ignora o que pensaria sobre os outros que fizessem a mesma coisa com você: "Aquele sacana não me deu passagem!"

Vejamos um exemplo hipotético mais relacionado com as Conversas Cruciais. Um rapaz novo foi contratado para sua equipe de trabalho. Ele tem muito menos experiência do que você e está ansioso para aprender. Fica atrás de você fazendo perguntas. Às vezes repete a mesma pergunta que fez no dia anterior. Você está começando a se cansar. E ele está lhe tomando tanto tempo que seu trabalho começa a atrasar. Você sabe que deveria começar a recusar muitos pedidos dele e direcioná-lo para outras pessoas, mas, em vez disso, começa a dar respostas curtas ou abruptas, torcendo para que ele se toque. Mas ele não nota sua má vontade. Sua irritação então se transforma em ressentimento. Você para de responder aos e-mails dele e ajusta a resposta da sua ferramenta de mensagens instantâneas para "Ausente", na intenção de evitá-lo totalmente. Quando ele percebe o seu comportamento e pergunta o motivo, você lança mão de uma meia-verdade: "Só estou muito ocupado." Você sente um pouco de culpa por evitá-lo. Na tentativa de se sentir melhor com seus atos, você começa a reclamar com outras pessoas que ele está ocupando muito tempo seu e precisando de muita ajuda. Quem foi que contratou esse cara, aliás?

Perceba a ordem dos acontecimentos nesses dois exemplos. O que veio primeiro, a narrativa ou o erro consciente? Você se convenceu do egoísmo dos outros motoristas e *depois* não deixou que o carro entrasse na sua faixa? Claro que não. Você não tinha motivo para achar que ele era egoísta até que precisou de uma desculpa para seu próprio comportamento egoísta. Você só começou a fazer truques de narrativa *depois* de ter deixado de fazer algo que sabia que deveria ter feito. Seu colega de trabalho só se tornou uma fonte de ressentimento quando você se tornou parte do problema. Você ficou chateado porque abriu mão da própria integridade. E o truque de narrativa o ajudou a se sentir bem com relação à sua grosseria.

Frequentemente, abrir mão da integridade não acontece na forma de grandes eventos. Na verdade, eles podem ser tão pequenos que fica fácil deixar de levá-los em conta quando estamos fazendo nossos truques de narrativa. Eis alguns bem comuns:

- Você acredita que deveria ajudar alguém, mas não ajuda.
- Você acredita que deveria pedir desculpas, mas não pede.
- Você acredita que deveria ficar até mais tarde para terminar uma tarefa, mas vai para casa.
- Você diz sim quando sabe que deveria dizer não, depois torce para que ninguém verifique se você cumpriu sua palavra.
- Você acredita que deveria falar com uma pessoa sobre preocupações que tem com relação a ela, mas não fala.
- Você não cumpre sua parte da tarefa e acha que deveria reconhecer isso, mas não diz nada, sabendo que nenhuma outra pessoa vai tocar no assunto.
- Você acredita que deveria ouvir os comentários com respeito, mas fica na defensiva.
- Você enxerga problemas num plano que alguém apresenta e acha que deveria se manifestar, mas não fala nada.

- Você não termina uma tarefa a tempo e acredita que deveria avisar os outros, mas não avisa.
- Você sabe que tem informações que seriam úteis para um colega de trabalho, mas não as compartilha.

Até mesmo pequenas situações como essas, em que cometemos erros conscientes, nos levam a fazer truques de narrativa. Quando não admitimos nossos erros, ficamos obcecados com as falhas dos outros, com nossa inocência e com nossa impotência para fazer algo diferente. Recorremos a truques de narrativa quando queremos mais justificativas do que resultados. Claro, o que *realmente* queremos não é a justificativa, mas agimos como se fosse assim.

Tendo em mente esse fato triste, vamos nos concentrar no que realmente queremos. Vamos examinar a última habilidade para Dominar Suas Narrativas.

Completar a narrativa

Assim que aprendemos a reconhecer os truques de narrativa que fazemos, podemos passar à última habilidade para Dominar Suas Narrativas. As pessoas *mais hábeis* em dialogar reconhecem que estão criando truques de narrativa, param e fazem o necessário para criar uma narrativa *útil*. Uma narrativa útil, por definição, cria emoções que levam a ações saudáveis – tais como o diálogo.

E o que transforma um truque de narrativa numa narrativa útil? Preencher as lacunas. Isso porque os truques de narrativa têm uma característica em comum: levam a narrativas incompletas. Os truques omitem informações cruciais sobre nós, sobre os outros e sobre nossas opções. Somente incluindo todos esses detalhes essenciais teremos interpretações úteis da realidade.

Qual é o melhor modo de obter os detalhes que faltam? Simplesmente transformando vítimas em agentes, vilões em seres humanos e impotentes em capazes. É assim:

Transformar vítimas em agentes. Se você notar que está falando sobre si mesmo como se fosse uma pobre vítima inocente (e se não estão apontando uma arma para você), pergunte-se:

"O que estou fingindo não notar com relação ao papel que tive no problema?"

Essa pergunta obriga você a encarar o fato de que talvez, apenas talvez, tenha feito alguma coisa que contribuiu para o problema. Em vez de ser vítima, você foi um dos agentes. Isso não significa necessariamente que tivesse motivações maliciosas. Talvez sua contribuição tenha sido uma mera omissão impensada. Mas mesmo assim você colaborou.

Por exemplo, uma colega de trabalho vive deixando as tarefas mais difíceis ou chatas para você terminar. Você já reclamou bastante com amigos e entes queridos, dizendo que está sendo explorado. As partes que você deixa de fora da narrativa são o fato de que você abre um sorrisão quando seu chefe o elogia pela disposição de pegar trabalhos desafiadores e que nunca disse nada à colega. Você insinuou, mas só isso.

Quando estamos diante de problemas persistentes ou recorrentes, o papel que representamos (e que fingimos não notar) costuma ser de cumplicidade silenciosa. O problema acontece há um tempo e nós não dissemos... nada. Nosso papel é o silêncio.

O primeiro passo de preencher as lacunas seria acrescentar esses fatos importantes ao seu relato. Ao se perguntar que papel você teve na situação, você começa a perceber como sua percepção foi seletiva. Percebe que minimizou os próprios erros ao mesmo tempo que exagerava os dos outros.

Transformar vilões em seres humanos. Quando você se pegar rotulando ou vilificando os outros, pare e pergunte-se:

"Por que uma pessoa razoável, racional e decente faria o que essa pessoa está fazendo?"

Essa pergunta humaniza os outros. À medida que buscamos respostas plausíveis para ela, nossas emoções se suavizam. Com frequência, a empatia substitui o julgamento, e dependendo de como *nós* tratamos *os outros*, a responsabilidade pessoal substitui a justificativa pessoal.

Por exemplo, aquela colega que parece convenientemente deixar de fazer os serviços difíceis lhe disse há pouco tempo que notou que você estava tendo dificuldade com um projeto importante e ontem (enquanto você estava atolado com uma tarefa de urgência) completou o trabalho para você. Você suspeitou na mesma hora. Ela estava tentando fazer com que você ficasse com uma imagem ruim ao completar um serviço de alto nível. Como ela ousou fingir que estava ajudando quando seu verdadeiro objetivo era desacreditar você e alardear a própria capacidade?! Bom, essa foi a sua interpretação dos fatos.

Mas e se na verdade ela é uma pessoa razoável, racional e decente? E se ela não tinha nenhum outro motivo além de lhe dar uma mão? Não é meio cedo para transformá-la em vilã? E, se você fizer isso, será que não está correndo o risco de arruinar o relacionamento de vocês? E se você partir para cima, acusá-la e depois descobrir que se enganou?

Nosso objetivo ao perguntar por que uma pessoa razoável, racional e decente poderia agir de um determinado modo *não é* eximir os outros de coisas ruins que possam ter feito ou estar fazendo. Se eles forem mesmo culpados, teremos tempo de lidar com isso mais tarde. O objetivo da pergunta humanizante é lidar com nossas narrativas e emoções. Isso nos proporciona mais uma oportunidade para trabalhar em nós mesmos, oferecendo uma variedade de motivos possíveis para o comportamento da outra pessoa.

De fato, com experiência e maturidade, aprendemos a nos preocupar menos com a intenção dos outros e mais com o *efeito* das ações dos outros sobre nós. Não estamos mais no jogo de desencavar motivações malévolas. Quando refletimos sobre motivações alternativas, não somente suavizamos nossas emoções, mas, igualmente importante, afrouxamos nossa certeza absoluta por tempo suficiente para permitir o diálogo, que é o único modo confiável de descobrir as motivações genuínas dos outros.

Transformar o impotente em capaz. Finalmente, quando você se pega lamentando a própria impotência, pode completar sua narrativa voltando à sua motivação original. Para isso, pare e pergunte-se:

"*O que eu realmente quero para mim, para os outros e para a nossa relação?*"

Em seguida, livre-se do Dilema do Tolo que fez você se sentir impotente para escolher qualquer opção diferente de atacar ou se calar. Para tanto, pergunte-se:

"O que devo fazer agora para ir em direção ao que realmente quero?"

Por exemplo, agora você se pega xingando sua colega de trabalho por ela não ter ajudado num trabalho difícil. Ela parece surpresa com sua reação forte e "súbita". Está olhando para você como se você tivesse surtado. Você, claro, disse a si mesmo que ela está se esquivando das tarefas chatas e que, apesar de você ter tentado ajudar com pistas sutis, ela não mudou em nada.
"Preciso tomar uma atitude drástica", você pensa. "Não gosto de agir assim, mas se eu não ofendê-la, vou continuar me ferrando." Você se afastou do que realmente quer: dividir o trabalho de forma justa *e* manter uma boa relação com sua colega de trabalho. Abriu mão de metade dos seus objetivos escolhendo uma opção do Dilema do Tolo: "Bem, é melhor xingá-la do que ser feito de idiota."
O que você deveria fazer, afinal? Discutir o problema de modo aberto, honesto e construtivo em vez de disparar sem pensar e depois se justificar. Quando se recusa a bancar o impotente, você é obrigado a se responsabilizar pelo uso das suas habilidades de diálogo em vez de lamentar a própria fraqueza.

> ▷ **HUMANIZAR NÃO É INOCENTAR**
> Ao humanizar os outros, não estamos eximindo-os de seu mau comportamento ou suas motivações ruins. Estamos nos ajudando a ter condições de abordar uma Conversa Crucial significativa e bem-sucedida. Ron McMillan, um dos autores deste livro, aprendeu o valor desse princípio com um homem que tinha uma profissão de alto risco. Conheça essa história no vídeo *The Hostage Negotiator* (*O negociador de reféns*). Para isso, acesse www.conversascruciais.com.br e preencha o formulário para receber seus Recursos Adicionais.

A NOVA NARRATIVA DE MARIA

Para ver como tudo isso funciona junto, voltemos a Maria. Vamos presumir que ela tenha refeito seu Caminho para a Ação e separado os fatos das narrativas. Isso a ajudou a perceber que tinha criado uma narrativa incompleta, defensiva e danosa. Quando verificou se tinha feito algum dos três truques de narrativa, viu-os com uma clareza dolorosa. Agora ela está preparada para completar as lacunas. Ela se pergunta:

- "O que estou fingindo não notar com relação ao meu papel no problema?"
  "Quando descobri que Luiz estava tendo reuniões sobre o projeto sem mim, senti que deveria perguntar a ele por que não havia sido incluída. Acreditava que assim abriria um diálogo que nos ajudaria a trabalhar melhor juntos. Mas não perguntei e, à medida que meu ressentimento crescia, fiquei ainda menos disposta a tocar no assunto. Durante a apresentação, optei por não interromper quando ele começou a abordar os meus slides. E fiquei emburrada em vez de tomar a iniciativa de falar mesmo sem que ele me convidasse a responder às perguntas."

- "Por que uma pessoa razoável, racional e decente faria o que Luiz está fazendo?"
  "Ele realmente se importa em realizar um bom trabalho. Talvez não perceba que estou tão comprometida com o sucesso do projeto quanto ele. Seus atos na reunião podem ter resultado de nervosismo, e não de ele me julgar mal."

- "O que eu realmente quero?"
  "Quero ter uma relação respeitosa com Luiz. E ser tratada com respeito."

- "O que devo fazer agora para ir em direção ao que realmente quero?"
  "Eu marcaria uma conversa com Luiz para tratarmos do que aconteceu na apresentação e de como vamos trabalhar juntos daqui para a frente."

À medida que completamos os fatos da narrativa, nos libertamos dos efeitos nocivos das emoções negativas. Melhor ainda, à medida que recuperamos o controle e voltamos ao diálogo, nos tornamos mestres, e não reféns, das nossas emoções.

Mas afinal, o que Maria realmente fez? Marcou uma conversa com Luiz. Depois de ela explicar suas expectativas e seus pontos de vista sobre o projeto, Luiz lhe pediu desculpas por não tê-la incluído nas outras reuniões com o chefe. Explicou que estava tentando colocá-lo a par de algumas questões controvertidas – e agora percebia que não deveria ter feito isso sem ela. Também pediu desculpas por monopolizar a apresentação. Nessa conversa, Maria também ficou sabendo que Luiz tende a falar mais quando está nervoso. Ele sugeriu que cada um se responsabilizasse por metade da apresentação e se mantivesse firme no que fosse combinado, de modo que ele tivesse menos probabilidade de passar por cima dela. No fim da conversa, cada um entendia a perspectiva do outro e Luiz prometeu ser mais atento no futuro.

Minha Conversa Crucial: Marion B.

Depois de 25 anos na mesma organização, eu estava a um passo da alta gerência. Mas, não importando quantas vezes eu me candidatasse e fosse entrevistada para esses cargos, nunca era escolhida. À medida que era ultrapassada repetidamente, comecei a tirar conclusões por conta própria. Mas não falei nada.

Depois de fazer um treinamento em Conversas Cruciais, observei de novo minha situação e percebi que existia uma conversa que eu não estava tendo. Eu não tinha perguntado aos líderes da minha organização o que me impedia de avançar.

Foi difícil, mas, ao aprender a dominar minhas narrativas, percebi que a princípio tinha me calado acreditando que era apenas azar. Quando já não era mais possível acreditar em mero azar, virou uma questão de "política": outras pessoas eram melhores em bajular as pessoas certas. Eu estava ficando para trás porque tinha "integridade". Minhas Narrativas de Vítima e Vilão me mantinham calada e ressentida. Depois de muitas horas de rejeição, cheguei a uma nova narrativa: "Parte do

> motivo para ter sido ultrapassada é que não pedi feedback." Não era mais vítima; era uma agente. E decidi agir.
>
> A conversa foi difícil. Disseram que, para assumir um cargo de diretoria, primeiro eu precisaria ter um cargo de diretoria numa organização menor. Essa informação parecia verdadeira. Mas não me agradou. Porém agora estava em condições de tomar uma decisão. E tomei. Saí daquela organização e consegui uma função de liderança de um departamento quatro vezes maior.
>
> Se não tivesse finalmente encarado minha narrativa, eu não teria chegado aonde mais queria chegar.

RESUMO: DOMINAR SUAS NARRATIVAS

Se você não consegue sair do silêncio ou da violência por conta de emoções exacerbadas, tente os seguintes passos:

Refaça o seu caminho
- **Examine seu comportamento.** Se você se pegar se afastando do diálogo, pergunte-se o que está realmente fazendo.

- **Coloque seus sentimentos em palavras.** Aprenda a identificar e dar os nomes exatos às emoções que estão por trás da sua narrativa. Pergunte-se:
  "Que emoções estão me levando a agir desse modo?"

- **Identifique sua narrativa.** Pergunte-se:
  "Que narrativas devo ter criado para sentir essas emoções? Que narrativas estão despertando essas emoções?"

- **Separe fatos de conclusões.** Deixe de lado a certeza absoluta distinguindo entre os fatos e sua interpretação desses fatos. Pergunte-se:
  "Que provas eu tenho para sustentar essa narrativa?"

- **Esteja atento a truques de narrativa.** As Narrativas de Vítima, Vilão e Impotente estão no topo da lista.

Complete suas narrativas
- Pergunte-se:
  "O que estou fingindo não notar sobre o meu papel no problema?"
  "Por que uma pessoa razoável, racional e decente faria isso?"
  "O que eu realmente quero?"
  "O que devo fazer agora para ir em direção ao que realmente quero?"

PARTE 2

Como abrir a boca

Neste ponto, você está mental e emocionalmente preparado para uma conversa saudável. É hora de abrir a boca e falar. Mas como? O que dizer primeiro? E depois? E depois? E como se preparar para as inevitáveis minas terrestres em que vai pisar?

Os recursos e habilidades apresentados nesta seção ajudarão você a se preparar para surpresas (Capítulo 6: "Aprender a olhar"), a reduzir os riscos de os outros ficarem na defensiva (Capítulo 7: "Criar segurança"), a apresentar seus argumentos de modo a atrair interesse e não uma postura defensiva (Capítulo 8: "Declarar CALMA") e descobrir as ideias e informações que os outros têm a oferecer (Capítulo 9: "Explorar os caminhos dos outros") sem se irritar (Capítulo 10: "Pegar sua caneta de volta").

> *Conheci mil patifes, mas jamais encontrei um que assim se considerasse. Autoconhecimento não é algo muito comum.*
> – OUIDA

6
APRENDER A OLHAR
Como perceber quando a segurança está ameaçada

Vamos iniciar este capítulo analisando uma Conversa Crucial malsucedida. Você e sua equipe trabalharam bastante numa proposta para a aquisição de uma empresa e agora o seu gerente vai levá-la ao comitê gestor. Ele convidou você a "acompanhar" a reunião. Deixou claro que seu papel ali é ouvir e observar. Você está empolgado por dois motivos: porque acredita na recomendação da sua equipe e quer ver a reação do comitê gestor e porque essa é a primeira vez que verá os diretores da organização debatendo entre si. É incrível ter sido incluído.

A primeira coisa que você percebe ao se sentar junto a uma parede da sala de reunião são os lugares ocupados pelos executivos. Como era de esperar, a CEO, Celine, está à cabeceira da longa mesa. Não parece haver uma ordem exata no local em que todos os outros se sentam, mas você percebe que Marco, o diretor financeiro, está bem na outra ponta da mesa. Você ficou sabendo por boatos que esses dois têm um relacionamento meio conflituoso.

A reunião começa. Celine pede ao seu gerente que apresente a proposta. Ele delineia com competência as recomendações enquanto os outros ouvem atentamente. Em seguida, abre para perguntas. Alguém (você não sabe quem) faz uma pergunta instigante, mas amistosa. O seu gerente responde, mas, antes que ele possa pedir mais perguntas, Celine dá sua opinião.

A discussão continua assim por algum tempo: alguém faz um comentário; Celine reage. Outro comentário; outra reação de Celine. Você percebe que Celine comenta praticamente todas as falas dos outros, jamais deixando que a discussão avance muito sem sua participação.

Finalmente, Marco se manifesta. Ele resume o que ouviu, esclarece que entende a posição de Celine e depois diz, enfaticamente, por que acha que ela está errada. Ela reage atacando-o. Ele ataca de volta. Todo mundo está acompanhando a conversa tensa entre os dois. Justo quando você acha que eles vão começar a gritar, Celine recua: interrompe a discussão e encerra a reunião. Ao se levantar, Marco empurra a cadeira para trás com a força e a urgência de quem está pulando fora do caminho de um ônibus vindo a toda e sai da sala sem dizer nada a ninguém.

No elevador, você pergunta ao seu gerente:

– Uau! Isso acontece sempre?

– Quase sempre – responde ele. – No início parece que tudo vai bem, mas sempre acontece alguma coisa. Aqueles dois simplesmente não conseguem trabalhar juntos. No momento em que Marco abre a boca, é como uma colisão de trens.

– Como assim? – você pergunta, imaginando o que será que seu gerente está vendo.

– Bom, no final foi fácil ver como cada um dos dois estava chateado. Eles ficavam se interrompendo constantemente, cada um falando por cima do outro, as vozes ficando cada vez mais altas. Mas mesmo antes disso, desde o primeiro comentário do Marco, eu sabia que a coisa ficaria feia. Ele começa dizendo coisas absolutas demais: "Sempre foi assim… Isso nunca vai dar certo…" O cara provavelmente é a pessoa mais inteligente da equipe e sabe disso. Mas a linguagem que ele usa… "sempre", "nunca", etc… Celine sempre sai irritada.

Você pensa nisso durante um minuto e diz:

– Concordo totalmente. Os sinais de alerta estavam ali desde o instante em que Marco começou a falar. Mas acho que antes disso aconteceram algumas coisas que fizeram a discussão ir na direção errada.

– É mesmo? Eu achei que a reunião estava correndo bastante bem até Marco começar a falar. O que você viu antes disso?

Você começa com cuidado:

– Bom, eu achei curioso Celine comentar as falas de praticamente todo mundo. Você falava, ela falava. Depois outra pessoa falava e Celine falava de novo. Às vezes ela chegava a interromper alguém só para fazer um comentário.

– Ah, sim. Mas a Celine é assim mesmo. Ela é apaixonada pelo que faz e quer participar de tudo.

– Humm. É, pode ser… Ela diz que quer que todo mundo participe. Mas acho que o fato de se intrometer o tempo todo causa um impacto. Na verdade, ela está controlando o ritmo e a direção do diálogo. Fico imaginando se, em parte, não é por isso que o Marco pega tão pesado.

– Nunca pensei desse modo. Na verdade, nunca tinha percebido – diz seu gerente. – Acho que vou ter que ficar atento na próxima vez.

Então o elevador chega e vocês saem, seguindo em direções opostas.

ESTEJA ATENTO ÀS CONDIÇÕES

Quanto antes você perceber que não está tendo um diálogo, mais fácil é voltar atrás e menores são os danos. A triste conclusão é que quanto mais você demorar para perceber que não está tendo um diálogo, mais difícil será voltar atrás e maiores serão os custos.

No entanto, a maioria das pessoas tem dificuldade para perceber os primeiros sinais que alertam do declínio da comunicação. Para manter o diálogo durante Conversas Cruciais, é essencial aprender a fazer um processamento duplo. Além de estar atento ao conteúdo da conversa (o *que* está sendo dito), é preciso também saber observar o processo (o *modo* como está sendo dito). Quando há coisas importantes em jogo, ficamos tão absortos no que estamos dizendo que é quase impossível nos colocarmos de fora e olhar o que está acontecendo conosco e com os outros. Mesmo quando a situação nos espanta a ponto de pensarmos "Eita, a coisa ficou feia! E agora?", talvez não saibamos o que procurar para reverter o mal-estar. Talvez não estejamos olhando o suficiente.

Como é possível estar bem no meio de um debate acalorado e não enxergar direito o que está ocorrendo? Talvez uma metáfora ajude a entender por que isso acontece. É como pescar pela primeira vez com um pescador experiente. Ele fica dizendo para você lançar o anzol a dois metros daquela truta "logo ali". Só que você não consegue ver uma truta "logo ali". Ele consegue porque sabe o que procurar. Você *acha* que sabe. Ora, não é só procurar uma truta? Na verdade, você precisa procurar a imagem distorcida de uma truta embaixo d'água com a luz do sol batendo direto nos seus olhos. Você precisa procurar outros elementos: pistas e indícios da truta, não a truta em si. São necessários conhecimento e prática para saber o que procurar e depois enxergar.

Mas, afinal, o que procurar quando se está no meio de uma Conversa Crucial? O que é preciso enxergar para detectar os problemas antes que se agravem demais? É bom estar atento a três condições diferentes: o momento em que uma conversa se torna crucial, sinais de que as pessoas não se sentem seguras (silêncio ou violência) e seu Estilo Sob Tensão. Vamos avaliar separadamente esses assassinos de conversas.

Aprenda a detectar Conversas Cruciais

Primeiro permaneça alerta para o momento em que uma conversa passa de discussão rotineira ou inofensiva a discussão crucial. Do mesmo modo, ao sentir que está iniciando uma Conversa Crucial, perceba que está prestes a entrar na zona de perigo. Caso contrário, poderá ser atraído facilmente para joguinhos antes que se dê conta. E, como já sugerimos, quanto mais você se afastar do caminho, mais difícil será retornar e maiores serão os custos.

Para ajudar a detectar os problemas cedo, reprograme sua mente para prestar atenção em sinais de que você está numa Conversa Crucial. Algumas pessoas percebem primeiro os sinais *físicos*. Pense no que acontece com o seu corpo quando as conversas ficam difíceis: quais são os seus indicadores? Cada pessoa é um pouco diferente. Talvez você sinta um aperto no estômago ou uma ardência nos olhos. Sejam quais forem, aprenda a enxergá-los como sinais para recuar, diminuir a velocidade e Começar pelo Coração antes que as coisas fujam do controle.

Outras pessoas percebem as *emoções* antes dos sinais no corpo. Notam que estão com medo, magoadas, na defensiva ou com raiva e começando a reagir a esses sentimentos ou a reprimi-los. Além disso, essas emoções podem ser ótimos indicadores para que você recue, diminua o ritmo e tome medidas para colocar o cérebro no devido lugar.

Para algumas pessoas, o primeiro indicador é *comportamental*. Para elas, é como uma experiência extracorpórea: se pegam levantando a voz, apontando o dedo na cara do outro ou se calando. Só então percebem como estão se sentindo.

Assim, tire um momento para pensar em algumas das suas conversas mais difíceis. Que indicadores você pode usar para reconhecer que o seu cérebro está começando a falhar e que você corre o risco de se afastar de um diálogo saudável?

Aprenda a detectar problemas de segurança

As pessoas que têm o dom do diálogo mantêm uma vigilância constante sobre a *segurança*. Prestam atenção no conteúdo que está sendo dito e também percebem depressa os sinais de que as pessoas estão começando a ficar tensas. Quando amigos, familiares ou colegas de trabalho se afastam de um diálogo saudável – impondo suas opiniões ao reservatório ou intencionalmente deixando de colocá-las no reservatório –, as pessoas *mais hábeis* em dialogar voltam imediatamente sua atenção para as razões pelas quais os outros não estão se sentindo seguros.

Quando é seguro, qualquer coisa pode ser dita. Existe um motivo para que comunicadores talentosos fiquem atentos à segurança. O diálogo exige um fluxo livre de ideias. Ponto final. E nada bloqueia mais o fluxo de ideias do que o medo. Quando tememos que não aceitem nossas ideias, começamos a pressionar demais. Quando tememos ser prejudicados, começamos a nos retrair e a nos esconder. Essas duas reações – de luta e fuga – são motivadas pela mesma emoção: o medo. Por outro lado, se temos segurança, podemos falar sobre praticamente qualquer coisa e ser ouvidos. Se não nos sentimos atacados ou humilhados, conseguimos ouvir praticamente qualquer coisa sem ficar na defensiva.

Essa é uma afirmação importante. Pense a respeito. Estamos sugerindo o seguinte: o que faz as pessoas ficarem na defensiva raramente é apenas *o que* você está dizendo. Elas só ficam na defensiva quando não se sentem seguras ou quando se questionam *por que* você está dizendo aquilo. Mais especificamente, começam a especular se você as respeita ("Isso é um sinal de falta de consideração?"), se tem más intenções ("Isso indica que você quer me prejudicar?") ou ambos. De qualquer modo, o problema não é o *conteúdo*, e sim as *condições* da conversa. Como já vimos, concluímos muito cedo na vida que não é possível ser sincero e respeitoso ao mesmo tempo. Em essência, concluímos que algumas mensagens simplesmente não podem ser transmitidas para algumas pessoas. E com o tempo essa lista de mensagens vai ficando cada vez mais longa, até que nos pegamos lidando mal com a maioria das Conversas Cruciais. Se o que estamos sugerindo aqui for verdade, o problema não está na mensagem. O problema é que você e eu deixamos de fazer com que os outros se sintam seguros em ouvir a mensagem. Se você aprender a enxergar quando as pessoas começam a se sentir inseguras, poderá agir para consertar a situação. Isso significa que o primeiro desafio é simplesmente *ver* e *entender* que a segurança está em perigo.

Pense na sua experiência. Alguma vez você já recebeu um feedback péssimo e, em vez de ficar na defensiva, absorveu as informações, ou refletiu a respeito, ou permitiu que o influenciassem? Se isso já aconteceu, pergunte-se por quê. Por que, nesse caso, foi possível receber tão bem um feedback potencialmente ameaçador? Se você é como a maioria, foi porque acreditou que a outra pessoa só queria o melhor para você. E porque você respeitava a opinião dela. Você se sentiu *seguro* em receber o feedback porque confiava nas motivações e na capacidade dessa pessoa. Não precisava se defender – mesmo não gostando do que estava ouvindo!

No entanto, se você não se sentir seguro, não conseguirá receber nenhum feedback. É como se o reservatório de ideias tivesse uma tampa. "O que você quer dizer com 'camisa bonita'? É alguma piada? Está curtindo com a minha cara?" Quando você não se sente seguro, até os comentários bem-intencionados são suspeitos.

Segurança não é sinônimo de conforto. Vale observar que se sentir seguro numa conversa não é o mesmo que se sentir confortável. Vamos definir segurança com mais detalhes no próximo capítulo. Por ora, queremos deixar claro o que a segurança *não é*. Por definição, Conversas Cruciais são conversas difíceis. Todos os envolvidos precisam sair de seu conforto nessas conversas, muitas vezes se aventurando em territórios novos e experimentando algum grau de vulnerabilidade. A medida da segurança de uma conversa não é quão confortável me sinto. É se as ideias estão fluindo. Será que eu e os outros envolvidos sentimos que podemos compartilhar ideias, ser ouvidos e também ouvir com honestidade e respeito uns aos outros? Se você consegue fazer isso, se as ideias estão fluindo com honestidade e respeito, então existe segurança.

Quando não existe segurança, começamos a ficar cegos. Como sabemos, quando as emoções afloram, funções cerebrais básicas começam a ser interrompidas. Quando nos sentimos genuinamente ameaçados, nossa visão periférica se estreita até que mal conseguimos enxergar algo além do que está à nossa frente.

Ao se afastar do conteúdo de uma discussão e procurar sinais de que a segurança está em perigo, você reativa o cérebro e recupera sua visão integral. Como dissemos antes, quando se concentra em um novo problema (esteja alerta aos sinais de que a segurança corre perigo!), você afeta o funcionamento do seu cérebro. Seus centros de raciocínio mais elevados permanecem mais ativos, você tem mais chances de manter a clareza e *muito* mais chances de obter o que deseja de suas Conversas Cruciais.

Não deixe que os problemas de segurança desviem você do caminho. Quando a pessoa com quem estamos discutindo começa a se sentir insegura, passa a agir de modo irritante. Recorre a zombarias, insultos ou passa por cima dos argumentos alheios. Em situações assim, nossa reação *deveria* ser: "Ei, essa pessoa está se sentindo insegura, preciso fazer alguma coisa. Talvez eu deva tornar a situação mais segura." Infelizmente, o que mais acontece é que, em vez de entender esse ataque como sinal de que a segurança corre perigo, nós o entendemos como o que parece ser: um ataque. E pensamos: "Estou sendo atacado!" Então a parte burra do nosso cérebro entra em ação e reagimos do mesmo modo. Ou tentamos escapar. De qualquer maneira, não estamos fazendo um processamento duplo e tentando restabelecer a segurança. Em vez disso, estamos nos tornando parte do problema, pois entramos na briga.

Considere a magnitude do que estamos afirmando. Estamos pedindo a você que resista à tendência natural do ser humano de revidar e pense: "Ah, isso é sinal de que ele/ela está se sentindo inseguro(a)." E depois? Faça alguma coisa para criar segurança.

Que fique bem claro: não estamos pedindo a você que tolere comportamentos abusivos, e sim que tente imaginar qual seria a causa desse comportamento. Certo, alguns "babacas" são mesmo babacas, mas sejamos sinceros: você nunca perdeu a cabeça? Nunca gritou com alguém no calor do momento? Nunca interrompeu alguém quando não conseguiu mais se segurar? Nunca usou seu poder (como pai, chefe, professor, etc.) de modo a conseguir o que queria? Nunca... agiu como um babaca? Dificilmente. Todo mundo já agiu assim. E adivinha só: não *somos* babacas. Somos apenas pessoas que, num momento difícil, reagiram com agressividade a uma insegurança. Se compreendemos isso em nós mesmos, precisamos dar às outras pessoas o respeito e a gentileza para que enxerguem isso em si. Não é fácil. Mas vale a pena.

Essas habilidades são o ponto central para tudo que vem em seguida no processo de criar diálogo. São a porta de entrada para obter todos os benefícios de que desfrutam as pessoas hábeis em Conversas Cruciais. Imagine ter mais influência, relacionamentos melhores, equipes mais fortes e liderança mais eficaz. Acione sua capacidade de reconhecer e reagir aos problemas de segurança.

No próximo capítulo vamos explorar como reagir. Por enquanto, aprenda apenas a ficar atento à segurança e depois a procurar compreender, em vez de ficar com raiva ou com medo. Aprenda a identificar os dois tipos de comportamento que indicam que alguém está se sentindo inseguro. Nós nos referimos a eles como silêncio e violência.

Silêncio e violência

À medida que começam a ficar inseguras, as pessoas enveredam por um dos dois caminhos não saudáveis: recuam para o silêncio (deixando de colocar ideias no reservatório) ou partem para a violência verbal (tentando colocar ideias à força no reservatório). Essa parte já sabemos. Mas vamos acrescentar alguns detalhes. Assim como um pouco de conhecimento sobre o que procurar pode transformar águas turvas em uma truta, conhecer algumas formas mais comuns de silêncio e violência ajuda a enxergar os problemas de segurança logo que começam a aparecer. Desse modo você pode recuar, restaurar a segurança e voltar ao diálogo – antes que o estrago seja grande demais.

Silêncio. Consiste em qualquer ação para impedir de propósito que as informações cheguem ao reservatório de ideias. Isso costuma ser feito com a intenção de evitar problemas potenciais e sempre restringe o fluxo de ideias. Os métodos vão desde jogos verbais até a tentativa de fugir completamente de uma pessoa. As três formas de silêncio mais comuns são: mascarar, evitar e se retirar.

Mascarar consiste em entender ou mostrar seletivamente nossas verdadeiras opções. Sarcasmo, eufemismos e indiretas são algumas das formas mais conhecidas de mascaragem. Exemplos:

"Achei sua ideia... hã... brilhante. Mesmo. Só fico com medo de os outros não captarem as nuances. Algumas ideias são avançadas demais para serem aceitas, então se prepare para enfrentar algumas... é... pequenas resistências."
Significado: *Sua ideia é absurda e as pessoas não vão aceitá-la de jeito nenhum.*

"Ah, claro, esse desconto vai funcionar às mil maravilhas" (acompanhado por uma careta de desdém). *"As pessoas vão atravessar a cidade inteira só para economizar 50 centavos num sabonete."*
Significado: *Que ideia idiota!*

Evitar implica guiar a conversa para longe de temas sensíveis. Conversamos, mas sem jamais tocar nos problemas verdadeiros. Exemplos:

"O que eu achei do seu terno novo? Ah, você sabe que azul é minha cor predileta."
Significado: *Santo Deus, você comprou essa roupa no circo?*

"Por falar em ideias para redução de custos, e se a gente fizesse um café mais fraco? Ou imprimisse nos dois lados do papel?"
Significado: *Se eu der sugestões triviais, talvez a gente não precise discutir coisas delicadas como a ineficiência dos funcionários.*

Retirar-se consiste em encerrar a conversa ou até sair da sala. Exemplos:

"*Com licença, preciso atender esse telefonema.*"
Significado: *Prefiro arrancar o braço a passar mais um minuto nessa reunião inútil.*

"*Desculpa, não quero falar de novo sobre como dividir a conta telefônica. Não sei se nossa amizade aguenta mais uma batalha.*" (E sai.)
Significado: *Não conseguimos conversar nem sobre os assuntos mais simples sem discutir.*

Violência. Qualquer estratégia verbal que tente convencer os outros ou obrigá-los a aceitar seu ponto de vista. A segurança é violada pela tentativa de enfiar ideias à força no reservatório. Os métodos vão desde xingamentos e monólogos até ameaças. As três formas mais comuns são controlar, rotular e atacar.

Controlar consiste em forçar os outros a pensar como você. Você exagera dados, fala em termos absolutos, desvia o assunto ou usa perguntas tendenciosas, entre outras estratégias. Exemplos:

"*Não existe uma única pessoa no mundo que não tenha comprado um desses. É o presente perfeito.*"
Significado: *Gastei todas as nossas economias nesse brinquedo caro que eu quero muito, mas não tenho como justificar isso.*

"*Nós experimentamos o produto deles, mas foi um desastre. Todo mundo sabe que eles não conseguem entregar no prazo e que oferecem o pior atendimento do planeta.*"
Significado: *Já que não tenho certeza dos fatos, vou exagerar o pouco que sei para atrair sua atenção.*

Rotular pessoas ou ideias é uma tática para que possamos desconsiderá-las usando um estereótipo ou uma categoria geral:

"*Essa ideia talvez funcionasse em 1990. Mas ninguém que realmente se *importe com qualidade e atendimento ao cliente implementaria esse tipo de plano hoje em dia."*

Significado: *Não consigo defender minha ideia, então vou fazer ataques pessoais a você para conseguir o que quero.*

"Fala sério! Só um [alguém do partido político oposto ao seu] acharia isso uma boa ideia."

Significado: *Se eu fingir que todo mundo de um partido diferente do meu é ruim e está errado, não vou precisar explicar nada.*

Atacar é autoexplicativo. Sua motivação não é mais vencer a discussão, e sim fazer com que a outra pessoa sofra. Dentre as táticas de ataque estão a depreciação e a ameaça:

"Tente fazer isso para ver o que acontece."

Significado: *Vou conseguir o que quero, nem que para isso precise difamar você e ameaçá-lo com uma punição vaga.*

"Não ouça o que Jim está dizendo. Desculpa, Jim, mas eu sei muito bem o que você quer. Só está tentando melhorar as coisas para a sua equipe e prejudicar o resto de nós. Já vi você fazer isso antes. Você é um escroto, sabia? Desculpa, mas alguém precisa ter coragem de dizer a verdade."

Significado: *Para conseguir o que quero, vou dizer coisas ruins sobre você e depois fingir que sou o único aqui com alguma integridade.*

Descubra qual é o seu Estilo Sob Tensão

Você prestou atenção para determinar quando uma conversa se torna crucial e identificar sinais de que a segurança está em perigo. Certo. Mas tem mais uma coisa que precisa observar: seu próprio comportamento. Esse talvez seja o elemento mais difícil de examinar com atenção. A maioria das pessoas tem dificuldade para se afastar da discussão do momento. Afinal de contas, você não tem como sair do próprio corpo e observar a si mesmo. Você está no lado errado dos seus globos oculares.

Automonitoramento falho. A verdade é que todo mundo às vezes tem dificuldade para monitorar o próprio comportamento. Perdemos toda a sensibilidade social quando somos consumidos por ideias e causas. Tentamos abrir caminho à força, falamos quando não deveríamos, nos fechamos num silêncio punitivo. Somos basicamente o sujeito da história contada por Jack Handey:

As pessoas viviam dizendo que tinha um cara insuportável que morava no nosso quarteirão. Fui até a casa dele para verificar pessoalmente. Ele disse que não era o cara insuportável, o cara insuportável morava naquela casa ali. "Não, seu imbecil", falei. "Aquela é a minha casa."

Infelizmente, quando se deixa de monitorar o próprio comportamento, corre-se o risco de fazer papel de idiota. Por exemplo, você está reclamando com sua esposa porque ela o deixou plantado na oficina por mais de uma hora. Sua esposa alega que foi um simples mal-entendido e diz:
– Não precisa ficar com raiva.
Então você pronuncia as famosas palavras:
– Eu não estou com raiva!
Claro que você grita isso cuspindo fogo e com uma veia saltando na sua testa. Obviamente, no meio do embate você não percebe a incoerência da sua reação. E não gosta nem um pouco quando sua esposa ri.

Teste seu Estilo Sob Tensão

Que tipo de automonitor você é? Uma boa maneira de melhorar sua autopercepção é analisar seu Estilo Sob Tensão. O que você faz quando a conversa fica difícil? Para descobrir, responda ao questionário das próximas páginas, que vai ajudar você a identificar a que táticas costuma recorrer no meio de uma Conversa Crucial, além de ajudar a determinar quais partes deste livro podem ser mais úteis para você.

Instruções. Estas perguntas investigam como você *geralmente* reage quando está no meio de uma Conversa Crucial. Antes de começar, pense em uma pessoa com quem você conviva no trabalho ou em casa. Marque V

(Verdadeiro) ou F (Falso) baseado em como você costuma abordar conversas delicadas com essa pessoa.

V F **1.** Em vez de dizer exatamente o que estou pensando, às vezes demonstro minha frustração por meio de piadas, comentários sarcásticos ou observações maldosas.

V F **2.** Quando preciso falar de alguma questão difícil, minimizo a gravidade do problema em vez de dar minha opinião sincera.

V F **3.** Quando alguém toca num assunto delicado, às vezes tento mudar de assunto.

V F **4.** Quando preciso lidar com assuntos difíceis, às vezes desvio a conversa para temas mais leves em vez de falar do que realmente me preocupa.

V F **5.** Às vezes evito situações que possam me colocar em contato com pessoas com as quais tenho problemas.

V F **6.** Às vezes adio responder às pessoas porque me sinto desconfortável em falar com elas.

V F **7.** Para forçar meu ponto de vista, às vezes exagero o meu lado da discussão.

V F **8.** Se sinto que estou perdendo o controle de uma conversa, às vezes interrompo as pessoas ou mudo de assunto para algo que me favoreça.

V F **9.** Suspeito que às vezes as pessoas terminem uma conversa comigo se sentindo diminuídas ou magoadas.

V F **10.** Quando fico indignado com um comentário, às vezes digo coisas que podem ser consideradas hostis ou agressivas, como "Me poupe!" ou "Isso é ridículo!".

V F **11.** Às vezes, quando os ânimos se exaltam, deixo de argumentar contra as ideias do outro e passo a tocar em questões pessoais para atacá-lo.

V F **12.** Quando me sinto ameaçado ou magoado, às vezes me comporto de maneiras que podem parecer raivosas ou vingativas.

V F **13.** Às vezes me pego tendo a mesma conversa com a mesma pessoa várias vezes.

V F **14.** Às vezes termino uma conversa tendo chegado a um acordo que não acredito que vá realmente resolver o problema.

V F **15.** Quando estou discutindo um assunto importante, às vezes deixo de tentar demonstrar meu ponto de vista e só penso em vencer.

V F **16.** Às vezes decido que é melhor manter a paz do que expressar meu ponto de vista.

V F **17.** Quando estou conversando sobre temas sensíveis, muitas vezes sou levado pelas emoções.

V F **18.** Às vezes termino uma conversa listando os motivos pelos quais eu estou certo e os outros estão errados.

V F **19.** No meio de uma conversa difícil, costumo ficar tão envolvido que não percebo como os outros estão me vendo.

V F **20.** Acho difícil identificar por que uma conversa está indo mal e como consertar isso.

V F **21.** Quando finalmente digo o que estou pensando, acabo deixando os outros na defensiva.

V F **22.** Tenho dificuldade para decidir se é mais importante dizer o que penso ou preservar o relacionamento.

V F **23.** Quando tenho uma opinião forte sobre alguma coisa, às vezes me expresso de um modo que faz os outros resistirem às minhas ideias.

V F **24.** Quando confio muito na minha opinião, não gosto que discordem.

V F **25.** Não sei direito como ajudar os outros a se abrir quando é algo que eles relutam em contar.

V F **26.** Gasto mais energia pensando em como apresentar meu argumento do que me preocupando em como ajudar as pessoas a expressar o delas.

V F **27.** Fico muito ansioso quando sei que terei uma conversa em que provavelmente vou receber feedback negativo.

V F **28.** Se ouço coisas dolorosas em uma conversa, demoro muito a superar a mágoa e a raiva.

V F **29.** É comum que as pessoas deixem de cumprir o que acertamos em uma conversa e depois eu é que tenha que cobrá-las.

V F **30.** Quando estamos resolvendo assuntos difíceis, às vezes temos expectativas conflitantes com relação a como a decisão será tomada, ou mesmo sobre o que foi combinado quando conversamos.

> **TESTE SEU ESTILO SOB TENSÃO ON-LINE**
>
> Para uma avaliação rápida ou para refazer o teste tendo em mente pessoas diferentes, visite www.conversascruciais.com.br e preencha o formulário para receber seus Recursos Adicionais. Seus resultados lhe mostrarão suas táticas típicas nas Conversas Cruciais e quais capítulos deste livro podem ser mais úteis para você.

Pontuação

Preencha as tabelas de acordo com as respostas que você marcou no teste (cada célula contém dois quadrados correspondendo a duas perguntas): marque o quadradinho correspondente às perguntas em que você respondeu V (deixe em branco o quadradinho das perguntas às quais você respondeu "F"). Na primeira tabela, some o total de marcações que você tem na coluna "Silêncio" e o total da coluna "Violência" e anote os totais nos quadrados no alto das colunas. Faça o mesmo nos quadrados relacionados às Habilidades de Diálogo, na segunda tabela. Conte quantos itens marcou em "Identificar o assunto", por exemplo, e anote esse número no quadradinho dessa habilidade.

SILÊNCIO ☐	VIOLÊNCIA ☐
Mascarar ☐ 1 (V) ☐ 2 (V)	**Controlar** ☐ 7 (V) ☐ 8 (V)
Evitar ☐ 3 (V) ☐ 4 (V)	**Rotular** ☐ 9 (V) ☐ 10 (V)
Retirar-se ☐ 5 (V) ☐ 6 (V)	**Atacar** ☐ 11 (V) ☐ 12 (V)

Pontuação de Estilo Sob Tensão

Cap. 3: Identificar o assunto ☐ 13 ☐ 14	Cap. 6: Aprender a olhar ☐ 19 ☐ 20	Cap. 9: Explorar os caminhos dos outros ☐ 25 ☐ 26
Cap. 4: Começar pelo coração ☐ 15 ☐ 16	Cap. 7: Criar segurança ☐ 21 ☐ 22	Cap. 10: Pegar sua caneta de volta ☐ 27 ☐ 28
Cap. 5: Dominar suas narrativas ☐ 17 ☐ 18	Cap. 8: Declarar CALMA ☐ 23 ☐ 24	Cap. 11: Partir para a ação ☐ 29 ☐ 30

Pontuação das Habilidades de Diálogo

O que a sua pontuação significa

Sua pontuação de Estilo Sob Tensão (primeira tabela) mostrará a que tipo de silêncio ou violência você recorre com mais frequência. Suas pontuações de violência e silêncio lhe darão uma ideia da frequência com que você cai nessas estratégias pouco perfeitas. É possível ter uma pontuação alta nas duas. Uma pontuação média ou alta (um ou dois quadradinhos marcados em cada domínio) significa que você usa essa técnica às vezes ou muitas vezes.

Sua pontuação de Habilidades de Diálogo (segunda tabela) é organizada por conceito e capítulo, de modo que você saiba quais capítulos deste livro lhe serão mais úteis. Os nove domínios refletem suas habilidades em cada capítulo que aborda as habilidades correspondentes. Se sua pontuação for 0, você está se saindo bem nessa área – pelo menos nas situações que tinha em mente ao responder às perguntas. Vale ressaltar que suas respostas poderiam ser diferentes se você pensasse numa situação mais desafiadora. Se sua pontuação for 1 ou 2, talvez seja bom prestar atenção redobrada nesses capítulos.

Sua pontuação não representa uma característica imutável ou uma propensão genética, é apenas uma medida do seu comportamento sob as circunstâncias em que você pensou ao responder às perguntas. E, qualquer que seja a sua pontuação, você pode mudá-la. Os leitores que levam este livro a sério treinam as habilidades capítulo a capítulo e, com o tempo, conseguem efetuar mudanças. Além disso, ocasionalmente refazem o teste para relacionamentos muito desafiadores que estejam enfrentando. Assim, ficam cada vez mais competentes em aplicar as habilidades em situações cada vez mais difíceis. E sua vida muda para melhor.

Depois de fazer o teste, você pode pedir a pessoas que o conhecem bem que o façam tendo você em mente. Sua avaliação do seu Estilo Sob Tensão combina com o modo como os outros o veem? Caso contrário, observe o que os outros estão enxergando. Aprender a se monitorar pode levar tempo.

ENXERGANDO VIRTUALMENTE

Para muitas pessoas, um número cada vez maior de conversas, inclusive as cruciais, não acontece pessoalmente, e sim mediada por diferentes tecnologias. Telefonamos, trocamos mensagens de texto e e-mails e fazemos videochamadas mais do que nunca. Como aprender a olhar nesse contexto, em que não estamos nos falando cara a cara?

Aprender a procurar sinais de que a segurança corre perigo num ambiente virtual não é muito diferente do que num ambiente físico. Os melhores comunicadores percebem que, no fundo, aprender a olhar consiste em expandir o fluxo de dados. Você enxerga mais e ao mesmo tempo entende mais do que enxerga.

O desafio óbvio na maior parte das comunicações virtuais é que nosso fluxo de dados fica severamente limitado. Boa parte do que enxergamos ao conversar presencialmente é comunicada através de sinais não verbais – coisas como linguagem corporal, tom de voz ou se a pessoa está olhando para você, por exemplo. Esses sinais não verbais são indicadores importantes que nos ajudam a entender o que a pessoa está dizendo. Quando uma conversa passa a acontecer por telefone ou e-mail, o fluxo de dados se torna praticamente um gotejar de dados.

A solução é sempre a mesma. Um fluxo de dados melhor lhe dá mais elementos para enxergar numa conversa. Se você sabe que precisa ter uma Conversa Crucial, escolha o meio que lhe dará maior largura de banda. Para muitas pessoas, esse meio é uma conversa cara a cara. Quando isso não é possível, a segunda opção geralmente é uma videoconferência, e a terceira, um telefonema ou uma troca de áudios. Só depois dessas opções é que se chega ao e-mail, ao aplicativo de mensagens instantâneas e ao SMS.

A cada passo que se avança nessa hierarquia de meios sabemos que estamos diminuindo a quantidade de dados disponíveis. Isso não é ideal, mas quando a vida real é ideal?

Na vida real, líderes gerenciam equipes do outro lado do mundo, pais idosos moram longe, adolescentes ignoram telefonemas, mas instantes depois respondem com uma mensagem ("Arrá! Eu sabia que você estava olhando para o telefone quando eu liguei!"). As Conversas Cruciais acontecem praticamente todo dia e, quando acontecem, o objetivo é sempre o mesmo: ampliar o fluxo de dados. Aprenda a procurar os sinais de que a segurança corre risco.

E como ampliar o fluxo de dados? Comece com um pedido. Por exemplo:

- **E-mail.** "Faz dois dias que não recebo uma resposta ao e-mail que lhe enviei. Não sei bem como interpretar seu silêncio. Como está se sentindo com relação à minha proposta?"
- **Telefone.** "Eu queria olhar para você. Não sei como você está interpretando minha mensagem e não quero que me entenda mal. Pode me ajudar a entender o que está pensando?"
- **Mensagem.** "Quando li seu comentário no/na [rede social], fiquei sem entender. Você está chateada?"

Quando perceber sinais de silêncio ou violência na comunicação virtual, peça mais informações. Assim as pessoas acrescentarão ideias ao reservatório, revelando o que estão sentindo ou pensando, ou vão se retrair. Se elas não revelarem mais sobre seus sentimentos, trate isso como um dado de confirmação. É hora de Criar Segurança – o assunto do próximo capítulo.

Minha Conversa Crucial: Tom E.

Tenho 55 anos e todos conhecem o ditado "Não é possível ensinar truques novos a um cachorro velho". Trabalho com engenharia e compras na mesma empresa há 17 anos. Durante toda a minha carreira enfrentei conflitos pessoais porque volta e meia eu "explodia" com alguém. Sempre acreditei que o mais importante no trabalho era completar minhas tarefas e que os prejuízos às relações pessoais eram efeitos colaterais aceitáveis.

Meu superior imediato tinha feito um curso de Conversas Cruciais junto com os diretores da nossa empresa. O próximo passo foi inscrever o nível seguinte de gerentes e instrutores. Eu não sou instrutor de ninguém, mas mesmo assim meu supervisor me inscreveu no curso.

Meu pensamento inicial foi: "Não tenho tempo para isso!" Mas depois dos primeiros minutos percebi que não somente estava no lugar certo, mas que havia potencial para aprender algo. Fiquei atento e o mais concentrado possível. Enquanto "Aprendia a olhar", relembrei incidentes e vi onde havia errado. Percebi que não prestava atenção ao interagir com os outros. Não percebia quando eles recorriam ao silêncio ou à violência. Tudo tinha que ser do meu jeito e eu pressionava até que os outros silenciassem, o que, para mim, indicava concordância.

Durante o curso, reli capítulos e conversei com colegas de turma. Conversei com meu parceiro de aprendizado e ele me disse, sinceramente, que muitos dos meus colegas achavam que eu tinha muito conhecimento, mas evitavam lidar comigo porque eu era imprevisível.

Pouco depois de terminar o curso, o diretor de engenharia me chamou à sala dele e me colocou num período probatório devido ao feedback sobre minhas explosões. Ou eu mudaria em três meses ou seria mandado embora. Passei a noite pensando no que fazer. Percebi que o conteúdo que havia aprendido sobre mim no curso de Conversas Cruciais me dava os recursos para resolver o problema. Antes do curso, eu não tinha ideia de como mudar as coisas e provavelmente teria sido demitido, mas, graças às Conversas Cruciais, enfrentei o desafio.

Meu instrutor me disse que eu precisaria empreender uma "mudança de vida" e não uma mudança temporária, e percebi que deveria consertar algumas relações dentro da organização. Sabia que o caminho seria longo e árduo. Pedir desculpas foi difícil, mas eu queria mudar.

Isso faz um ano e eu continuo na empresa. As coisas que aconteceram nesse último ano me deixam espantado. Consertei todas as relações, e já houve vezes que pessoas vieram *me* procurar pedindo conselhos sobre como enfrentar determinadas situações de conflito. Cheguei a ter Conversas Cruciais com gerentes da nossa empresa em nome de outras pessoas. Minha esposa me disse que meu padrão de comportamento dos últimos 30 anos mudou. Coisas que me faziam explodir em casa não fazem mais, e ela diz que é como estar casada com outra pessoa. Sou uma pessoa diferente – uma pessoa de quem até eu gosto. As Conversas Cruciais realmente me mudaram e esse cachorro velho aprendeu, sim, truques novos.

RESUMO: APRENDER A OLHAR

Quando estamos no meio de uma Conversa Crucial, é difícil enxergar com clareza o que está acontecendo e por quê. Quando uma conversa fica estressante, muitas vezes acabamos fazendo exatamente o contrário do que funciona. Buscamos os componentes menos saudáveis do nosso Estilo Sob Tensão. Para romper esse padrão insidioso, Aprenda a Olhar:

- O conteúdo *e* as condições da conversa
- Quando a conversa se torna crucial
- Os riscos à segurança
- Se os outros estão recorrendo ao silêncio ou à violência
- Manifestações do seu Estilo Sob Tensão.

> *Uma palavra dita na hora certa é como maçãs de ouro num cesto de prata.*
> – PROVÉRBIOS 25:11

7
CRIAR SEGURANÇA

Como criar um contexto que permita falar sobre quase tudo

O capítulo anterior continha uma promessa: se você identificar os riscos à segurança conforme surgirem, poderá se distanciar por um momento do assunto em pauta, *criar segurança* e descobrir um modo de falar sobre praticamente qualquer coisa com praticamente qualquer pessoa. Neste capítulo vamos cumprir essa promessa mostrando como criar segurança e como restaurá-la quando necessário.

Para começar, vamos entreouvir a Conversa Crucial do casal Otto e Mari. Ele é chef de cozinha e Mari é gerente de projetos em uma multinacional da cadeia de suprimentos. O ano anterior foi difícil para os dois. A empresa de Mari passou por uma ampla reestruturação em resposta à recessão econômica, fazendo com que ela assumisse mais responsabilidades ao mesmo tempo que tinha sua equipe reduzida. Para completar, o restaurante em que Otto trabalhava foi fechado e ele ainda não conseguiu recolocação profissional. A tensão de não poderem mais contar com o salário de Otto, além de Mari estar cumprindo uma carga horária maior, colocou uma pressão enorme no relacionamento deles.

Otto acha que Mari não tem tempo para ele nem para o relacionamento dos dois, que tem ficado sempre em segundo plano. Mari, por sua vez, se sente esgotada com o volume maior de trabalho e acha que Otto não assumiu as responsabilidades da casa como deveria. Há meses os dois vêm agindo em função de suas preocupações, mas sem conversar sobre elas. Quando Mari chega tarde, Otto se sente rejeitado e fica emburrado diante da TV. Mari, por sua vez, quando chega em casa e vê Otto no sofá, a roupa por lavar e a louça suja na pia, fica com raiva e faz um comentário mordaz. Otto fica ainda mais ressentido e acaba adormecendo na sala, enquanto Mari vai para o quarto e desmorona na cama, exausta.

Após meses nessa dinâmica, Otto decide abordar o assunto com Mari. Em vez de esperar que a situação se repita – nesse caso, os dois acabariam conversando quando já estivessem cansados ou chateados –, ele escolhe um raro domingo em que estão tomando um café da manhã tranquilo.

Otto: *Mari, será que a gente pode conversar sobre sexta-feira? Quando você chegou tarde e foi direto para o quarto, sabe?*

Mari: *Ah, aquela noite em que eu encontrei você vendo TV em vez de cuidando da casa? Aquela noite?*

Otto: *Poxa, eu estava esperando você chegar em casa para a gente poder ficar um tempo juntos.*

Mari: *Claro, você estava mesmo me esperando. Esperando que eu fizesse tudo que precisa ser feito. Quando você vai começar a fazer sua parte na casa?*

Otto: (Sai de perto.)

AFASTE-SE, CRIE SEGURANÇA E SÓ ENTÃO VOLTE

Muito bem, vamos avaliar Otto. Ele tentou abordar um tema complicado. Ponto para ele. Não era tarefa fácil, depois de meses sem dizer nada, mas ele tentou. E Mari reagiu com hostilidade. E agora, o que ele deve fazer? Como retomar o diálogo, mas de modo honesto e saudável? O que fazer quando não nos sentimos seguros para dizer o que estamos pensando?

O importante é se afastar do tema da conversa. Isso mesmo. Quando a segurança corre perigo e você percebe as pessoas recorrendo ao silêncio ou à violência, precisa se afastar do conteúdo da conversa (literalmente parar de falar sobre o assunto) e restaurar a segurança. Mas como?

Primeiro é preciso entender por que a outra pessoa se sente insegura. Ninguém fica na defensiva em resposta ao que você está dizendo, e sim ao que supõe ser sua motivação para dizer o que está dizendo. Em outras palavras, a segurança no contexto de uma conversa depende da intenção percebida, e não do conteúdo. Quando o outro fica reativo, é porque:

1. Você está com má intenção em relação a ele (e ele percebeu).

Ou:

2. Ele interpretou mal sua boa intenção.

No primeiro caso, você precisa voltar e Começar pelo Coração. Lembre-se: numa Conversa Crucial, nossas motivações se deterioram facilmente. Pergunte-se: "Estou agindo como se quisesse o quê?" Essa pergunta ajudará você a se ver como as outras pessoas o estão vendo. Em seguida, pergunte-se: "O que eu realmente quero para mim, para o outro e para nosso relacionamento?" Se as suas motivações não forem das mais nobres, recue e concentre-se no que você realmente quer.

Porém é comum que o problema não seja que tenhamos má intenção, e sim que nossa intenção foi mal interpretada. Lembre que os seres humanos são programados para procurar ameaças. E, quando se sentem ameaçados, recorrem ao silêncio ou à violência, isto é, ao instinto de fuga ou luta – e nenhuma das duas é boa para solucionar problemas. Para destruir a segurança numa Conversa Crucial, você precisa de... nada. Durante aqueles segundos tensos no início de uma conversa, a outra pessoa está examinando cada tique facial e cada cruzar de pernas seu em busca de evidências que apontem suas intenções. Você pretende fazer mal a ela? Está querendo prejudicá-la? Cabe a você provar que não.

Vamos fazer uma pausa para absorver essa última frase. Não basta ter boas intenções, é preciso que a outra pessoa *perceba* isso. Pense nisso no contexto dos vieses e preconceitos inconscientes – os desconfortos e julgamentos com relação a quem é diferente de nós e que *não percebemos que temos*. Esses preconceitos se expressam em sinais sutis que emitimos – evitar contato visual, recuar um pouco, franzir a testa quase imperceptivelmente, etc. –, fazendo os outros se sentirem inseguros. Do mesmo modo, a pessoa pode abrigar preconceitos inconscientes com relação a você, e esses preconceitos fazem com que ela se sinta menos segura. Esse é mais um motivo para que você assuma a tarefa de gerar evidências claras e inconfundíveis de suas boas intenções.

No exemplo que estamos vendo, Otto queria genuinamente conversar com Mari sobre o relacionamento deles, pois a ama e sabe que eles vêm se tratando de uma maneira que não é boa para nenhum dos dois. Então ele fala. Mas Mari reage mal. Por quê? Porque ela tirou conclusões precipitadas a respeito da intenção dele. Otto não forneceu nenhuma prova de sua intenção ao iniciar a conversa, portanto Mari provavelmente (e previsivelmente) achou que ele estava criticando (pela milésima vez!) seu horário de trabalho e a acusando de nunca ter tempo para ele. Antes mesmo de ele terminar a primeira frase, ela já estava na defensiva e contra-atacou.

Nessas circunstâncias, as pessoas *menos hábeis* em dialogar fazem o que Otto e Mari fizeram: dizem o que estão pensando sem considerar como isso será recebido (Mari) ou concluem que a conversa não vai para a frente, isto é, que o assunto é totalmente inseguro, e se fecham no silêncio (Otto).

Pessoas *razoavelmente hábeis* em dialogar percebem que a segurança corre perigo, mas erram ao tentar restaurá-la. Tentam tornar o assunto mais palatável minimizando o problema: "Ah, querido, sei que você queria que a gente ficasse um tempo junto, mas na sexta-feira eu estava muito cansada." Tentam aliviar o clima diluindo ou enfeitando o conteúdo. Essa estratégia oculta o verdadeiro problema, que acaba não sendo resolvido.

As pessoas *mais hábeis* em dialogar não lançam mão de subterfúgios. Ponto final. Sabem que, para solucionar o problema, precisam discuti-lo – sem fingimentos, sem evasivas nem omissões. Para tanto, fazem algo totalmente diferente: afastam-se do conteúdo da conversa, criam segurança e depois voltam. Com a segurança restaurada, podem conversar sobre praticamente qualquer coisa.

DUAS CONDIÇÕES PARA A SEGURANÇA

Para sentir segurança em conversar com você, as pessoas precisam saber duas coisas sobre sua intenção:

- Que você se importa com as *preocupações* delas (Objetivo Mútuo).
- Que você se importa com *elas* (Respeito Mútuo).

O Objetivo Mútuo e o Respeito Mútuo são condições para o diálogo. Somente com essas duas condições satisfeitas você terá segurança para que as ideias fluam para o reservatório. Vamos examinar cada uma dessas condições.

Objetivo Mútuo: a condição para a entrada

Você se lembra da última vez que alguém lhe deu um feedback difícil e você não ficou na defensiva? Digamos que um amigo tenha lhe dito algumas coisas que incomodariam qualquer pessoa. Para que ele pudesse transmitir a mensagem delicada, você deve ter acreditado que ele se importava com você ou com seus objetivos. Isso significa que você confiava nos *objetivos* dele e por isso estava disposto a ouvir um feedback bastante duro.

Esta é a primeira condição para a segurança: *Objetivo Mútuo*. É quando os outros percebem que, com essa conversa, você está agindo em prol de um resultado que beneficie os dois lados, que você se importa com os objetivos deles, com seus interesses e valores. E vice-versa. Você acredita que eles se importam com os seus também. Assim, o Objetivo Mútuo é a condição para a entrada no diálogo. Encontre um objetivo em comum e você terá um bom motivo e um clima saudável para conversar.

Por exemplo, se Mari acreditar que o objetivo de Otto ao tocar nesse assunto delicado é fazer com que ela se sinta culpada ou conseguir apenas o que *ele* deseja, a conversa estará condenada ao fracasso desde o início. Se ela acreditar que ele realmente se importa em melhorar o relacionamento dos dois, talvez ele tenha uma chance.

Um Objetivo Mútuo infalível. Às vezes parece impossível encontrar um Objetivo Mútuo. Você não consegue imaginar nada que poderia ter em comum com essa pessoa (basta pensar no candidato em quem ela votou na última eleição! Você jamais vai concordar em nada com essa criatura!). Mas existe um jeito. Veja bem, os seres humanos têm uma necessidade inata de ser ouvidos. Queremos ser ouvidos e compreendidos. Assim, um ótimo Objetivo Mútuo para começar é a compreensão mútua. Se a pessoa acreditar que você quer genuinamente entendê-la, entender suas necessidades ou seu ponto de vista, você terá os ingredientes básicos da segurança. E assim que a outra pessoa se sentir compreendida, provavelmente terá os recursos psicológicos para ouvir você.

Lembre-se do "mútuo" em Objetivo Mútuo. Há muita coisa que você pode fazer numa conversa para criar segurança através do Objetivo Mútuo. Mais adiante neste capítulo mostraremos os passos específicos para que você crie um Objetivo Mútuo quando estiver diante de objetivos incompatíveis. Mas não pense que sua responsabilidade de criar segurança no diálogo implique que você não deve esperar que a outra pessoa reconheça as *suas* necessidades. O Objetivo Mútuo *precisa* ser mútuo. Sim, você precisa se importar com o objetivo da outra pessoa, mas ela também precisa se importar com o seu. Você não precisa subordinar seu objetivo aos dos outros só para criar um verniz de segurança para eles.

Mas o que fazer se a outra pessoa parece não se importar com o seu objetivo? Escolha *isso* como assunto da Conversa Crucial que você precisa ter. Afinal de contas, seu objetivo é tão importante quanto o da outra pessoa, e você pode e deve estabelecer isso como um limite. Você pode dizer, por exemplo:

> *É importante para mim que a gente tenha uma relação colaborativa e produtiva. Eu gostaria de falar sobre um padrão que notei nas nossas conversas. Sei que muitas vezes temos metas ou objetivos diferentes. Espero que você saiba que eu me importo com os seus objetivos, tanto quanto me importo com os meus. Mas às vezes sinto que você não se importa de verdade com os meus objetivos, por isso acho difícil conversar algumas coisas com você. Será que entendi errado?*

Procure a mutualidade. Vejamos como o Objetivo Mútuo se aplica num exemplo difícil – em que, à primeira vista, pode parecer que o seu objetivo é melhorar a situação para si mesmo. Digamos que você tenha um chefe que deixa de cumprir muitos compromissos. Como você pode dizer ao chefe que não confia nele? Não há um modo de dizer isso sem que ele fique na defensiva, certo? Não necessariamente.

Para evitar o desastre, encontre um Objetivo Mútuo que seja tão motivador para o chefe a ponto de ele querer ouvir suas preocupações. Se o seu único motivo para procurar o chefe é conseguir o que deseja, ele vai percebê-lo como uma pessoa crítica e egoísta – coisa que você de fato é. Por outro lado, se você tentar enxergar o ponto de vista da outra pessoa, muitas vezes encontrará um modo de atraí-la de boa vontade para as conversas mais sensíveis. Por exemplo, se o comportamento do chefe faz você perder prazos que são importantes para ele, incorrer em gastos que ele não aprova ou baixar a produtividade com a qual ele está preocupado, talvez vocês tenham um Objetivo Mútuo.

Imagine puxar o assunto do seguinte modo: "Tenho algumas ideias de como posso ficar muito mais eficiente e até mesmo reduzir os custos em alguns milhares de dólares com a preparação dos relatórios a cada mês. Essa conversa vai ser meio delicada, mas acho que seria muito útil falarmos sobre isso." Agora vocês têm um Objetivo *Mútuo*.

Respeito Mútuo: a condição para a permanência

Embora seja verdade que não há motivo para iniciar uma Conversa Crucial se vocês não têm um Objetivo Mútuo, também é verdade que vocês não podem permanecer na conversa se não mantiverem *Respeito Mútuo*. Respeito Mútuo é a condição para a continuidade do diálogo. Quando as pessoas percebem que não são respeitadas, perde-se a segurança da conversa imediatamente e o diálogo é interrompido com uma freada brusca.

Por quê? Porque o respeito é como o ar: enquanto está presente, ninguém pensa nele, mas, se for retirado, ninguém pensa em outra coisa. No instante em que é percebido algum desrespeito numa conversa, a interação se descola do objetivo inicial e passa a cuidar de defender a dignidade.

Por exemplo, você está conversando com um grupo de supervisores sobre um complicado problema de qualidade. Você quer realmente que o problema seja resolvido de uma vez por todas. Seu emprego depende disso. Infelizmente, você também acha que os supervisores ganham demais e não são qualificados. Acredita piamente que, além de se acharem o máximo, fazem coisas idiotas o tempo todo. Alguns chegam a agir de modo antiético.

Quando os supervisores começam a apresentar ideias, você revira os olhos. O desrespeito que você tenta esconder se revela num gesto infeliz, e agora já era. Sem Respeito Mútuo, a conversa não avança. Eles atacam suas propostas e você descreve as deles com adjetivos ofensivos. O interesse passa a ser marcar pontos e todo mundo perde. O Objetivo Mútuo sofre em decorrência da falta de Respeito Mútuo.

Sinais reveladores. Para identificar quando o respeito é violado e a segurança escorre pelo ralo, procure sinais de que as pessoas estão defendendo sua dignidade. Observe as emoções. Quando nos sentimos desrespeitados, ficamos agitados. O medo dá lugar à raiva. Seguem-se a isso muxoxos, xingamentos, gritos e ameaças. Para descobrir quando o Respeito Mútuo corre perigo, observe e procure responder ao seguinte: "Os outros envolvidos parecem acreditar que eu os respeito?"

É possível respeitar pessoas que não respeitamos?
Algumas pessoas têm medo de jamais ser capazes de manter o Respeito Mútuo com determinadas pessoas em determinadas circunstâncias. Elas se perguntam: Como posso respeitar alguém que se comporta de um modo que abomino? O que fazer, por exemplo, se você estiver chateado porque a pessoa o decepcionou? E, se isso aconteceu repetidamente, como respeitar uma pessoa que tem motivações tão ruins e é tão egoísta?

Não haveria muita chance para o diálogo se precisássemos respeitar cada elemento do caráter da pessoa para podermos conversar. Se fosse assim, só conseguiríamos conversar com nós mesmos. Mas podemos permanecer no diálogo encontrando um modo de honrar e considerar a humanidade básica da outra pessoa. Em essência, os sentimentos de desrespeito costumam surgir quando ficamos pensando em como os outros são *diferentes* de nós. Podemos nos contrapor a esses sentimentos procurando semelhanças. Sem desculpar o comportamento da pessoa, podemos tentar ter empatia – até mesmo simpatia – com ela.

Uma vez uma pessoa inteligente sugeriu fazer isso na forma de uma oração: "Senhor, me ajude a perdoar aqueles que cometem pecados *diferentes* dos meus." Quando reconhecemos que todos temos fraquezas, é mais fácil encontrar um jeito de respeitar os outros. Ao fazer isso, sentimos afinidade até mesmo com a pessoa mais difícil. Essa conexão ajuda a criar Respeito Mútuo e permite manter o diálogo com praticamente qualquer pessoa.

Veja o seguinte exemplo da vida real. Fazia mais de seis meses que os trabalhadores de uma fábrica estavam em greve. Finalmente o sindicato concordou com a volta ao trabalho, mas os empregados representados precisariam assinar um contrato pior do que a exigência original. No primeiro dia de volta ficou claro que, apesar de trabalharem, as pessoas não fariam isso sorrindo. Todo mundo estava furioso. Como conseguiriam ir em frente?

Preocupado porque, mesmo com a greve terminada, a batalha continuava, um gerente pediu ajuda a um dos autores deste livro. O autor se reuniu com dois grupos de líderes (gerentes e dirigentes sindicais) e pediu que fizessem uma coisa. Cada grupo iria para uma sala separada e anotaria seus objetivos para a empresa em folhas de flip-chart. Durante duas horas, cada grupo anotou febrilmente o que desejava para o futuro e depois prendeu as listas na parede. Quando terminaram, foi pedido aos grupos que trocassem de lugar, com o objetivo de encontrar alguma coisa – qualquer coisa – em comum.

Depois de alguns minutos, os dois grupos voltaram à sala de treinamento totalmente perplexos. Era como se tivessem escrito exatamente a mesma lista. O que eles tinham em comum não eram aproximações vagas e pontos tangenciais – suas aspirações eram quase idênticas. Todos queriam uma empresa lucrativa, empregos estáveis e recompensadores, produtos de alta qualidade e um impacto positivo na comunidade. Tendo a chance de falar livremente e sem medo de ser atacados, cada grupo mostrou o que praticamente todas as pessoas queriam.

Essa experiência fez com que os membros de cada grupo questionassem seriamente o modo como tinham julgado o outro lado. Começaram a ver que os outros eram mais parecidos com eles próprios. Perceberam que as táticas mesquinhas e políticas que os outros tinham usado eram embaraçosamente semelhantes às suas. Os "pecados" dos outros eram diferentes dos deles mais por causa do papel que representavam do que por uma falha fundamental de caráter. Eles restauraram o Respeito Mútuo e o diálogo substituiu o silêncio e a violência pela primeira vez em décadas.

CRIAR E RESTAURAR SEGURANÇA

Já sabemos que precisamos de um Objetivo Mútuo e de Respeito Mútuo para que haja um bom diálogo.

Também argumentamos que você deve ser capaz de encontrar um Objetivo Mútuo e contar com Respeito Mútuo – mesmo que a conversa envolva pessoas difíceis ou diferentes de você.

Mas como? Como agir na prática? Veja a seguir quatro coisas que as pessoas *mais hábeis* em dialogar fazem rotineiramente para criar segurança numa conversa e restaurá-la quando for preciso:

- Deixam clara sua boa intenção.
- Desculpam-se quando adequado.
- Usam a Contraposição para desfazer mal-entendidos.
- Criam um Objetivo Mútuo.

Deixar clara sua boa intenção

Como já dissemos, se as pessoas não tiverem certeza da sua intenção, presumirão o pior. Vimos isso com Otto e Mari. Otto abriu a conversa com uma fala aparentemente inócua: "Mari, será que a gente poderia conversar sobre o que aconteceu na noite de sexta-feira? Quando você chegou tarde e foi direto para o quarto, sabe?"

Ele pediu para conversarem e relatou os fatos. E o que aconteceu? Mari ficou imediatamente na defensiva. Por quê? Porque presumiu que Otto estivesse puxando esse assunto para criticá-la. Claro, pois ele definiu o tema da conversa como "Vamos falar sobre o fato de você ter chegado em casa e ido direto para o quarto". Não é de surpreender que Mari tenha se sentido insegura.

Mas vamos recuar um momento. Se perguntássemos a Otto o que ele realmente quer, ele diria: "Quero um relacionamento melhor com Mari.

Quero ser honesto com ela sobre como me sinto e quero que ela seja honesta comigo. Quero que sejamos gentis um com o outro enquanto conversamos sobre questões difíceis."

Então imagine se Otto começasse a conversa assim:

Otto: *Mari, será que a gente pode conversar sobre sexta-feira? Eu te amo e queria falar com você sobre coisas que têm interferido no nosso relacionamento, porque nosso relacionamento é a coisa mais importante do mundo para mim. Imagino que existem coisas em mim que você gostaria que eu mudasse, e eu quero saber quais são, e também queria expressar o que me preocupa. O que acha?*

Quando começa a conversa deixando clara sua boa intenção, você estabelece o alicerce para a segurança. Isso não garante que a outra pessoa não vá ficar na defensiva em outros momentos da conversa, mas lhe dá um ponto ao qual voltar repetidamente quando a segurança estiver em risco.

Desculpar-se quando adequado

Quando você tiver cometido um erro que afetou outras pessoas, comece com um pedido de desculpas. Um pedido de desculpas é uma declaração que expressa seu pesar sincero por ter causado – ou pelo menos não ter evitado – dor ou dificuldades para outrem.

Por exemplo, o diretor regional vem visitar sua fábrica. Parte da visita inclui uma reunião com os membros da equipe de gestão da qualidade, que recentemente implementou algumas melhorias de processo. Todos estão empolgados e trabalharam a noite toda em preparação para a visita do diretor. Infelizmente, quando chega a hora de passar pela área deles, o diretor regional solta uma bomba: apresenta um novo plano de produção que você está convencido de que prejudicará a qualidade e poderá afastar seus maiores clientes. Como só tem mais uma hora com o diretor, você opta por conversar sobre o assunto em vez de continuar com a visita. Seu futuro depende dessa conversa. Felizmente, você e o diretor conseguem entrar em acordo sobre um novo plano. Só que você esqueceu de avisar isso à equipe que trabalhou com tanto empenho.

Depois de acompanhar o executivo até o carro, você está voltando para sua sala quando dá de cara com a equipe. Com olhos vermelhos de cansaço e desapontados, os seis membros da equipe estão furiosos. Nenhuma visita, nenhum telefonema, e agora, pelo modo como você passa correndo por eles, fica claro que você nem pretendia parar para dar uma explicação simples.

As coisas começam a ficar feias:

– A gente passou a noite em claro e você nem se deu ao trabalho de dar uma passada! Nem mandou uma mensagem para avisar que aconteceu alguma coisa. Muito obrigado mesmo.

O tempo para. Essa conversa acaba de ficar crucial. Os funcionários que trabalharam tanto estão obviamente chateados. Eles se sentem desrespeitados – ainda que você não estivesse tentando ser desrespeitoso.

Mas você não consegue restaurar a segurança. Por quê? Porque agora você se *sente* desrespeitado. Eles atacaram você. Assim, você fica empacado no conteúdo da conversa, achando que isso tem algo a ver com a visita à fábrica:

– Eu precisei escolher entre o futuro da empresa e uma visita pelas instalações. Escolhi o nosso futuro, e faria isso de novo, se fosse necessário.

Agora você e eles estão lutando por respeito. Isso rapidamente leva a um beco sem saída. Mas o que mais você pode fazer?

Em vez de ficar preso nessa dinâmica e contra-atacar, rompa o ciclo. Enxergue o comportamento agressivo deles como o que realmente é: um sinal de segurança violada. Depois, afaste-se do assunto da conversa e recupere o respeito para restaurar a segurança. É hora de pedir desculpas sinceras por ter sido desrespeitoso.

– Me desculpem por não ter telefonado quando fiquei sabendo que a gente não iria se reunir. Vocês trabalharam a noite toda. Teria sido uma chance maravilhosa de mostrar as melhorias que fizeram, e eu nem expliquei a vocês o que aconteceu. Peço desculpas por isso.

Vale lembrar que um pedido de desculpas não é de fato um pedido de desculpas se não ocorrer uma mudança interna. Para que seja sincero, suas motivações precisam mudar. Você precisa abrir mão de salvar as aparências, estar certo ou vencer, para se concentrar no que *realmente* quer. Precisa sacrificar um pouco do ego admitindo seu erro. Mas, como acontece em muitos sacrifícios, quando você abre mão de alguma coisa que valoriza, é recompensado por algo ainda mais valioso: um diálogo saudável e melhores resultados.

Usar a Contraposição para desfazer mal-entendidos

Às vezes os outros se sentem desrespeitados durante Conversas Cruciais mesmo se você não tiver feito nada desrespeitoso. Claro, existem ocasiões em que o respeito é violado porque você se comporta de maneira claramente prejudicial, mas na maioria das vezes a ofensa é totalmente involuntária.

O mesmo pode acontecer com o Objetivo Mútuo. Você pode começar expressando inocentemente seu ponto de vista, mas as outras pessoas acreditam que sua intenção é prejudicá-las ou coagi-las a aceitar sua opinião. Sem dúvida um pedido de desculpas não é adequado nessas circunstâncias. Seria hipocrisia admitir que você estava errado quando não estava. Então como recriar o Objetivo Mútuo ou o Respeito Mútuo para tornar mais segura a volta ao diálogo?

Quando os outros interpretam mal seu objetivo ou sua intenção, afaste-se do assunto em discussão e recrie a segurança usando a chamada "Contraposição".

Trata-se de uma afirmação com uma parte negativa e uma positiva:

- Na parte "negativa" da declaração, você explica o que não pretende com a conversa. Isso aborda as preocupações dos outros, de que você talvez não os respeite ou tenha um objetivo malévolo.
- Na parte "positiva" da declaração, você deixa clara qual é sua verdadeira intenção com a conversa. Isso confirma o seu respeito ou esclarece seu verdadeiro objetivo.

Por exemplo, com Otto e Mari:

Mari (na defensiva): *Por que você vive pegando no meu pé? Estou trabalhando o máximo que posso e carregando esse peso enorme enquanto você vê TV!*

Otto (usando a Contraposição para restaurar o objetivo): *Não quero criticar você nem pegar no seu pé. Essa não era a minha intenção e sei que você está carregando um peso enorme. Quero que a gente possa conversar* *sobre nossas preocupações um com o outro, que a gente possa falar sobre elas e melhorar nosso relacionamento.*

Ou com você e a equipe de qualidade depois da não visita do diretor regional:

Equipe (na defensiva): *Você nos ignorou totalmente e ignorou o trabalho que tivemos para fazer a fábrica funcionar!*

Você (usando a Contraposição para restaurar o respeito): *A última coisa que eu queria era dar a entender que não valorizo o trabalho que vocês fizeram ou que não quero falar sobre ele com o diretor. Acho que o trabalho foi incrível e estou comprometido em garantir que o diretor saiba.*

Das duas partes da Contraposição, a *negativa* é a mais importante, porque trata do mal-entendido que colocou a segurança em risco. Os funcionários que trabalharam tão duro estão agindo segundo a crença de que você não valoriza os esforços deles e não se importou o suficiente para mantê-los informados – ainda que a verdade fosse o oposto. Quando as pessoas entendem errado e vocês começam a discutir sobre o mal-entendido, pare. Use a Contraposição. Explique o que você não pretendia, até restaurar a segurança. Depois volte à conversa. Segurança em primeiro lugar.

Assim que tiver feito isso e a segurança retornar à conversa, você pode explicar o que pretende. Segurança em primeiro lugar.

Usar a Contraposição para fornecer contexto e proporção. Quando você está no meio de uma conversa delicada, às vezes os outros recebem suas palavras como se fossem maiores ou piores do que você pretendia. Por exemplo, você fala com seu subordinado sobre a impontualidade dele e ele fica arrasado.

Nesse caso, você talvez se sinta tentado a minimizar o problema: "Olha, na verdade não é algo tão grave." Não ceda a essa tentação. Não retire o que disse e não peça desculpas. Apenas contextualize sua fala. Por exemplo, nesse ponto seu subordinado pode achar que você está completamente insatisfeito com o desempenho dele. Acredita que sua visão do tema representa a totalidade do seu respeito por ele. Se essa crença estiver errada, use a Contraposição para explicar em que você acredita ou não. Comece pela negativa:

Em que você não acredita: *Vamos colocar isso em perspectiva. Não quero que você pense que estou insatisfeito com a qualidade do seu trabalho. Quero que a gente continue a trabalhar juntos. Acho que você está fazendo um ótimo trabalho, de verdade.*

Em que você acredita: *Essa questão de pontualidade é importante para mim e eu gostaria que você melhorasse nisso. Se prestar mais atenção no horário, não há nenhum outro problema no seu desempenho.*

Usar a Contraposição como prevenção. Até agora, mostramos como esse recurso pode ser usado como primeiros socorros para uma conversa ferida. Alguém entendeu errado algo que você falou e você esclareceu seu verdadeiro objetivo ou sua opinião. Mas a Contraposição também pode ser muito útil para prevenir problemas de segurança. Nesse aspecto, é como começar a conversa declarando suas boas intenções. Exemplos:

"Queria falar sobre como estamos administrando nossas finanças. Não quero que você pense que não valorizo o tempo que você dedicou a manter nossa conta bancária equilibrada e atualizada. Valorizo muito isso e sei que eu não teria feito tão bem. Mas tenho algumas preocupações com relação ao uso que estamos fazendo do novo sistema bancário on-line."

"Eu queria falar com você sobre uma coisa que anda me preocupando. E, sinceramente, não sei bem como ter essa conversa. Meu medo é que ela acabe afetando o nosso relacionamento, e essa não é a minha intenção. Pelo contrário: meu objetivo com esse assunto é reforçar o nosso relacionamento."

Usar a Contraposição para prevenir problemas de segurança funciona bem quando você já conhece bem a outra pessoa e, por isso, consegue prever como ela pode vir a interpretar erroneamente sua intenção.

Criar um Objetivo Mútuo

Às vezes acabamos discutindo porque nitidamente temos objetivos diferentes. Não existem mal-entendidos e um esclarecimento por Contraposição não vai adiantar. Nesse caso, precisamos de algo mais forte.

Por exemplo: acabam de lhe oferecer uma promoção que ajudará a impulsionar sua carreira mais depressa e lhe dará muito mais autoridade. E o salário é suficiente para suavizar o choque da mudança. Essa última parte é importante porque você precisará se mudar para o outro lado do país e sua família adora a cidade onde mora hoje.

Você esperava que sua esposa tivesse alguma *dúvida* com relação à mudança, mas ela não parece nem um pouco em dúvida. Para ela, essa promoção é 100% ruim. Primeiro, vocês precisarão se mudar. Segundo, você vai trabalhar mais ainda. Essa história de mais dinheiro e mais poder não parece compensar a perda do tempo que vocês têm juntos hoje. E agora?

As pessoas *menos hábeis* em dialogar ou ignoram o problema e seguem em frente mesmo assim, ou cedem e abrem mão das próprias vontades. Escolhem entre a competição e a submissão. As duas estratégias acabam criando vencedores e perdedores, o que perpetua o problema por muito tempo.

As pessoas *razoavelmente hábeis* em dialogar imediatamente vão em direção a um meio-termo. Por exemplo, o casal que está diante da possibilidade de transferência passa a ter duas residências: uma do outro lado do país, em que o marido transferido vai morar, e outra onde a família mora atualmente. Na verdade, ninguém quer esse arranjo e, francamente, é uma solução muito ruim, que certamente levará a problemas mais sérios, até mesmo ao divórcio. Embora às vezes o meio-termo seja necessário, as pessoas *mais hábeis* em dialogar sabem que não devem começar por aí.

As pessoas *mais hábeis* em dialogar usam quatro habilidades para criar um Objetivo Mútuo. Observe que as iniciais dessas quatro habilidades formam a sigla CRIB, que pode ser útil para ajudar você a memorizar o que fazer.

*C*omprometer-se em buscar um Objetivo Mútuo

Como acontece com a maior parte das habilidades de diálogo, se quisermos voltar ao diálogo, precisamos Começar pelo Coração. Para isso, precisamos *concordar em concordar*. Precisamos parar de usar o silêncio ou a violência para impor nossa visão. Precisamos inclusive renunciar ao diálogo falso, em que fingimos ter algum Objetivo Mútuo (defendendo calmamente o nosso lado até que a outra pessoa ceda). Começar pelo Coração consistiria em se comprometer a permanecer na conversa até chegarmos a uma solução que atenda a um propósito comum aos envolvidos.

Não é fácil. Para encerrar discussões conflituosas, precisamos suspender a crença de que nossa escolha é a melhor e a única e que só ficaremos felizes se conseguirmos exatamente o que desejamos no momento. Precisamos abrir a mente para o fato de que talvez, apenas talvez, haja uma terceira opção – uma opção que atenda todo mundo.

Também precisamos estar dispostos a verbalizar esse compromisso mesmo quando a outra pessoa parece comprometida em vencer. Agimos acreditando que ela está presa no silêncio ou na violência porque se sente insegura. Presumimos que, se criarmos mais segurança – demonstrando nosso compromisso de encontrar um Objetivo Mútuo –, essa pessoa terá mais confiança de que o diálogo pode ser um caminho produtivo.

Assim, da próxima vez que se vir numa batalha de vontades, experimente essa habilidade incrivelmente poderosa, mas simples: afaste-se do tema da discussão e crie segurança. Diga simplesmente: "Parece que estamos tentando impor nossa visão um ao outro. Eu me comprometo a prosseguir nesta conversa até encontrarmos uma solução boa para nós dois." Observe se a segurança melhora.

Reconhecer o objetivo por trás da estratégia

Querer alcançar um objetivo comum é um excelente primeiro passo, mas apenas o desejo não basta. Depois de efetuarmos uma mudança interna, precisamos mudar também nossa estratégia. O problema a resolver é o seguinte: quando chegamos a um impasse, é porque queremos uma coisa e a outra pessoa quer outra. Acreditamos que jamais encontraremos uma saída porque achamos que o que estamos pedindo é o que realmente queremos. Na verdade, o que estamos pedindo é a *estratégia* que sugerimos para alcançar o que desejamos. Confundimos desejo ou objetivo com estratégias. Esse é o problema.

Por exemplo, eu chego do trabalho e digo que quero ir ao cinema. Você diz que quer ficar em casa relaxando. Nós discutimos: cinema, TV, cinema, ler, etc. Achamos que jamais conseguiremos resolver as diferenças porque sair de casa e ficar em casa são coisas incompatíveis.

Nessas circunstâncias, podemos solucionar o impasse perguntando um ao outro: "Por que você quer isso?" Nesse caso, o desenrolar da questão pode acontecer assim:

> – *Por que você quer ficar em casa?*
> – *Porque estou cansado da agitação da cidade.*
> – *Então você quer tranquilidade e silêncio?*
> – *Basicamente. E por que você quer ir ao cinema?*
> – *Para passar um tempo só com você, sem as crianças.*

Antes de concordar com um Objetivo Mútuo, você precisa saber quais são os verdadeiros objetivos da pessoa. Afaste-se do conteúdo da conversa (cujo foco geralmente são estratégias) e explore os objetivos por trás dele.

Quando descolamos as estratégias do objetivo, novas opções se tornam possíveis. Abandonar a estratégia e se concentrar em seu verdadeiro objetivo permite que você se abra à ideia de encontrar alternativas que atendam aos interesses dos dois:

> – *Você quer tranquilidade e silêncio e eu quero um tempo só com você. Se conseguirmos pensar em alguma coisa que seja tranquila e reservada, nós dois vamos achar ótimo, certo?*
> – *Exato. E se a gente desse um passeio na beira da praia e...*

*I*dealizar um Objetivo Mútuo

Quando reconhece os objetivos por trás das estratégias da outra pessoa, às vezes você descobre que na verdade os dois têm objetivos compatíveis. E, a partir daí, simplesmente criam estratégias comuns. Mas nem sempre se tem tanta sorte. Por exemplo: você descobre que seus desejos e seus objetivos genuínos só podem ser alcançados às custas dos da outra pessoa. Nesse caso, vocês não têm como *descobrir* um Objetivo Mútuo. Isso significa que precisarão fazer o esforço ativo de *elaborar* um.

Para elaborar um Objetivo Mútuo, pense em metas mais abrangentes. Encontre um objetivo mais significativo ou mais recompensador do que aqueles que causam discordância. Por exemplo, você e seu cônjuge podem não concordar com a sua promoção, mas os dois podem concordar que as necessidades do casamento e dos filhos de vocês estão acima das aspirações profissionais. Ao se concentrar em metas mais elevadas e de mais longo prazo, muitas vezes é possível transcender os compromissos de curto prazo, criar um Objetivo Mútuo e retomar o diálogo.

Buscar novas estratégias
Após encontrar um objetivo comum e criar segurança, provavelmente você poderá voltar ao assunto em pauta. É hora de retomar o diálogo e debater estratégias que atendam às necessidades de todos os envolvidos. Se você estiver comprometido em encontrar algo que todo mundo possa apoiar e se tiver deixado claro o que realmente quer, não gastará mais energia com conflitos improdutivos. Em vez disso, descobrirá opções que contemplem todos.

Suspenda o julgamento e abra sua mente para novas alternativas. Você conseguiria encontrar uma alternativa que lhe permita alcançar suas metas profissionais sem precisar mudar de cidade? *Este* emprego *nesta* empresa é a única coisa capaz de deixá-lo feliz? A mudança é realmente necessária nesse novo cargo? Será que existe outra comunidade que possa oferecer os mesmos benefícios a sua família? Se vocês não estiverem dispostos a dar uma chance à criatividade, será impossível chegar juntos a uma opção aceitável para ambos. Mas, se vocês conseguirem, o céu é o limite.

⟶

Em resumo, quando sentir que você e a outra pessoa têm objetivos incompatíveis, afaste-se do assunto em pauta, deixe as opiniões de lado por um momento e volte-se para a criação de um Objetivo Mútuo:

- **Comprometa-se a buscar um Objetivo Mútuo.** Assuma um compromisso público unilateral de permanecer na conversa até vocês chegarem a uma solução que atenda a todo mundo.

"Isso não está funcionando. Sua equipe defende a ideia de fazer hora extra e ficar até terminarmos, enquanto minha equipe quer seguir o

expediente normal hoje e retomar o projeto no fim de semana. Por que não tentamos pensar em algo que funcione para todo mundo?"

- **Reconheça o objetivo por trás da estratégia.** Pergunte às pessoas por que elas querem o que estão propondo. Descole o que elas estão exigindo do objetivo da coisa.

"Por que exatamente vocês não querem vir no sábado de manhã? Estamos cansados e preocupados com questões de segurança e perda de qualidade. Por que vocês querem ficar até mais tarde?"

- **Idealize um Objetivo Mútuo.** Se vocês ainda discordarem depois de esclarecer os objetivos de todo mundo, veja se conseguem formular um objetivo mais elevado ou de mais longo prazo, que seja mais motivador.

"Não quero criar uma situação de vencedores e perdedores. É muito melhor se pudermos bolar uma solução que atenda todo mundo. Em outras ocasiões já fizemos votação ou decidimos no cara ou coroa e acabou que quem perdeu ficou ressentido com quem ganhou. Minha maior preocupação, mais do que qualquer outra coisa, é que todos fiquem satisfeitos. Vamos garantir que, independentemente do que fizermos, não se crie um problema no nosso relacionamento profissional."

- **Busque novas estratégias.** Com um Objetivo Mútuo claro, vocês podem unir forças na busca de uma solução que atenda todo mundo.

"Portanto precisamos pensar em algo que não prejudique a segurança e a qualidade e também permita que sua equipe vá ao casamento do seu colega no sábado à tarde. Minha equipe tem um jogo no sábado de manhã. Que tal se vocês vierem de manhã e ficarem até o início da tarde? A gente chega depois do jogo e assume a partir daí. Assim a gente consegue..."

ESCREVA DUAS VEZES

Até agora demos exemplos de como criar ou restaurar a segurança numa conversa que esteja acontecendo cara a cara (pessoalmente ou pela internet) ou, no mínimo, por telefone. Mas e quanto às formas escritas de comunicação, como e-mails ou mensagens instantâneas?

Bem, preparem-se... porque nas formas de comunicação escrita se cria segurança da mesma forma que em conversas cara a cara. Sim, se você está mandando um e-mail para alguém e quer criar segurança nessa conversa, lembre que você está falando com outro ser humano. A partir disso, crie segurança afirmando suas boas intenções, porque é o que faz os seres humanos se sentirem seguros. Pois é, uma ideia revolucionária.

As condições essenciais para a segurança não mudam com o meio. Se eu sei que você se importa comigo (Respeito Mútuo) e sei que você se importa com o tema que me importa (Objetivo Mútuo), vou me sentir seguro em conversar com você, quer esteja conversando cara a cara ou lendo um e-mail. A diferença fundamental em e-mails e em outras comunicações escritas é que neles é ainda *mais* essencial verbalizar suas boas intenções.

Quando conversamos pessoalmente, expressamos nossas intenções com palavras (pedimos desculpas, esclarecemos por Contraposição, etc.) e sinais não verbais (tom de voz, linguagem corporal, contato visual, etc.). Quando as indicações visuais são removidas, as palavras tornam-se ainda mais essenciais para comunicar nossa intenção.

O problema é que, no momento em que é mais importante lembrar, esquecemos que estamos nos comunicando com um ser humano que precisa sentir segurança. Afinal de contas, não há mais ninguém por perto. Somos só nós e o teclado, e estamos digitando.

Portanto aqui vai uma dica para garantir que você comunique sua intenção quando tenta digitar uma mensagem crucial para alguém: escreva-a duas vezes. Primeiro escreva para comunicar o que deseja. Depois, com o conteúdo formulado, reflita sobre como sua intenção está sendo transmitida. Leia a mensagem devagar, visualizando o rosto do seu destinatário. Como ele pode se sentir em cada trecho da sua mensagem? Depois a reescreva tendo em mente a segurança. Perceba pontos em que suas intenções ou seu respeito poderiam não ser compreendidos e esclareça o que você pretende e não pretende que a pessoa ouça. Em relacionamentos menos formais e mais pessoais, você pode até mesmo descrever sua expressão facial enquanto escreve algo, só para deixar sua intenção ainda mais clara. Por exemplo: "Se você pudesse me ver agora, enquanto escrevo isto, provavelmente veria as rugas de preocupação na minha testa, pois espero que esta mensagem não pareça dura ou crítica."

Quando se trata de Conversas Cruciais, costumamos pensar na comunicação assíncrona, escrita, como uma segunda opção distante. E em muitos sentidos ela de fato é. Mas existe uma vantagem na comunicação assíncrona se você souber usá-la. Na comunicação virtual, como o e-mail, você tem uma segunda chance antes de precisar dela, antes de fazer bobagem. Em vez de dizer algo e depois pensar "Eu poderia ter dito isso de um modo melhor", você pode escrever e reler antes de enviar. Precisamos aprender a disciplina de aproveitar essa segunda chance para criar segurança antes que ela se torne necessária.

> **CONVERSAS POR MEIOS ELETRÔNICOS**
>
> As conversas virtuais (por videoconferência, aplicativos de mensagens instantâneas ou telefone) trazem uma dinâmica diferente para uma Conversa Crucial. A coautora Emily Gregory dá dicas sobre como preparar uma boa Conversa Crucial virtual no vídeo *How Do I Have a Crucial Conversation Virtually?* (*Como ter uma Conversa Crucial virtualmente?*). Para assisti-lo, acesse www.conversascruciais.com.br e preencha o formulário para receber seus Recursos Adicionais.

VOLTANDO A OTTO E MARI

Vamos encerrar o capítulo onde começamos. Otto está tentando dialogar com Mari. Vejamos como ele se sai criando segurança nessa Conversa Crucial. Como os dois tentaram essa conversa antes e não conseguiram, ele sabe muito bem que Mari pode interpretar errado sua intenção, por isso vai começar falando de sua boa intenção, junto com uma afirmação de esclarecimento:

Otto: *Mari, eu queria conversar sobre a quantidade de trabalho que você tem assumido e como isso interfere no nosso relacionamento. Não estou dizendo isso para criticar você nem sugerir que o problema é seu. Sei que você está sofrendo uma pressão tremenda no trabalho e agradeço demais os sacrifícios que tem feito pela nossa família. Só quero conversar sobre o que a gente pode fazer para melhorar as coisas para nós dois nessa realidade nova que estamos vivendo.*

Mari: *O que há para conversar? Eu trabalho. Você não. Estou tentando aceitar a situação.*

Otto: *Acho que é mais complicado do que isso. E quando você diz coisas assim, fico na dúvida se ainda me respeita.*

Mari: *Se é assim que você se sente, por que estamos fingindo que temos um relacionamento?*

Muito bem, o que acaba de acontecer? Lembre-se: estamos explorando o lado de Otto na conversa. Foi ele que a iniciou. Sem dúvida existe muita coisa que Mari poderia estar fazendo para melhorar a situação. Mas o que Otto deve fazer se quiser que a conversa melhore? Deve permanecer concentrado no que realmente quer: encontrar um meio de melhorar a situação para os dois. Assim, ele não deveria reagir ao conteúdo da fala desencorajadora de Mari. Pelo contrário, deveria examinar a questão de segurança que há por trás dela. Por que Mari está começando a rejeitar a conversa? Por dois motivos:

- O modo como Otto apresentou seu argumento fez parecer que ele a estava culpando por tudo.
- Mari acredita que a preocupação dele numa área pequena reflete todo o sentimento dele por ela.

Ele vai pedir desculpas e usar a Contraposição para restaurar a segurança.

Otto: *Desculpa ter falado desse jeito. Não estou culpando você por como eu me sinto ou ajo. Esse problema é meu. Não vejo isso como um problema seu. Vejo como um problema nosso. Talvez nós dois estejamos agindo de um modo que piora as coisas. Sei que eu estou.*

Mari: *Provavelmente eu também. Às vezes fico de cara feia porque me sinto sobrecarregada e esgotada. E acabo fazendo isso para que você se sinta mal. Desculpa por isso.*

Perceba o que acabou de acontecer. Como Otto lidou bem com a questão de segurança e se manteve concentrado no que realmente queria alcançar com esse diálogo, Mari retornou à conversa. Isso é muito mais produtivo do que se Otto começasse a culpá-la.

Vamos continuar.

Mari. *É só que eu não sei como a gente daria um jeito nisso. No momento, meu trabalho é assim. Com você desempregado, não tenho condições de reduzir a carga horária ou tentar negociar. E quando chego em casa e vejo todo o serviço doméstico que não foi feito, é frustrante demais. Sei que você quer que a gente passe mais tempo juntos, mas estou exausta e preciso de um tempo sozinha para recarregar as energias.*

O problema agora é de Objetivo Mútuo. Mari acha que ela e Otto têm objetivos incompatíveis. Na sua cabeça, não existe possibilidade de uma solução mutuamente satisfatória. Seu dia tem apenas 24 horas. Em vez de tentar um meio-termo ou defender seu ponto de vista, Otto vai se afastar do assunto em pauta e usar as ferramentas CRIB para alcançar o Objetivo Mútuo.

Otto: (Comprometendo-se a buscar um Objetivo Mútuo.) *Sei que você está sob muito estresse e não quero algo que não funcione para você. Quero encontrar um jeito de nós dois nos sentirmos próximos, valorizados e amados.*

Mari: *É o que eu quero também. Mas tenho a sensação de que o dia não tem horas suficientes para isso.*

Otto: (Reconhecendo o objetivo por trás da estratégia.) *Talvez não, mas talvez tenha, sim. O que faria você se sentir amada e valorizada no nosso relacionamento?*

Mari: *Ah, é difícil dizer, porque não quero magoar você e sei que esse assunto é espinhoso... Sei que você se sente mal por estar desempregado, entendo. Mas neste momento você está desempregado. E realmente me ajudaria a me sentir bem no nosso relacionamento se você começasse a fazer uma parte maior do serviço de casa, como lavar a louça, a roupa, coisas do tipo. Quando nós dois estávamos trabalhando, isso era dividido meio a meio, mas não estamos os dois trabalhando.*

Otto: *Certo. É justo. E que bom que você disse isso. Eu venho duvidando muito de mim mesmo, e isso interferiu muito na minha motivação. Acho que esse é um dos motivos pelos quais agora, talvez mais do que nunca, sinto falta de estar com você, só para que a gente possa conversar e curtir a companhia um do outro.*

Mari: *Entendo. Mas é difícil curtir qualquer coisa quando estou tão exaurida. Além do mais, acabo me ressentindo com você por me sentir pressionada.*

Otto: *É. Eu sei. Percebo esse ressentimento, que faz com que eu me sinta ainda pior comigo mesmo, porque sei que estou decepcionando você.*

Mari: (Idealizando um Objetivo Mútuo.) *Então precisamos arranjar algum jeito de aliviar um pouco a carga dos meus ombros, para que a gente possa se curtir mais. Eu também quero isso, de verdade, você sabe que eu quero.*

Otto: *Sei que você quer. Imagino que nenhum de nós goste de se sentir assim.*

Mari: (Buscando novas estratégias.) *E se a gente...*

Otto e Mari ainda não resolveram o problema e existe um monte de restrições do mundo real que vão dificultar isso, mas eles têm muito mais chances de chegar a uma solução e melhorar o relacionamento do que tinham no início deste capítulo. Criar segurança não resolve todos os nossos problemas, simplesmente cria o espaço necessário para dar uma chance ao diálogo.

Minha Conversa Crucial: Dr. Jerry M.

Numa segunda-feira, uma mulher foi internada no hospital em que trabalho, para uma cirurgia vascular. Ela tinha um problema que lhe causava fortes dores do joelho para baixo. Ela morava no Mississippi e tinha viajado duas horas até Memphis para se consultar com um médico. A cirurgia foi um sucesso. No dia seguinte, a paciente e seu marido estavam felicíssimos porque a dor terrível havia sumido.

O médico responsável pelo caso e o cirurgião tinham concordado provisoriamente que, se tudo corresse bem, a paciente receberia alta na tarde de quinta-feira. Como ela teve uma boa melhora, o médico responsável pelo caso acertou tudo para a alta na quinta-feira.

Na manhã de quinta, o responsável pediu que o marido da paciente fosse buscar a esposa, sem perceber que o cirurgião tinha feito a seguinte anotação no prontuário: *Paciente passa bem, pé quente, pulsação excelente, quadro estável. Plano: alta na sexta pela manhã.*

Ao ver a anotação, o responsável tentou falar com o cirurgião e finalmente conseguiu contatá-lo no fim da tarde, quando ele estava chegando ao seu consultório. Atrasado, o cirurgião disse bruscamente:

– Preciso ver essa paciente antes da alta. Só vou ao hospital amanhã. Ela não vai para casa hoje e ponto final.

Por volta das 15 horas, o médico responsável me contatou pedindo ajuda. Liguei imediatamente para o cirurgião e comecei a conversa elogiando seu sucesso no caso e oferecendo ajuda. Expliquei que a família da paciente tinha viajado duas horas de carro para buscá-la e que ela estava pronta para ir embora.

Em seguida me ofereci para preencher a papelada enquanto ele daria as instruções ao casal pelo telefone, mas ele insistiu:

– Não. Preciso ver essa paciente e só posso ir ao hospital amanhã. –

> Então levantou a voz, em tom defensivo: – É o plano de saúde que está exigindo isso de vocês? Por que você está me pressionando, hein?
>
> Perplexo, respondi usando o recurso de Contraposição:
>
> – Para ser sincero, nem sei quem está pagando. Isso não tem nada a ver com o plano de saúde, e sim com as necessidades da paciente e da família. Eles tiveram uma experiência maravilhosa, acham que você faz milagres. É que foi dito que eles poderiam ir para casa, e acho que voltar atrás nessa decisão pode manchar o que até agora vem sendo um resultado clínico maravilhoso.
>
> Ainda em dúvida, o cirurgião respondeu:
>
> – Então diga a eles que vou aí, mas só posso chegar depois das sete.
>
> Depois de chegarmos a um acordo, prometi comunicar que ele estava disposto a fazer uma visita especial ao hospital e dar pessoalmente as instruções. Ele veio naquela noite, deu alta à paciente e assim deixou de prejudicar um maravilhoso episódio de atendimento.
>
> Quem trabalha com saúde tem Conversas Cruciais reais e diretas o tempo todo. Essa foi bem-sucedida porque eu segui duas regras fundamentais: Respeito Mútuo e Objetivo Mútuo.

RESUMO: CRIAR SEGURANÇA

Afaste-se do conteúdo

Quando seu interlocutor recorrer ao silêncio ou à violência, afaste-se do assunto em pauta e Crie Segurança. Depois, com a segurança restaurada, volte ao assunto e continue o diálogo.

Decida qual condição para segurança corre perigo

- **Objetivo Mútuo.** A pessoa acredita que você se importa com o objetivo dela nessa conversa? Ela confia nas suas motivações?
- **Respeito Mútuo.** A pessoa acredita que você a respeita?

Revele sua boa intenção

Para começar bem a conversa, revele sua intenção positiva. O que você realmente quer para si e para o outro?

Peça desculpas quando for adequado

Quando você tiver claramente violado o respeito, peça desculpas.

Use a Contraposição para evitar ou desfazer mal-entendidos

Quando não entenderem ou deturparem seu objetivo ou sua intenção, use a Contraposição. Comece dizendo o que você não pretende fazer ou não quer dizer. Depois explique o que você *pretende* fazer ou *quer* dizer.

Crie um Objetivo Mútuo

Quando vocês tiverem objetivos incompatíveis, use as quatro habilidades da sigla CRIB para voltar ao Objetivo Mútuo:

- **C**omprometer-se em buscar um Objetivo Mútuo.
- **R**econhecer o objetivo por trás da estratégia.
- **I**dealizar um Objetivo Mútuo.
- **B**uscar novas estratégias.

> *Quem fala o que quer*
> *ouve o que não quer.*
> – DITADO POPULAR

8
DECLARAR CALMA
Como falar de modo persuasivo, e não agressivo

Até aqui, fizemos um grande esforço na preparação para iniciar e conduzir habilmente as Conversas Cruciais. O que aprendemos: precisamos ter a intenção certa no coração e o assunto certo na cabeça. Precisamos abrir mão dos truques de narrativa que nos impedem de avançar. Precisamos aprender a observar atentamente o comportamento das pessoas durante o diálogo – em particular quando começam a se sentir inseguras –, para podermos restaurar a segurança quando necessário.

Então digamos que estamos bem preparados. Estamos prontos para abrir a boca e começar a apresentar nosso ponto de vista. Isso mesmo, vamos expressar nossa opinião. E agora?

Na maioria das vezes, entramos numa discussão e ligamos o piloto automático: "E aí, como vão as crianças? E como está o trabalho?" O que poderia ser mais fácil do que conversar? Conhecemos milhares de palavras e em geral conseguimos trançá-las em frases que atendem às nossas necessidades. Na maioria das vezes.

Mas quando há coisas importantes em jogo, altos riscos e fortes emoções... bom, é aí que abrimos a boca e não nos saímos tão bem. Na verdade, como já explicamos, quanto maior a importância da discussão, menor a probabilidade de agirmos da melhor maneira possível. Infelizmente, como veremos, expressamos nosso ponto de vista de um modo perfeitamente projetado para provocar a postura defensiva.

Para melhorar nossa capacidade de argumentação, vamos examinar cinco habilidades que resolvem nossos dois maiores problemas: a postura defensiva e a resistência. Primeiro analisaremos como essas cinco habilidades nos ajudam a organizar nossa mensagem de um modo que aumente nossas chances de ser ouvidos. Em seguida, vamos explorar como essas mesmas habilidades nos ajudam a ser mais persuasivos nas ocasiões em que a certeza é nosso pior inimigo.

EXPOR IDEIAS ARRISCADAS

Acrescentar informações ao reservatório compartilhado pode ser bem difícil quando as ideias que vamos derramar na consciência coletiva contêm opiniões delicadas, pouco atraentes ou controversas. Por exemplo: "Marta, as pessoas simplesmente não gostam de trabalhar com você. Vou retirá-la da equipe de projetos especiais."

Uma coisa é argumentar que sua empresa precisa mudar de embalagens verdes para vermelhas; outra muito diferente é dizer a uma pessoa que ela é ofensiva ou desagradável. Quando o assunto passa de coisas para pessoas, fica sempre mais difícil. E não é surpresa para ninguém que algumas pessoas são melhores nessas conversas do que outras.

Quando se trata de compartilhar informações sensíveis, as pessoas *menos hábeis* em dialogar alternam entre jogar suas ideias bruscamente no reservatório e não dizer nada. Começam com "Você não vai gostar do que tenho para dizer, mas alguém precisa ser honesto" (uma clássica rendição ao Dilema do Tolo) ou simplesmente guardam sua opinião para si.

Pessoas *razoavelmente hábeis* em dialogar dizem parte do que pensam, mas minimizam seu ponto de vista por medo de magoar os outros. Elas falam, mas com muitos eufemismos e rodeios. Por exemplo, em vez de ser diretas em alertar que a peça de marketing que você propôs vai pegar mal para a empresa, dizem: "Hum, eu gosto bastante da parte visual, mas acho que a gente pode melhorar um pouco o texto aqui e ali."

As pessoas *mais hábeis* em dialogar expressam integralmente o que pensam e o fazem de um modo que os outros se sentem seguros para ouvir e responder. São ao mesmo tempo totalmente sinceras e totalmente respeitosas. Se acharem que a peça de marketing é ruim, ao terminar de falar certificam-se de que o outro saiba que elas acham a peça de marketing ruim. Mas fazem isso de um modo cem por cento respeitoso.

Como? Encontrando um jeito de preservar a segurança *sem* comprometer a sinceridade.

PRESERVAR A SEGURANÇA

Para falar honestamente quando a honestidade pode soar ofensiva, precisamos encontrar uma maneira de preservar a segurança. Sim, é um pouco como dizer a alguém para dar um soco no nariz de alguém, mas... sabe como é, sem machucar. Como dizer o indizível e ainda manter o respeito? Isso pode ser feito se você souber combinar três ingredientes: confiança, humildade e habilidade.

Confiança. A maioria das pessoas simplesmente não tem conversas delicadas, ou pelo menos não com a pessoa certa. Por exemplo, o seu colega de trabalho Bruno chega em casa e diz à esposa que seu chefe, Fernando, quer controlar tudo que ele faz nos mínimos detalhes. E diz a mesma coisa no almoço, para outros da equipe. Todo mundo sabe o que Bruno pensa de Fernando. Menos, é claro, Fernando.

As pessoas mais hábeis em dialogar se sentem confiantes em dizer o que precisa ser dito à pessoa que precisa ouvir. Acreditam que suas opiniões merecem chegar ao reservatório de ideias. Além disso, estão seguras de que podem falar abertamente sem ferir e sem ofender.

Humildade. Confiança não é o mesmo que arrogância ou teimosia. Pessoas hábeis acreditam ter algo a dizer, mas sabem que os outros podem dar contribuições valiosas. Percebem que não possuem o monopólio da verdade. Têm interesse em outras informações e perspectivas. Suas opiniões são um ponto de partida, não a palavra final. Têm um posicionamento agora, mas sabem que, com informações novas, podem mudar de ideia. Isso significa que estão dispostas a expressar suas opiniões e ao mesmo tempo encorajar os outros a fazer o mesmo.

Habilidade. Por fim, as pessoas que compartilham voluntariamente informações sensíveis são boas em fazê-lo. Aliás, é por isso que são confiantes. Não se rendem ao Dilema do Tolo porque encontraram um caminho que permite ao mesmo tempo sinceridade e respeito. Dizem o indizível e, com mais frequência do que você imagina, as pessoas lhes agradecem por sua honestidade.

A habilidade resulta da prática e da repetição. Sim, ler este livro e aprender as habilidades de diálogo são um primeiro passo importante, mas só a leitura não é suficiente para se tornar melhor em dialogar. Você precisa começar a ter Conversas Cruciais se quiser melhorar suas Conversas Cruciais.

O dinheiro desaparecido

Para ver como discutir temas delicados, vamos examinar um problema difícil. Ana está na caixa do supermercado e acaba de abrir a carteira. Ela enfia a mão a fim de pegar duas notas de 20 para pagar as compras, mas... Cadê o dinheiro? Ela olha nos vários compartimentos e... nada. Imediatamente, Ana se vira para a filha de 16 anos ao seu lado. Ela praticamente grita:

– Dani! Cadê?

Isso foi rápido. Em uma fração de segundo, Ana foi de "Eu achava que tinha 40 dólares aqui" para "Ela mexeu na minha carteira e pegou o meu dinheiro!".

Bom, qual seria a pior maneira de tratar disso (uma maneira que não implicasse obrigar a filha a ficar trancada no quarto sobrevivendo a pão e água até os 25 anos)? Qual seria a pior maneira de *falar* sobre o problema? A maioria das pessoas concordaria que fazer uma acusação feia seguida por uma ameaça é um bom candidato a esse prêmio. É o que muitos fazem, e Ana não é exceção. Ela diz, irritada:

– Não acredito que você me roubou! Quer passar os próximos dez anos no seu quarto?

– Mãe, o que você está falando? – pergunta Dani, sem saber a que Ana se refere mas deduzindo que coisa boa não pode ser.

– Você sabe do que eu estou falando – reage Ana, sem baixar a voz.

Dani começa a olhar em volta e nota que todos em volta estão acompanhando a cena.

– Mãe, não sei do que você está falando, mas se acalme – sussurra ela. – As pessoas estão olhando.

– Você pegou 40 dólares da minha carteira e agora está bancando a inocente! – Ana nem nota os olhares das pessoas em volta.

Qualquer pai ou mãe de adolescente pode atestar que é uma fase difícil para educá-los. Falar com eles sobre algum ato ruim que cometeram é mais difícil ainda. Se Ana tem algum motivo para achar que Dani pegou seu dinheiro, precisa falar sobre isso, mas fazer uma acusação feroz em público não é o melhor modo de agir. Como ela deveria falar sobre sua conclusão preocupante de um modo que levasse ao diálogo?

COMO FALAR DE MODO ASSERTIVO

Se o objetivo de Ana é ter uma conversa saudável sobre um assunto difícil (por exemplo: "Acho que você está me roubando"), sua única esperança é permanecer no diálogo – pelo menos até confirmar ou refutar suas suspeitas. Isso é verdade para qualquer pessoa em qualquer Conversa Crucial (por exemplo: "Sinto que você está me controlando demais", "Acho que você está usando drogas", "Você puxou o meu tapete na reunião"). Isso significa que, apesar das suas piores suspeitas, você não deve violar o respeito. Do mesmo modo, não destrua a segurança com ameaças e acusações.

Então o que fazer? Comece pelo Coração. Defina o que você *realmente* quer e pense em como o diálogo pode ajudá-lo a conseguir isso. Além disso, domine sua narrativa: perceba que você pode estar recorrendo a uma apressada Narrativa de Vítima, Vilão ou Impotente. O melhor modo de construir uma narrativa útil não é *agir* de acordo com a pior narrativa que você possa imaginar. Isso levará ao silêncio autodestrutivo e a táticas hostis. Pense em outras explicações possíveis até equilibrar as emoções, de modo a conseguir dialogar. E se por acaso sua impressão inicial estiver certa, haverá tempo suficiente para um confronto.

Assim que tiver criado dentro de si mesmo as condições para o diálogo, você poderá usar cinco ferramentas que vão ajudá-lo a falar sobre os assuntos mais delicados. Essas cinco ferramentas podem ser lembradas facilmente com o auxílio da sigla CALMA, que significa:

- **C**ompartilhe seus fatos
- **A**presente sua narrativa
- **L**eve em consideração outras opiniões
- **M**odere o tom
- **A**bra espaço para o questionamento

As três primeiras são ferramentas para saber *o que* fazer. As duas últimas mostram *como* fazer.

AS FERRAMENTAS "O QUÊ"

A melhor maneira de apresentar seu ponto de vista é seguir do início ao fim o modelo do Caminho para a Ação que aprendemos no Capítulo 5 – do mesmo modo como você o percorreu (Figura 8.1). Não é estranho que a gente se permita andar da esquerda para a direita pelo caminho, mas, quando tentamos convencer os outros, exijamos que eles simplesmente aceitem nossos sentimentos e nossas narrativas sem permitirmos que façam o mesmo? Quando estamos embriagados de adrenalina, perdemos a sabedoria ou a paciência para argumentar. Como estamos obcecados por nossas emoções e nossas narrativas, esperamos que os outros nos acompanhem. Começar com nossas narrativas feias é o modo mais controvertido, menos influente e mais insultuoso possível.

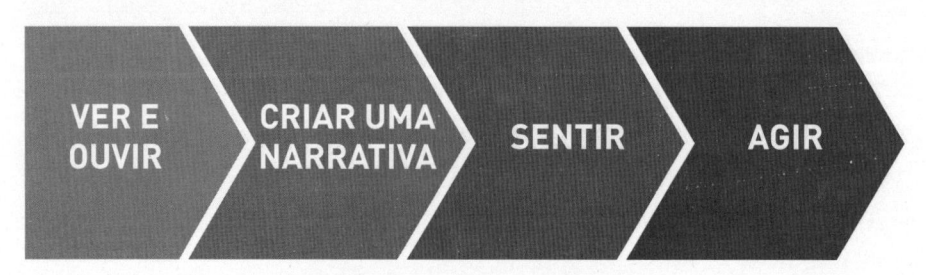

VER E OUVIR 〉 CRIAR UMA NARRATIVA 〉 SENTIR 〉 AGIR

Figura 8.1 Caminho para a Ação

Compartilhe seus fatos

Vamos começar pela esquerda. O primeiro passo é refazer seu Caminho para a Ação até a origem e encontrar os fatos – provas concretas como coisas que você viu, ouviu ou vivenciou diretamente. Ana deu falta de 40 dólares em sua carteira. Isso é um fato. Então ela chegou a uma narrativa: o dinheiro não está ali porque Dani o roubou. Em seguida, ela se sentiu traída e com raiva. Por fim, atacou a filha: "Sua ladra! Achei que pudesse confiar em você!" Tudo isso se deu de modo rápido, previsível e muito feio.

E se Ana pegasse um caminho diferente, que começasse pelos fatos? E se ela conseguisse suspender sua narrativa negativa (formulando intencionalmente narrativas alternativas plausíveis) e começasse a conversa citando os fatos? Não seria um caminho mais seguro? Em vez de se fixar na única narrativa que criou, ela assume uma postura de curiosidade e interesse – fruto de humildade. Mesmo ainda tendo suspeitas, ela as segura enquanto explora outras possibilidades. Como? Suspendendo a narrativa e começando pelos fatos: o dinheiro que sumiu.

Os fatos são os elementos menos polêmicos. Os fatos proporcionam um começo seguro. Por sua própria natureza, fatos são menos controversos. Por exemplo, pense na afirmação: "Ontem você chegou ao trabalho às 8h20." Há pouca dúvida aí. As conclusões, por outro lado, são tremendamente polêmicas. Por exemplo, "Você chegou 20 minutos atrasado" começa a incluir alguma narrativa. Acrescenta uma suposição de que você deveria ter chegado às oito. Outra opção: "Você não é confiável" não é um fato. É mais um insulto e certamente pode ser questionado. Passar do horário de chegada às 8h20 para uma suposição de atraso e em seguida a uma conclusão de falta de confiabilidade nos afasta rapidamente de um terreno firme. Em algum momento podemos querer apresentar nossas conclusões, mas a última coisa que desejamos é iniciar a conversa com uma controvérsia. Comece por áreas de menor discordância.

Os fatos estabelecem o alicerce da conversa. Os fatos estabelecem a base para as conclusões que virão em seguida. Eles se tornam o ponto de partida para a conversa e carregam menos riscos de provocar ofensas. Por exemplo, considere as duas opções de abertura a seguir e veja qual seria menos ofensiva:

"Pare de me assediar!"

ou

"Quando você fala comigo, seu olhar fica subindo e descendo em vez de se fixar no meu rosto. E às vezes você coloca a mão no meu ombro."

Queremos que a pessoa permita que nossa ideia seja acrescentada ao reservatório compartilhado. E, para que isso aconteça, ela precisa ser ouvida. Estamos tentando ajudar os outros a perceber como uma pessoa razoável, racional e decente pode chegar à conclusão que estamos expondo. Só isso. Quando iniciamos com narrativas chocantes ou ofensivas ("Pare de me comer com os olhos!" ou "Acho que estamos falidos"), encorajamos os outros a criar Narrativas de Vilão conosco. Como não lhes demos nenhum fato que sustente nossa conclusão, eles podem inventar motivações para estarmos dizendo essas coisas. Provavelmente acreditarão que somos ou idiotas, ou maldosos.

Assim, se o seu objetivo é ajudar os outros a perceber como uma pessoa razoável, racional e decente pode pensar o que você está pensando, comece pelos fatos.

Tire um tempo para separar os fatos das conclusões. *Coletar os fatos é o dever de casa necessário para as Conversas Cruciais.*

Lembre-se de que você está apresentando os *seus* fatos. A habilidade aqui é compartilhar os *seus* fatos, não *os* fatos. *Você* está contando o que viu e ouviu. Quando reconhece que esses fatos são *seus*, você abre espaço para outros fatos – coisas que a outra pessoa pode ter visto e ouvido. Claro, você fez o dever de casa reunindo seus fatos, mas não finja que conhece *todos* eles.

Apresente sua narrativa

É comum ficarmos ansiosos para expor logo nossas narrativas (nossos julgamentos e conclusões). Às vezes basta apresentar os fatos para fazer com que as pessoas ajudem você a entendê-los. Por exemplo, se seu chefe deixou de falar com o RH sobre seu aumento três vezes seguidas, pode ser suficiente observar os lapsos sem acrescentar: "Acho que você é um covarde ou um mentiroso. Qual dos dois?"

De qualquer modo, se você quer compartilhar sua narrativa, não comece por aí. Sua narrativa (especialmente se ela levou a uma conclusão ruim) pode surpreender ou ofender desnecessariamente. Uma única frase áspera e impensada pode arruinar toda a segurança.

Bruno: *Eu gostaria de conversar com você sobre o seu estilo de liderança. Você me vigia demais, isso está me deixando estressado.*

Fernando: *O quê? Eu pergunto se você vai terminar o serviço a tempo e você vem me acusar de...*

Se você começar a conversa com sua narrativa (e com isso arruinar a segurança), talvez jamais consiga expor os fatos. Para falar sobre suas narrativas, você precisa guiar os outros envolvidos pelo seu Caminho para a Ação. Deixe que percorram seu caminho do início ao fim, e não do fim ao... bem, aonde quer que seu caminho leve vocês. Permita que os outros vejam sua experiência segundo o seu ponto de vista – começando por seus fatos, seguidos por sua narrativa. Desse modo, quando você falar sobre o que está começando a concluir, eles entenderão por quê. Primeiro os fatos, depois a narrativa – e, enquanto expuser sua narrativa, não se esqueça de contá-la como *uma das narrativas possíveis*, e não como um fato comprovado.

Bruno: (Os fatos) *Desde que comecei a trabalhar aqui, você pediu para se reunir comigo duas vezes por dia. Isso é mais do que acontece com qualquer outra pessoa. Além disso, você exigiu saber todas as minhas ideias antes de eu incluí-las num projeto.*

Fernando: *Aonde você quer chegar com isso?*

Bruno: (Narrativa possível) *Não sei se é esta a mensagem que você quer passar, mas estou começando a me perguntar se você não tem confiança em mim. Talvez ache que não tenho condições de fazer o trabalho ou que vou criar problemas para você. É isso que está acontecendo?*

Fernando: *Na verdade, eu só estava tentando lhe dar a chance de receber minhas opiniões antes de avançar muito com um projeto. O último cara com quem trabalhei levava os projetos quase até o fim e aí descobria que tinha deixado de fora um elemento fundamental. Estou tentando evitar surpresas.*

Apresentar sua narrativa pode ser complicado. Você precisa merecer o direito de contá-la começando pelos seus fatos. Mesmo assim, a outra pessoa pode ficar na defensiva quando você passar dos fatos para as narrativas. Afinal de contas, você está apresentando conclusões e julgamentos potencialmente desagradáveis.

Por que apresentar sua narrativa, afinal? Porque raramente vale a pena mencionar apenas os fatos. São os fatos somados à conclusão que pedem uma discussão cara a cara. Além disso, se você simplesmente mencionar os fatos, a outra pessoa pode não entender a seriedade do que está implícito. Por exemplo:

– Percebi que você colocou alguns protótipos dos chips novos na sua mochila.
– É, essa é a beleza dessas coisinhas. Elas são resistentes e podem ser levadas a qualquer lugar.
– Esses protótipos são material sigiloso.
– Claro que são! Nosso futuro depende deles.
– E acho que eles não deveriam ser levados para casa.
– Claro que não. É assim que eles acabam sendo roubados.
(Parece que é hora de uma conclusão.)
– Eu estava imaginando o que os protótipos estão fazendo na sua mochila. Parece que você vai levá-los para casa. É isso que está acontecendo?

É necessário ter confiança. Pode ser difícil apresentar conclusões negativas e julgamentos desagradáveis (por exemplo: "Estou considerando a possibilidade de você ser um ladrão"). É necessário ter confiança para apresentar uma narrativa com tamanho potencial incendiário. Mas, se tiver feito o dever de casa pensando nos fatos por trás da sua conclusão, você perceberá que *está* chegando a uma conclusão razoável, racional e decente. Uma conclusão que merece ser ouvida. E ao começar com os fatos você estabelece o alicerce. Quando você pensa nos fatos e inicia a conversa por eles, tem muito mais chances de sentir a confiança necessária para acrescentar ideias polêmicas e de importância vital ao reservatório compartilhado.

Não deixe acumular. Às vezes não temos confiança para falar, por isso deixamos os problemas em banho-maria por muito tempo. Se tivermos chance, produzimos todo um arsenal de conclusões negativas. Por exemplo, você vai ter uma Conversa Crucial com a professora da sua filha, que está no segundo ano. A professora quer que sua filha repita o ano. Você quer que sua filha passe de ano, junto com as crianças da mesma idade dela. O que você pensa é:

Não acredito! Essa professora acabou de se sair da faculdade e quer que a Júlia repita o ano. Acho que ela não entende o estigma de ficar para trás. Pior ainda, ela está citando a recomendação do psicólogo da escola. O cara é um tremendo idiota. Eu o conheço e não confio nele nem um pouco. Não vou deixar esses imbecis ficarem me empurrando de um lado para outro.

Qual desses julgamentos ou conclusões ofensivas você deveria expor? Sem dúvida não toda a coletânea. Na verdade, você precisará trabalhar nessa Narrativa de Vilão antes de ter qualquer esperança de um diálogo saudável. À medida que fizer isso, sua narrativa começará a ficar mais parecida com a seguinte (observe a escolha cuidadosa das palavras – afinal de contas, é sua interpretação dos fatos, e não os fatos em si):

Quando fiquei sabendo da sua recomendação, minha reação inicial foi me opor. Mas, depois de pensar bem, percebi que posso estar errada. Na verdade não tenho nenhuma experiência do que é melhor para a Júlia nessa situação, só tenho medo do estigma de ficar para trás. Sei que é um problema complexo. Gostaria de falar sobre como podemos avaliar objetivamente essa decisão.

Esteja atento a falhas de segurança. Enquanto expõe sua narrativa, fique atento a sinais de que a segurança está ameaçada. Se as pessoas ficarem defensivas, deixe em suspenso o assunto em pauta e restaure a segurança usando a Contraposição. Funciona assim:

Sei que você gosta muito da minha filha e tenho certeza de que teve uma boa formação. Minha preocupação não é essa. Sei que você quer o melhor para a Júlia, assim como eu. Meu problema é que essa é uma decisão ambígua, com enormes consequências para o futuro dela.

Tenha o cuidado de não se desculpar por suas opiniões. Lembre-se: o objetivo da Contraposição não é diluir sua mensagem, e sim evitar que o outro coloque palavras na sua boca. Tenha confiança suficiente para dizer o que você realmente quer.

Leve em consideração outras opiniões

Já mencionamos que para expor opiniões controversas é essencial um misto de confiança e humildade. Expressamos confiança expondo com clareza nossos fatos e nossas narrativas. E demonstramos humildade pedindo aos outros que exponham seus pontos de vista – e desejando genuinamente ouvir.

Portanto, assim que tiver exposto suas opiniões, seus fatos e suas narrativas, peça a seu interlocutor que faça o mesmo. Se seu objetivo é continuar ampliando o Reservatório de Ideias Compartilhadas em vez de estar certo e tomar a melhor decisão em vez de impor sua vontade, você escutará atentamente. Mostrando-se aberto a aprender, você demonstra o interesse que resulta da verdadeira humildade: um compromisso com a verdade acima do ego.

Por exemplo, você pode perguntar:

"O que acha disso?"
"Qual é a sua perspectiva a respeito?"
"Pode me ajudar a entender esses incidentes?"

Essas perguntas abertas encorajam os outros a expressar seus fatos, suas narrativas e seus sentimentos. Quando fizerem isso, escute com atenção. Igualmente importante: esteja disposto a abandonar ou a mudar sua narrativa à medida que mais informações chegarem ao Reservatório de Ideias Compartilhadas. Lembre-se: *o que você realmente quer* é alcançar resultados valiosos, e não vencer uma discussão para satisfazer seu ego.

AS FERRAMENTAS "COMO"

Agora que abordamos as habilidades do tipo "o quê" na nossa lista de ferramentas CALMA, vamos analisar as duas habilidades do tipo "como".

Modere o tom

Se você analisar os exemplos que demos até agora, notará que tivemos o cuidado de descrever fatos e narrativas de modo não impositivo, não dogmático. Por exemplo: "Estou começando a concluir que…" ou "Fico tentado a pensar…".

Falar sem impor significa simplesmente expor nossa interpretação dos fatos como uma mera interpretação, e não travesti-la de fato. "Talvez você não tenha percebido…" sugere que você não tem certeza do que a outra pessoa sabia. "Na minha opinião…" indica que você está dando uma opinião, nada mais.

Ao apresentar uma narrativa, busque demonstrar uma combinação de autoconfiança e humildade. Fale de modo que expresse confiança adequada nas suas conclusões e ao mesmo tempo demonstre que, se necessário, você quer que suas conclusões sejam questionadas. Para isso:

Evite	Prefira
O fato é...	Na minha opinião...
Todo mundo sabe...	Acredito que...
O único modo de fazer isso...	Tenho certeza que...
Essa é uma péssima ideia...	Não creio que... vá funcionar

Observe que a mudança principal da coluna da esquerda para a da direita não é o grau de convicção, e sim o nível de honestidade em expressar que essa é simplesmente a sua percepção. Até mesmo "O único modo de fazer isso..." se torna menos impositivo ao dizer "Tenho certeza que...". A primeira versão parece afirmar uma verdade absoluta, enquanto a segunda reconhece que essa é apenas sua convicção pessoal.

"Moderar o tom" não é suavizar a mensagem, é fortalecê-la. Lembre-se de que seu objetivo é acrescentar ideias ao reservatório. E elas não chegarão ao reservatório se a outra pessoa não consentir. Se você tentar fazer com que suas conclusões passem como fatos, a outra pessoa provavelmente resistirá em vez de examiná-los. Nesse caso, nada entra no reservatório. Uma das ironias do diálogo é que, quando há uma divergência de opiniões, quanto mais convicto e enfático você parece, mais os outros resistem. Falar em termos absolutos reduz sua influência em vez de aumentá-la. O oposto também é verdade: quanto menos impositivamente você fala, mais as pessoas se abrem às suas opiniões.

Isso levanta uma questão interessante. Já nos perguntaram se falar sem ser impositivo é o mesmo que ser manipulador: você está fingindo não ter certeza da sua opinião para que os outros estejam mais abertos a recebê-la.

Nossa resposta a essa dúvida é um sonoro *não*. Se você estiver fingindo não ser impositivo, não está tendo um diálogo. O motivo para falar de modo não impositivo é que você não tem certeza de que suas opiniões representam a verdade absoluta ou de que sua compreensão dos fatos é completa e perfeita. Você jamais deve fingir que tem menos confiança do que tem. Mas também não deve fingir ter mais confiança do que sua capacidade limitada permite. Suas observações podem ser falhas. Suas narrativas são apenas interpretações.

Nem impositivo nem submisso. Há quem tenha tanto medo de ser enfático demais ou impositivo que acaba caindo no extremo oposto. Acaba se acovardando e recaindo no Dilema do Tolo: acha que o único modo seguro de expor informações sensíveis é agir como se não fossem importantes – "Sei que devo estar enganado..." ou "Pode me chamar de louco, mas...".

Quando você começa com uma retratação completa e um tom sugerindo que está consumido pela dúvida, está prestando um desserviço à mensagem. Uma coisa é ser humilde e aberto, outra muito diferente é estar clinicamente inseguro. Use uma linguagem que transmita que você está expressando uma opinião, e não que está uma pilha de nervos.

Uma "boa" narrativa: o Teste Cachinhos Dourados
Para perceber o melhor jeito de expor sua narrativa, garantindo que não está exagerando nem diminuindo suas convicções, veja os seguintes exemplos:

Minimizando: *"Você vai achar isto absurdo, mas..."*
Excessivo: *"Por que você roubou a gente?"*
No ponto certo: *"Está me parecendo que você vai levar isso para seu uso pessoal. É isso mesmo?"*

Minimizando: *"Fico até com vergonha de dizer isto, mas..."*
Exagerando: *"Quando foi que você começou a usar drogas?"*
No ponto certo: *"Isso me leva a concluir que você está começando a usar drogas. Ou tem alguma outra explicação que eu não estou conseguindo ver?"*

Minimizando: *"Talvez seja minha culpa, mas..."*
Exagerando: *"Você não confia na própria mãe!"*
No ponto certo: *"Estou começando a achar que você não confia em mim. Se minha impressão estiver certa, gostaria de saber o que fiz para perder a sua confiança."*

Minimizando: *"Talvez eu pense demais em sexo ou sei lá o quê, mas..."*
Exagerando: *"Se você não der um jeito de transar mais comigo, vou embora de casa."*

No ponto certo: *"Acho que você não faz de propósito, mas estou começando a me sentir rejeitada."*

Abra espaço para o questionamento

Na hora de pedir à outra pessoa que compartilhe suas ideias, o modo como você verbaliza esse convite faz uma diferença enorme. Não basta convidá-la a falar, é preciso deixar claro que você quer ouvir não importa quão polêmico seja o que ela tem a dizer. Seu interlocutor precisa se sentir seguro para dividir suas observações e narrativas com você – ainda mais se forem diferentes das suas. Sem essa segurança, as pessoas não se abrem e você não pode testar se as opiniões que está apresentando são precisas e relevantes.

A segurança se torna especialmente importante quando você está tendo uma Conversa Crucial com alguém que você julga propenso a optar pelo silêncio. Nessas circunstâncias, algumas pessoas se rendem ao Dilema do Tolo. Por exemplo, alguns líderes se recusam a opinar sobre determinadas questões por medo de abafar o diálogo. Acham que, se derem sua opinião verdadeira, levarão os outros a se fechar, então escolhem entre falar o que pensam e ouvir o que pensam os outros. Mas as pessoas *mais hábeis* em dialogar não escolhem. Fazem as duas coisas. Sabem que *o único limite para expressar sua opinião com vigor é a disposição para ser igualmente vigoroso em encorajar os outros a questioná-la.*

Incentive opiniões opostas. Se você acha que pode haver hesitação, deixe claro que quer ouvir outras opiniões – por mais diferentes que sejam. Se houver divergência, tanto melhor. Se o que os outros têm a dizer for polêmico ou mesmo delicado, respeite-os por ter coragem de expressar o que pensam. Se eles tiverem fatos ou narrativas diferentes, você precisa ouvi-los para completar o quadro geral. Para reforçar a oportunidade de compartilhar convidando-os ativamente a oferecer contraposições: "Alguém enxerga isso de um modo diferente?", "O que estou deixando de perceber?", "Eu realmente gostaria de ouvir o outro lado dessa história", etc.

Esteja realmente disposto a ouvir. Às vezes esse convite mais parece uma ameaça do que um pedido legítimo de segunda opinião: "Bom, é assim que enxergo as coisas. Ninguém discorda, não é?" Não faça uma ameaça velada. Convide as pessoas com palavras e um tom de voz que demonstre que você realmente quer ouvir. Digamos: "Sei que muitos estão relutando em se abrir, mas eu realmente gostaria que todo mundo falasse sobre o assunto" ou "Sei que essa história tem pelo menos dois lados. Será que podemos ouvir opiniões diferentes agora? Que problemas essa decisão poderia nos causar?".

Banque o advogado do diabo. Ocasionalmente, você percebe que seus fatos ou sua narrativa não estão sendo aceitos mas que ninguém está disposto a se manifestar. Você os convidou a falar com o desejo sincero de ouvi-los, até encorajou pontos de vista distintos, e nada. Para ajudar a lubrificar as engrenagens, banque o advogado do diabo. Exemplifique a discordância opondo-se ao seu ponto de vista: "Talvez eu esteja errado. E se a explicação for o oposto? E se na verdade as vendas caíram porque nossos produtos estão ultrapassados? Sei que defendi uma opinião contrária a isso, mas queria ouvir todos os pontos que apontem para um engano terrível de avaliação de minha parte."

Encoraje até que sua intenção seja evidente. Às vezes (em especial se você estiver numa posição de autoridade), nem mesmo ser adequadamente não impositivo impede os outros de suspeitar que você quer que eles simplesmente concordem com você ou que está tentando atraí-los para uma armadilha. Isso pode acontecer se ex-chefes ou outras figuras de autoridade já tiverem convidado as pessoas a falar só para depois puni-las.

É aí que se deve *abrir espaço para questionamento*. Como já dissemos, você pode defender seu ponto de vista com o vigor que quiser, desde que encoraje os outros a refutá-lo com ainda mais vigor. O verdadeiro teste para saber se a sua motivação é vencer um debate ou ter um diálogo verdadeiro é o grau em que você encoraja o questionamento.

> **ASSERTIVA COM A SAÚDE**
>
> As habilidades que formam a sigla CALMA nos ajudam a expor nossas ideias de modo respeitoso e eficaz. Veja como uma facilitadora de Conversas Cruciais usou essas habilidades para se manifestar e ser ouvida ao decidir sobre o tratamento para um sério diagnóstico médico. Assista à história dela no vídeo *Confidence Against Cancer* (*Confiança contra o câncer*). Para isso, acesse www.conversascruciais.com.br e preencha o formulário para receber seus Recursos Adicionais.

O dinheiro que sumiu da carteira: o desfecho

Para ver todas as habilidades CALMA sendo acionadas numa conversa delicada, voltemos ao mistério dos 40 dólares que sumiram da carteira de Ana.

Ela está repassando o que aconteceu enquanto volta para casa com a filha, Dani. Dessa vez, Ana vai tocar nesse assunto delicado de um modo bem melhor.

Ana: (Compartilhando seus fatos) *Dani, quando fui pagar as compras agora há pouco, ia usar 40 dólares que achei que estavam na minha carteira.*

Dani: *Aham.*

Ana: (Compartilhando seus fatos) *Mas, quando abri a carteira, o dinheiro não estava lá. Achei estranho, porque ontem vi o dinheiro ali. Depois lembrei que ontem à noite você me pediu dinheiro para sair com seus amigos e eu não dei. Mas mesmo assim você foi ao cinema e depois jantou com eles.*

Dani: *Aham.*

Ana: (Apresentando uma narrativa possível) *Obviamente, uma possibilidade é que você tenha pegado o dinheiro.*

Dani: *Você acha que eu te roubei?*

Ana: (Levando em consideração a opinião de Dani) *Sinceramente? Não sei o que pensar. Só sei o que acabei de dizer e espero que você entenda por que essa possibilidade me ocorreu. Você entende?*

Dani: *Hã...*

Ana: (Usando a Contraposição) *Dani, meu amor, sei que você é uma boa garota e não quero tirar conclusões erradas. Também sei que as pessoas cometem erros. Eu cometi vários quando tinha a sua idade. Quero que a gente possa conversar sobre tudo, mesmo as coisas difíceis, com honestidade e abertura, inclusive quando uma de nós fizer bobagem.*

Dani: *Eu ia devolver. Não estava tentando roubar. Achei que daria tempo de devolver sem que você notasse, porque eu recebo hoje.*

Quando essa conversa aconteceu, foi exatamente como narrada aqui. Mesmo desconfiada, a mãe evitou acusações raivosas e narrativas feias, expôs fatos e depois levantou uma conclusão possível, sem ser categórica. Por acaso sua filha tinha, sim, pegado o dinheiro. Elas conversaram sobre o ocorrido e Dani enfrentou as consequências de seu ato. Incrivelmente, elas também conversaram sobre as pressões que levaram a garota a pegar o dinheiro. Ana ficou sabendo mais coisas que estavam acontecendo na vida da filha e pôde dar orientações sobre como enfrentar algumas situações difíceis. Naquele dia ela ganhou mais espaço na vida da filha adolescente graças ao modo como abordou uma conversa difícil.

QUANDO CRENÇAS FORTES ENFRAQUECEM SUA INFLUÊNCIA

Agora vamos analisar outro desafio de comunicação. Dessa vez você não vai oferecer um feedback delicado ou narrativas duvidosas, vai meramente entrar numa discussão e defender seu ponto de vista. É o tipo de coisa que fazemos o tempo todo – em casa, no trabalho, nas redes sociais… e, sim, você já deve ter lançado uma ou duas opiniões na fila de votação.

Infelizmente, à medida que os riscos aumentam e pontos de vista distintos são levantados – *e você sabe, no fundo do coração, que está certo e eles estão errados* –, você começa a pegar pesado demais. Você simplesmente precisa vencer. Há muita coisa em risco e só você tem as ideias certas. Se nada for feito, os outros vão estragar tudo. Assim, quando se importa muito com suas opiniões e tem certeza demais, você não apenas fala: você tenta enfiar suas opiniões à força no reservatório de ideias. Sabe como é, você afoga as pessoas na *sua* verdade. Naturalmente, elas resistem. Então você pressiona ainda mais.

Já vimos isso acontecer incontáveis vezes no nosso trabalho de consultoria. Por exemplo, um grupo de líderes está reunido e começa a discutir um assunto importante. Primeiro alguém dá a entender que é a única pessoa com alguma visão real. Então outra pessoa começa a disparar fatos como se fossem dardos venenosos. Uma terceira pessoa (por um acaso, alguém que possui informações essenciais) se recolhe no silêncio. À medida que os ânimos se acirram, palavras que antes eram escolhidas com cuidado e ditas com gentileza são cuspidas com uma certeza absoluta típica de doutrinas religiosas gravadas em tabuletas de pedra.

No fim, ninguém está escutando ninguém, todo mundo recorreu ao silêncio ou à violência e o Reservatório de Ideias Compartilhadas permanece vazio e sujo. Ninguém vence.

Como chegamos a esse ponto?

Tudo começa com uma narrativa. Quando acreditamos que estamos certos e que todas as outras pessoas estão erradas, não sentimos necessidade de expandir o reservatório de ideias porque somos *donos* do reservatório. Além disso, acreditamos 100% que é nosso dever lutar pela verdade que detemos. É o certo a fazer. É o que pessoas de caráter fazem.

Nossas narrativas em que os outros são retratados como burros ou limitados justificam o fato de nos tornarmos controladores do reservatório. "Essas pessoas, coitadas, precisam ser salvas", dizemos a nós mesmos. Logo somos heróis dos tempos modernos numa cruzada contra a ingenuidade e a falta de visão.

Justificamos o uso de truques sujos. Assim que nos convencemos de que é nosso dever lutar pela verdade, começamos a sacar as armas pesadas, usando truques que aprendemos no correr dos anos. Um dos principais é citar informações que confirmem nossas ideias e esconder ou desacreditar qualquer coisa que as refute. Depois usamos generalizações para incrementar o cenário que nós mesmos pintamos: "Todo mundo sabe que esse é o único caminho." Quando isso não funciona, enfeitamos o discurso com termos incendiários: "Qualquer pessoa sensata concordaria comigo."

Daí em diante vem todo tipo de truque sujo. Apelamos para a autoridade: "Bom, é isso que o chefe acha." Atacamos a pessoa em vez de sua ideia: "Você não pode ser tão ingênuo a ponto de acreditar nisso." Fazemos generalizações apressadas: "Se isso aconteceu na nossa operação no estrangeiro, com certeza vai acontecer aqui também." Deturpamos falas alheias: "Claro que podemos seguir o seu plano... se quisermos ofender nossos principais clientes e destruir a empresa."

E, como já dito, quanto mais nos esforçamos e quanto mais violentas e sórdidas são nossas táticas, mais resistência criamos, piores são os resultados e mais desgastados ficam os relacionamentos.

Como mudar?

A solução para discursos tendenciosos e fervorosos é bastante simples – desde que você se obrigue a fazê-lo. Quando você se perceber louco para convencer os outros de que sua ideia é a melhor, suspenda o ataque e pense no que realmente quer para si, para os outros e para o relacionamento. Depois, pergunte-se: "O que eu deveria fazer agora para ir em direção ao que realmente quero?" Quando seu nível de adrenalina voltar a um nível aceitável, você poderá usar suas habilidades CALMA. De fato, a disposição a usar as habilidades CALMA para transmitir sua mensagem é um indicador confiável do seu interesse pelo diálogo. Quanto mais difícil for usá-las, maior é a probabilidade de que seu objetivo seja vencer em vez de aprender.

Quando se pegar desejando simplesmente proclamar a verdade em vez de dialogar, lembre-se do que aprendeu até agora:

- **Primeiro aprenda a olhar.** Esteja alerta para o momento em que as pessoas começam a resistir ao que você diz. Talvez elas comecem a aumentar o volume da voz e/ou exagerar os fatos que confirmam o próprio ponto de vista, em reação às suas táticas, ou talvez se recolham em silêncio. Esqueça por um momento o assunto em pauta (por mais importante que seja) e preste atenção em si mesmo. Está se inclinando para a frente? Está falando mais alto? Está começando a tentar vencer? Está batucando no teclado enquanto digita furiosamente um comentário? Lembre-se: *Quanto mais você se importa com um assunto, menor a probabilidade de estar tendo seu melhor comportamento.*

- **Depois verifique sua intenção.** Qual é o seu objetivo nessa conversa? Quer ser ouvido, compreendido ou validado? Talvez você queira mudar a forma de pensar da outra pessoa. Não podemos controlar nem determinar o que o outro vai pensar no fim de uma conversa, mas podemos influenciar isso. Enquanto avalia o que realmente quer nessa conversa, pergunte-se: "Como eu me comportaria se isso fosse o que eu realmente quero?"

Por exemplo, você e uma colega de trabalho estavam batendo boca sobre uma decisão judicial recente. Até aí nenhuma surpresa, já que você e ela têm posicionamentos políticos opostos. Mas você é passional com relação a isso e quer que sua colega mude de ideia. Qual é o melhor modo de fazer com que isso aconteça? Provavelmente não vai ser gritar, discutir, debochar ou refutar. Quando foi a última vez que você mudou de ideia depois de alguém descarregar uma saraivada de insultos contra uma opinião sua?

Se você quer ter a chance de influenciar o pensamento de alguém, precisa começar por uma atitude de compreensão. Baixe o tom. Considere acreditar que os outros podem ter algo a dizer. E, melhor ainda, que eles podem até mesmo ter a peça que completa o quebra-cabeça. Em seguida, pergunte a opinião deles. Evite linguagem áspera e definitiva. Mas não recue da sua crença. Apenas suavize a abordagem.

Minha conversa crucial: Lori A.

Três anos atrás, minha filha adolescente foi diagnosticada com transtorno bipolar. Os altos e baixos da fase maníaca são incrivelmente assustadores, porque costumam ficar violentos, e o abismo de depressão que se segue [a um episódio violento] fazia com que meu marido e eu temêssemos pela vida da nossa filha.

Com o transtorno bipolar, leva-se um bom tempo para chegar à combinação certa de remédios que estabilizem o paciente, e a medicação deve ser tomada de modo extremamente regular. Drogas ilícitas e álcool são vetados, é claro. Durante esse tempo difícil, a polícia precisou vir à nossa casa para conter a violência. Assistíamos impotentes enquanto ela usava drogas, bebia e se mutilava. Ela parou de ir à escola. Tivemos que interná-la. Orávamos muito.

A boa notícia foi que comecei a usar os recursos para Conversas Cruciais durante os altos e baixos maníacos da minha filha, e deu certo! A Contraposição era extremamente útil (e ainda é) para diminuir sua raiva e sua tristeza. E mais tarde, quando ela já estava estabilizada, as habilidades CALMA se tornaram um verdadeiro bote salva-vidas. Percebi que, se eu tivesse o cuidado de remover meus julgamentos ao falar das minhas preocupações e simplesmente as declarasse de modo factual, e em seguida a encorajasse a dizer o que pensava, ela me ouvia com muito mais facilidade.

Com a ajuda das Conversas Cruciais consegui manter um relacionamento com minha filha num período da sua vida em que era difícil alcançá-la. Desde o diagnóstico e o tratamento, a vida dela realmente se transformou. Ela está se tratando, tem novas amizades, faz terapia, pede apoio dos professores quando fica estressada na escola, faz trabalho voluntário na igreja ajudando crianças com necessidades especiais e, o que é mais importante, conversa com meu marido e comigo.

À medida que vierem novos desafios, poderei e continuarei a usar esses recursos. Em muitos sentidos, acredito que vocês nos ajudaram a salvá-la.

RESUMO: DECLARAR CALMA

Quando tiver algo difícil a comunicar ou quando estiver tão convicto de seu ponto de vista que comece a pressionar demais, lembre-se das ferramentas CALMA:

- **Compartilhe seus fatos.** Comece com os elementos menos polêmicos e mais persuasivos do seu Caminho para a Ação.
- **Apresente sua narrativa.** Explique o que você está começando a concluir.
- **Leve em consideração outras opiniões.** Encoraje as pessoas a compartilhar outros fatos e interpretações.
- **Modere o tom.** Apresente sua narrativa como uma narrativa – não tente fazê-la passar por fato.
- **Abra espaço para questionamento.** Crie segurança para que os outros possam expressar opiniões diferentes ou até mesmo opostas.

> *Uma das melhores maneiras de convencer os outros é com os ouvidos: escutando-os.*
> *– DEAN RUSK*

9
EXPLORAR OS CAMINHOS DOS OUTROS
Como ouvir quando as pessoas explodem ou se fecham

– Então digam: que riscos vocês enxergam no projeto atual? – pergunta Samir.

Ele olha a equipe reunida ao redor da mesa e só vê expressões vazias. Algumas pessoas olham para baixo, concentrando-se em rabiscar no papel. Outras o encaram por um breve momento e logo desviam o olhar. Ninguém diz nada.

Samir tenta de novo:

– Acho que todo mundo sabe como esse projeto é importante. É por isso que estamos aqui hoje. Se quisermos ter sucesso, precisamos conversar sobre os riscos que existem no plano, para podermos reduzi-los. Quais são as preocupações de vocês?

Mais silêncio.

– Certo, ótimo, então. Fantástico – diz ele com óbvio sarcasmo. – Vou presumir que isso está decidido. Bom trabalho, pessoal. Agora vamos fazer a coisa acontecer!

Enquanto observa os membros da equipe pegando suas coisas e saindo da sala, Samir olha de novo para o projeto. Como um talentoso e experiente gestor, ele comandou com sucesso vários projetos de muitos milhões de dólares, mas nenhum desse nível. O projeto já está atrasado, e esse é apenas um dos motivos para o gerente anterior ter sido demitido. Samir esboçou um plano, mas sabe que não tem conhecimento do assunto a ponto de preencher todas as lacunas. É por isso que existe uma equipe, pelo amor de Deus! Mas, quando pede opinião, só recebe olhares vazios. Nada mais que isso. Nadinha. Eles apenas assentem e dizem que gostam do plano. O que mais ele poderia fazer?

Infelizmente, esse tipo de situação é bem comum. Você sabe que precisa ter uma Conversa Crucial com alguém sobre um projeto importantíssimo, sobre o lixo que se acumula junto à porta do seu vizinho ou sobre o novo namorado do seu filho que tem uma história estranha e ligeiramente criminosa. Qualquer que seja o assunto, você sabe que a conversa vai ser crucial. Por isso se prepara com cuidado. Encontra sua boa intenção, domina suas narrativas e usa cuidadosamente CALMA para revelar seu Caminho para a Ação. Realmente quer ouvir o ponto de vista da outra pessoa. E, quando pergunta o que ela tem a dizer, ela só o encara com perplexidade e não responde nada ou parte para cima de você cuspindo fogo.

Depois da reunião, Samir chama um membro da equipe para perguntar o que ele achou.

– Ei, Antônio, o grupo ficou muito quieto. Não sei se todo mundo concorda mesmo com o projeto ou não. O que você acha dos riscos?

– Ah, qual é, Samir? – responde Antônio. – Todo mundo sabe que esse projeto é desastre na certa. Não tem como concluir tudo a tempo. E ninguém vai dizer isso na sua cara porque... Quer saber? Você é *o* cara. O cara da corporação. O cara que chegou aqui montado num cavalo branco para salvar a empresa. Enfim, esquece, meu amigo. Esse é um projeto fracassado, e a única dúvida é quem ainda vai estar no barco quando afundar! E vou te dizer uma coisa: não serei eu. Não vou ser o culpado quando essa coisa desmoronar. Você é que vai!

– Ei! Isso não é justo! Você faz parte da equipe tanto quanto eu. Não vou assumir a culpa pela incompetência de todos – reage Samir, erguendo a voz. – Eu sou o único que se importa com esse projeto!

COMO RETOMAR O DIÁLOGO?

Quando os outros recorrem ao silêncio ou à violência, pode ser tentador fazer o mesmo. Afinal de contas, fizemos tanto esforço para abrir o diálogo e convidá-los a dizer o que pensam. Quando eles não dizem, ou não dizem direito, nossa tendência natural é a frustração. Toda essa conversa não passa de um desperdício de energia, certo? "Eu faço todo o trabalho e eles explodem ou se fecham." Nossas narrativas entram rapidamente numa espiral e de repente nossa motivação deixa de ser entender o ponto de vista deles e passa a ser reforçar nossa superioridade.

O que fazer? Afinal de contas, não é você que está recorrendo ao silêncio ou à violência. Quando os outros envolvidos prejudicam o reservatório de ideias fechando-se (recusando-se a dizer o que pensam) ou explodindo (comunicando-se de modo hostil ou desrespeitoso), será que você pode fazer algo para trazê-los de volta ao diálogo?

A resposta é um sonoro "Depende". Se você não quer arranjar sarna para se coçar (ou, nesse caso, se quiser impedir uma colisão de trens), não diga nada. É a outra pessoa que parece ter algo a dizer mas se recusa a fazê-lo. Foi a outra pessoa que explodiu. Proteja-se. Você não pode assumir a responsabilidade pelas ideias e pelos sentimentos dos outros. Certo?

Por outro lado, vocês jamais resolverão suas diferenças até que todas as partes coloquem ideias no reservatório voluntariamente. Isso exige que as pessoas que estão tendo acessos de raiva ou se fechando participem também. E, embora seja verdade que não se pode obrigar ninguém a dialogar, é possível tomar medidas para que eles se sintam seguros em fazê-lo. Afinal de contas, foi por isso que eles buscaram a segurança do silêncio ou da violência. Eles temem que o diálogo os deixe vulneráveis. Acreditam que, se tiverem uma conversa verdadeira com você, coisas ruins acontecerão.

A equipe de Samir, por exemplo, está morrendo de medo. Eles sabem que o projeto tem problemas. Tanto é que o último gerente acabou de ser demitido. Mas as pessoas não querem perder o emprego e descobriram que o melhor modo de conseguir isso é se fingir de mortas.

Restaurar a segurança é a sua melhor chance de colocar os relacionamentos (e as equipes, os projetos e os resultados) de volta nos trilhos.

EXPLORAR OS CAMINHOS DOS OUTROS

No Capítulo 7 recomendamos que, ao perceber que a segurança está em perigo, você se afastasse do tema em discussão e restaurasse a segurança. Quando ofender os outros com um ato impensado, peça desculpas. Ou, se alguém não entendeu sua intenção, use a Contraposição. Explique o que você pretende e o que não pretende. Por fim, se vocês simplesmente discordam, encontre um Objetivo Mútuo.

Agora traremos mais uma habilidade para ajudar a restaurar a segurança: *Explorar os caminhos dos outros.* Como já mostramos um modelo do que está se passando na cabeça da outra pessoa (o Caminho para a Ação), agora temos uma ferramenta nova para que ajudemos os outros a se sentirem seguros em conversar conosco. Se conseguirmos deixar claro ao nosso interlocutor que é seguro compartilhar seu Caminho para a Ação – seus fatos e, sim, até mesmo suas narrativas deturpadas e seus sentimentos feios –, ele terá mais probabilidade de se abrir.

Explorar os caminhos dos outros é uma demonstração da nossa boa intenção, e por isso essa é uma ferramenta poderosa para criar segurança. Até agora revelamos nossas boas intenções contando às pessoas quais são elas. Essa é a nossa chance de *mostrar* essas boas intenções. Se nossa intenção é realmente ouvir, entender e nos conectarmos, o modo como agimos, e não somente o que dizemos, criará segurança.

Mas o que fazer, afinal?

Comece pelo coração: prepare-se para ouvir

Esteja disposto a ouvir. Para colocar os fatos e as narrativas dos outros no Reservatório de Ideias Compartilhadas, precisamos convidá-los a dizer o que estão pensando. Daqui a pouco veremos como fazer isso. Por enquanto vamos enfatizar que, quando você convida as pessoas a dizer o que pensam, deve ser um convite genuíno. Por exemplo, considere o seguinte incidente: uma paciente está tendo alta hospitalar e a recepcionista vê que ela se sente um pouco desconfortável, talvez até insatisfeita.

Recepcionista: *Correu tudo bem com o procedimento?*

Paciente: *Quase tudo.* (Se existe no mundo alguma dica de que há, sim, algo errado, sem dúvida é a palavra "quase".)

Recepcionista: (Reagindo bruscamente): *Que bom. Próximo!*

Esse é um caso clássico de interesse fingido. É como quando alguém pergunta "Como vai?" e o significado é: "Por favor, não diga nada importante. Só estou sendo educado." Quando pedir a alguém que se abra, esteja preparado para ouvir.

Investigue. Quando se quer ouvir (e é preciso ouvir, porque isso amplia o reservatório de ideias), o melhor modo de chegar à verdade é propiciando segurança para a pessoa expressar as narrativas que a estão levando ao silêncio ou à violência. Isso significa que, no mesmo instante em que as pessoas ficam furiosas, precisamos, em vez de reagir do mesmo modo, ter interesse em descobrir o que está por trás dessa agitação. Mas como fazer essa investigação quando estão nos atacando ou fugindo de nós?

As pessoas que rotineiramente buscam saber por que os outros estão se sentindo inseguros fazem isso porque aprenderam que chegar à fonte do medo e do desconforto é o melhor modo de retomar o diálogo. Sabem que a cura para o silêncio ou a violência não é revidar, e sim chegar à fonte desse comportamento disfuncional. Isso exige interesse e empatia genuínos – justo num momento em que você provavelmente está se sentindo frustrado ou com raiva.

Para ilustrar o que pode acontecer enquanto exercitamos nossa curiosidade, voltemos à nossa paciente.

Recepcionista: *Correu tudo bem com o procedimento?*
Paciente: *Quase tudo.*
Recepcionista: *Parece que a senhora teve algum problema.*
Paciente: *Nossa, doeu demais. Além disso, a médica não é... hã... ela não é muito nova para estar exercendo a profissão?*

Neste caso, a paciente está relutando em se abrir. Talvez, se der sua opinião sincera, ela ofenda a médica. Ou talvez, se for uma funcionária leal, a própria recepcionista se sinta ofendida. Em resposta, a recepcionista deixa claro à paciente (tanto com o tom de voz quanto com as palavras) que é seguro falar. E ela se abre.

Mantenha o foco no outro. Quando as pessoas começam a expor suas narrativas e seus sentimentos explosivos, corremos o risco de usar nossas Narrativas de Vítima, Vilão e Impotente para explicar por que elas estão dizendo aquilo. Infelizmente, como quase nunca é divertido ouvir críticas, começamos a atribuir motivações negativas a suas narrativas desfavoráveis. Por exemplo:

Recepcionista: *Puxa, como a senhora é exigente! Leu algumas matérias de jornal e agora acha que sabe mais sobre medicina do que um profissional. A sua médica se formou com a maior nota da turma. É uma das melhores.*

Para não reagir de modo excessivo, mantenha o interesse e o foco no outro. Um bom modo de impedir que seu cérebro fique atribuindo motivações maldosas aos outros é dar a ele um problema diferente no qual se concentrar. Como este: "Por que uma pessoa razoável, racional e decente diria isso?" Depois tente encontrar uma resposta para essa pergunta. As ferramentas a seguir são úteis nesse sentido. Elas ajudarão você a refazer o Caminho para a Ação da outra pessoa até entender como tudo se encaixa de um modo que você consideraria razoável, racional e decente. E na maioria dos casos você acaba vendo que, nas circunstâncias, a pessoa chegou a uma conclusão bastante razoável.

Seja paciente. Quando os outros demonstram sentimentos e opiniões através do silêncio ou da violência, pode apostar que eles estão começando a sentir os efeitos da adrenalina. Mesmo se fizermos o máximo para reagir de modo seguro e eficaz ao ataque verbal, ainda precisamos encarar o fato de que vai demorar até nos acalmarmos.

Digamos, por exemplo, que um amigo expõe uma narrativa feia e você trata isso com respeito e continua com a conversa. Ainda que vocês tenham uma visão semelhante, pode parecer que seu amigo ainda está forçando demais a barra. Mesmo sendo natural passar rapidamente de um *pensamento* para outro, *emoções* fortes demoram um pouco para diminuir sua intensidade. Os pensamentos são feitos totalmente de eletricidade. As emoções acrescentam química. Assim que são liberadas, as substâncias químicas que alimentam as emoções permanecem por um tempo na corrente sanguínea – em alguns casos, até muito depois de os sentimentos mudarem. Assim, seja paciente enquanto a química alcança a eletricidade. Deixe que a pessoa diga o que pensa e depois espere que as emoções dela alcancem a segurança que você criou.

Encoraje os outros a refazer o próprio Caminho para a Ação

Agora que você começou com uma postura de interesse genuíno, é hora de trabalhar. Seu objetivo é ajudar os outros a refazer o próprio Caminho para a Ação. Reconheça que estamos entrando na conversa no *final* do Caminho para Ação deles. Eles viram e ouviram coisas, criaram uma ou duas narrativas para si mesmos e geraram um sentimento (talvez uma mistura de medo, mágoa e raiva ou frustração), e agora estão começando a agir a partir da narrativa que criaram. É aí que entramos. Ainda que possamos estar ouvindo as primeiras palavras que eles dizem, entramos em algum lugar perto do final do caminho deles. No modelo do Caminho para a Ação, estamos vendo a ação no final do caminho – como é mostrado na figura 9.1.

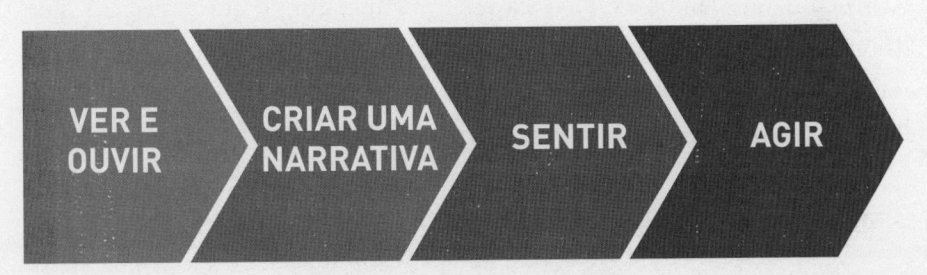

| VER E OUVIR | CRIAR UMA NARRATIVA | SENTIR | AGIR |

Figura 9.1 Caminho para a Ação

Toda frase tem uma história. Imagine que você chegou atrasado ao cinema e o filme já estava bem adiantado. Na tela, uma personagem está parada junto a uma vítima de assassinato. Você ocupa sua poltrona, cheio de irritação. Passa o resto do filme tentando adivinhar alguns fatos fundamentais da história. O que aconteceu antes de você entrar?

As Conversas Cruciais podem ser igualmente misteriosas e frustrantes. Quando outras pessoas recorrem ao silêncio ou à violência, estamos chegando a um Caminho para a Ação *em andamento*. Estamos confusos, pois já perdemos o início da história. Se não tomarmos cuidado, podemos ficar na defensiva. Afinal de contas, além de estarmos chegando atrasados, também estamos chegando num momento em que a pessoa começa a agir de modo ofensivo.

Rompa o ciclo. Sabe o que acontece depois? Quando somos alvo das acusações e agressões dessa pessoa, raramente pensamos: "Puxa, ela está cheia de emoções fortes. Deve ter criado uma narrativa interessante. Imagino qual será e o que a provocou." Em vez disso, imitamos o comportamento que nos foi dirigido. Nossos mecanismos de defesa moldados geneticamente há milênios entram em ação e criamos um apressado e inútil Caminho para a Ação.

Pessoas sábias interrompem esse ciclo perigoso afastando-se da interação e dando segurança à pessoa para que ela possa falar sobre seu Caminho para a Ação. Encorajam-na a se afastar dos sentimentos ruins e das reações bruscas e a buscar a raiz do problema. Em essência, refazem o Caminho para a Ação da outra pessoa junto com ela. Com esse encorajamento, a outra pessoa se afasta de suas emoções, indo em direção ao que interpretou e, depois, ao que observou.

Quando ajudamos os outros a refazer seu caminho até as origens, não somente tornamos possível controlar nossa reação como também retornamos ao lugar onde os sentimentos podem ser solucionados: na fonte, isto é, nos fatos e na narrativa que estão por trás da emoção.

Habilidades de indagação

Quando? Até agora sugerimos que, quando outras pessoas parecem ter uma narrativa e fatos para compartilhar, cabe a nós convidá-las a fazê-lo. As deixas são simples: as pessoas recorrem ao silêncio ou à violência. Podemos ver que elas estão chateadas, com medo ou raiva. Vemos que, se não chegarmos à *origem* desses sentimentos, acabaremos sofrendo as *consequências* deles. Essas reações externas são as deixas para fazermos o necessário para ajudar as pessoas a refazer seu Caminho para a Ação.

Como? Independentemente do que fizermos para convidar a pessoa a se abrir, esse convite precisa ser sincero. Por mais difícil que seja, precisamos ser honestos diante da hostilidade, do medo e mesmo do abuso – o que nos leva à próxima pergunta.

O quê? O que é necessário fazer para levar alguém a dar sua opinião? Em uma palavra, é preciso *escutar*. Para encorajar as pessoas a deixar de agir em função dos sentimentos e começar a falar sobre suas conclusões e observações, precisamos escutá-las de um modo que as faça se sentir seguras para compartilhar pensamentos íntimos. Elas devem acreditar que, quando contarem seus pensamentos, não vão nos ofender nem ser castigadas por falar com franqueza.

Ferramentas de escuta: Pedir, Espelhar, Parafrasear e Estimular (PEPE)

Para encorajar os outros a compartilhar seus Caminhos para a Ação, usaremos quatro excelentes ferramentas de escuta. Para ajudar a memorizá-las, observe que formam a sigla PEPE: *pedir, espelhar, parafrasear* e *estimular*. Elas funcionam mesmo quando as pessoas recorrem ao silêncio ou à violência.

Pedir, para dar o pontapé inicial
A maneira mais fácil e direta de encorajar os outros a compartilhar seu Caminho para a Ação é simplesmente convidando-os a se expressar. Para sair de um impasse, por exemplo, muitas vezes basta tentar entender o ponto de vista do outro. Quando demonstramos interesse genuíno pelas pessoas, elas se sentem menos compelidas a usar o silêncio ou a violência. Demonstrar a disposição de parar de encher o reservatório com suas ideias e convidar a pessoa a falar sobre as dela pode ajudar muito a chegar à fonte do problema.

Alguns convites comuns são:

"O que está acontecendo?"
"Eu queria saber sua opinião sobre isso."
"Por favor, me diga se você pensa de outra forma."

"Não se preocupe, não vou me magoar. Quero ouvir o que você acha, de verdade."

Espelhar, para confirmar os sentimentos

Se um pedido não fizer a conversa avançar, espelhar pode ajudar a criar mais segurança. Essa técnica consiste em pegar a parte do Caminho para a Ação da pessoa ao qual temos acesso e tornar seguro falar sobre ele. Até agora, tudo que temos são ações e algumas pistas das emoções da outra pessoa, por isso começamos por aí.

Fazemos o papel de espelho ao descrever como a pessoa está se comportando ou dando a entender. Mesmo se não entendermos os fatos ou as narrativas dela, podemos ver suas ações e refleti-las.

Espelhar é mais útil quando o tom de voz ou os gestos da pessoa (indicações das emoções por trás deles) não combinam com suas palavras. Por exemplo: "Não se preocupe. Estou bem." (Mas a expressão e o tom de voz dela sugerem o contrário: ela está franzindo a testa, olhando em volta e parece chutar o chão.)

Nossa reação: "Mesmo? Do modo como você está dizendo, não me parece."

Explicamos que, apesar de a pessoa estar dizendo uma coisa, seu tom de voz ou sua postura sugerem outra. Espelhar amplia a segurança porque demonstra nosso interesse genuíno e nossa preocupação pelos outros. Estamos prestando atenção! Tanto que não estamos apenas ouvindo *o que* a pessoa diz; estamos percebendo *como* ela diz.

Ao refletir o que observou, tenha o cuidado de controlar o tom de voz e o modo de falar. O que cria segurança não é o fato de estarmos reconhecendo as emoções da pessoa, e sim a mensagem de que aceitamos seus sentimentos, transmitida pelo nosso tom de voz. Se fizermos isso direito, a pessoa pode concluir que, em vez de agir em função de suas emoções, pode falar sobre elas conosco.

Assim, é preciso descrever com calma o que se vê. Se você parecer assustado ou der a impressão de que não vai gostar do que a pessoa disser, não cria segurança. Confirmamos as suspeitas de que ela precisa continuar em silêncio.

Alguns exemplos de espelhamento:

"Você diz que está bem, mas seu tom de voz faz parecer que está chateado."

"Parece que você está com raiva de mim."

"Você parece nervoso com a ideia de confrontá-lo. Tem certeza de que quer fazer isso?"

Ironicamente, quando reconhece com sinceridade que alguém está com raiva de você, muitas vezes a pessoa começa a sentir menos raiva. Quando você admite o nervosismo da outra pessoa, ela sente menos necessidade de estar nervosa. O espelhamento pode ajudar os outros a começar a falar em vez de agir a partir das emoções.

Parafrasear, para reconhecer a narrativa

Pedir e espelhar podem ajudar a esclarecer parte da narrativa da outra pessoa. E, quando você tem ideia do *motivo* dela para se sentir desse jeito, pode aumentar a segurança parafraseando o que ouviu. Tome cuidado para não ficar simplesmente papagaiando o que foi dito. Reproduza a mensagem com suas palavras e de forma abreviada: "Vejamos se eu entendi bem. Você está preocupado porque o gerente de projetos anterior foi demitido. Está sentindo que você ou outras pessoas da equipe também correm perigo."

O essencial para parafrasear, assim como para espelhar, é manter a calma e o controle. O objetivo é criar segurança, e não parecer horrorizado e indicar que a conversa está para engrossar. Permaneça focado em descobrir como uma pessoa razoável, racional e decente pode ter criado esse Caminho para a Ação, para não se irritar nem ficar na defensiva. Simplesmente repita de outro modo o que a pessoa disse e faça isso de modo a sugerir que está tudo bem, que você está tentando entender e que ela pode falar com sinceridade.

Não pressione demais. Vejamos em que pé estamos. A outra pessoa nitidamente tem mais a dizer, mas vai recorrer ao silêncio ou à violência. Queremos saber por quê. Queremos voltar à origem (os fatos e a narrativa), onde poderemos solucionar o problema. Para encorajar a pessoa a se abrir, experimentamos três ferramentas de escuta. Pedimos, espelhamos e parafraseamos. A pessoa continua chateada, mas não expõe seus fatos, tampouco a narrativa que construiu a partir deles.

E agora? Nesse ponto, o mais indicado seria recuar. Depois de um tempo, nossas tentativas de criar segurança para o outro podem fazê-lo achar que estamos pegando no pé dele ou sendo intrometidos. Se insistirmos demais, violamos o objetivo e o respeito. A pessoa pode achar que nosso objetivo é meramente extrair o que desejamos e concluir que não nos importamos pessoalmente com ela. Assim, o melhor é recuar. Em vez de tentar chegar à origem das emoções da pessoa, nos retiramos graciosamente ou perguntamos o que ela quer que aconteça. Essa pergunta direciona o cérebro dela para a solução do problema, fazendo com que se afaste do ataque ou da evitação. Também a ajuda a fazê-la revelar qual é, na opinião dela, a causa do problema.

*E*stimular, quando você não está chegando a lugar algum

Em outras ocasiões, no entanto, você vai concluir que a outra pessoa gostaria de se abrir mas ainda não se sente segura. Ou talvez ela ainda esteja agressiva, cheia de adrenalina, sem explicar sua raiva. Quando isso acontece, você pode tentar estimulá-la. Faça isso quando acreditar que a pessoa ainda tem algo a dizer e que ela pode fazer isso com um pouco mais de esforço da sua parte.

É como fazer funcionar uma bomba d'água antiga: é preciso derramar um pouco de água dentro para que ela comece a funcionar. Para uma escuta poderosa, às vezes é preciso tentar adivinhar o que a outra pessoa está pensando ou sentindo para que ela se abra. É preciso derramar alguma opinião no reservatório primeiro.

Há alguns anos, um dos autores deste livro estava trabalhando com uma equipe executiva que tinha decidido acrescentar um turno vespertino a uma das áreas de trabalho da empresa. O equipamento não estava sendo totalmente utilizado e a empresa não podia se dar ao luxo de manter a área aberta sem acrescentar uma equipe que ficasse das 15 horas à meia-noite. Isso, claro, significava que a cada duas semanas as pessoas que estivessem trabalhando de dia precisariam passar para o turno vespertino. Era uma escolha difícil, porém necessária.

Quando os executivos convocaram uma reunião para anunciar a mudança impopular, os funcionários ficaram em silêncio. Estavam obviamente insatisfeitos, mas ninguém dizia nada. O gerente de operações estava com receio de interpretarem erroneamente os atos da empresa como sendo apenas uma tentativa de lucrar mais. Na verdade, a área estava dando prejuízo e a decisão tinha como objetivo preservar os funcionários. Sem um segundo turno, não haveria empregos. Além disso, ele sabia que pedir às pessoas que fizessem rotatividade nos turnos e ficassem longe da família durante parte da noite criaria sérias dificuldades.

As pessoas permaneciam sentadas em silêncio e furiosas. O executivo tentou de tudo para fazê-las falar, pois não queria que fossem embora com questões pendentes. Ele espelhou:

– Vejo que vocês estão chateados. Quem não ficaria? Há alguma coisa que a gente possa fazer?

Nada.

Então ele estimulou. Isto é, tentou adivinhar o que eles estavam pensando, disse isso de modo a demonstrar que poderiam falar com segurança e prosseguiu a partir daí. Perguntou:

– Vocês acham que estamos fazendo isso só por dinheiro? Que não nos importamos com a vida pessoal de vocês?

Depois de alguns segundos, alguém respondeu:

– Bom, é o que parece. Vocês têm alguma ideia do problema que isso vai nos causar?

Em seguida, outra pessoa falou, e assim a discussão teve início.

Esse é o tipo de coisa que só se faz se nada mais tiver funcionado. É para o caso em que você quer realmente ouvir outras opiniões e tem uma ideia muito forte do que eles provavelmente estão pensando. Estimular é um ato de boa-fé, é correr riscos, é se mostrar vulnerável e criar segurança com a esperança de fazer os outros se abrirem.

E se a pessoa estiver errada?

Às vezes parece perigoso explorar com sinceridade as opiniões de uma pessoa cujo caminho seja extremamente diferente do seu. Ela pode estar completamente errada, ser preconceituosa ou perigosa, e nós estamos agindo com calma e autocontrole. É como se estivéssemos organizando uma cruzada, e não fazendo uma pergunta!

Para não se sentir como se estivesse se vendendo ao explorar outras opiniões – por mais diferentes ou erradas que pareçam –, lembre que estamos apenas tentando compreender o ponto de vista da pessoa, sem necessariamente abrir mão do nosso. Entender não é o mesmo que concordar. Sensibilidade não é consentimento. Ao tomar medidas para entender o Caminho para a Ação de uma pessoa, não estamos prometendo aceitar o ponto de vista dela. Estamos prometendo escutar.

Depois teremos tempo para compartilhar nosso caminho também. Por enquanto estamos apenas tentando descobrir o que os outros pensam, para entender o porquê de seus sentimentos e seu comportamento.

> ▷ **DISCORDÂNCIA RESPEITOSA**
>
> Ter uma Conversa Crucial pode parecer impossível quando os assuntos são polêmicos, como a política. O coautor Joseph Grenny tem algumas dicas para explorar os caminhos dos outros – mesmo quando vocês discordam – e transformar uma discussão furiosa em uma conversa civilizada. Assista ao vídeo *How to Respectfully Disagree About Politics* (*Como discordar respeitosamente de opiniões políticas*). Para isso, acesse www.conversascruciais.com.br e preencha o formulário para receber seus Recursos Adicionais.

A EQUIPE DE SAMIR – EXPLORANDO OS CAMINHOS DOS OUTROS

Vamos voltar a Samir e sua equipe para relatar uma única interação que une todas essas habilidades. A equipe se reuniu de manhã. Andreia está falando sobre um prazo importante.

Andreia: *Apesar do trabalho que fizemos, ainda não terminamos o último ciclo de testes. Isso precisará ser feito na semana que vem. Sei que é mais tarde do que a gente esperava, mas acho que ninguém chegou a pensar que esse fosse um prazo realista.*

Samir: *Espera aí. Como assim? Vocês concordaram com esse prazo. Se* *não achavam que era realista, deveriam ter avisado. Andreia, você e sua equipe precisam entregar o que combinaram.*

Andreia: *Nós concordamos com os seus prazos porque não havia opção, não porque fossem razoáveis!*

Samir sente o sangue ferver. Ele sempre teve alto desempenho e odeia perder prazos. Se a equipe tivesse sido franca desde o início, ele poderia ter flexibilizado o cronograma e talvez evitado o problema atual. Samir olha ao redor. Dá para ver a apreensão no rosto de todos. É evidente que essa conversa não está indo bem. Ele fica desapontado e irritado. Andreia está na defensiva e atacando. Samir sente que chegou a uma encruzilhada com a equipe. O que acontecer agora pode decidir como eles trabalharão juntos dali em diante e, em última instância, determinar o sucesso do projeto.

Ele faz uma pausa e pensa: "O que eu realmente quero aqui?" É fácil. Ele quer que o projeto seja concluído com sucesso. Repreender Andreia não vai fazer isso acontecer. Samir sabe que precisa da equipe. As pessoas podem enxergar os obstáculos à frente que ele está deixando de ver. Samir precisa que elas exponham suas preocupações antes que seja tarde demais.

Samir: (Usando a Contraposição para criar segurança) *Não quero que ninguém se sinta pressionado a concordar com um prazo que considere pouco realista. Isso pode significar o desastre para todos nós. Quero que sintam que podem se abrir e ser sinceros com relação aos riscos que existem, sem medo de ficar com uma imagem ruim. Não quero nenhum prazo com o qual não possamos vencer.*

Antônio: *Para você é fácil falar. Você é o astro da corporação. Não é o seu que está na reta.*

Samir: (Pedindo) *Será que podemos conversar sobre isso um minuto? Já ouvi vários de vocês comentarem que eu sou da corporação. Fico sentindo que vocês acham que eu não estou do lado de vocês.*

(Silêncio.)

Andreia: (Parecendo nervosa) *Claro que não é isso. Por que a gente não confiaria em você? Você quer que esse projeto dê certo, não quer?*

Samir: (Espelhando) *O modo como você diz isso e o fato de todo mundo ficar em silêncio me fazem pensar se vocês realmente confiam em mim. Segundo minha experiência, projetos como esse só têm sucesso quando toda a equipe sabe que todos têm o mesmo objetivo. Só assim todo mundo se sente seguro para expor suas preocupações com sinceridade.* (Pedindo:) *Eu realmente queria saber se existe alguma coisa em mim, ou no modo como estou gerenciando o projeto, que dificulta isso.*

(Mais silêncio.)

Pedro: *Acho que você está fazendo um trabalho ótimo, Samir. Estamos satisfeitos com você aqui.*

Andreia: *Concordo. Não é você. Todos estamos sentindo muita pressão. Nem quero pensar no que vai acontecer se esse projeto der errado.*

Samir: (Parafraseando) *Então vocês acham que o emprego de vocês corre perigo, é isso?*

Andreia: *Ah, sim. Depois do que aconteceu com o gerente de projetos anterior, não temos motivo para pensar assim?*

Samir: (Estimulando) *Entendo essa preocupação. E, sim, em última instância nosso emprego depende do nosso desempenho, mas fico pensando se não tem mais alguma coisa acontecendo. Quero chamar atenção para o seguinte... já ouvi meia dúzia de pessoas se referindo a mim como "Samir Cingapura". As pessoas riem quando falam isso, mas agora fico imaginando se vocês acham realmente que eu só estou interessado em ser transferido para a sede de Cingapura e não em fazer esse projeto acontecer. Vocês acham que, como fui designado para esse projeto pela alta cúpula da corporação, estou avaliando vocês ou algo assim?*

(As pessoas se entreolham, nervosas.)

Andreia: *Bom... é...*

Samir: *Porque, se essa preocupação existe, quero que a gente converse sobre isso agora mesmo. Tem muita coisa em jogo para todos nós nesse projeto e...*

A partir daí, a conversa passa para as questões verdadeiras, a equipe discute o que realmente está acontecendo e os dois lados saem um pouco mais confiantes de que podem expressar suas preocupações.

E SE VOCÊS DISCORDAREM?

Digamos que você tenha se esforçado ao máximo para levar a pessoa a falar. Depois de pedir, espelhar, parafrasear e por fim estimular, ela se abriu e compartilhou seu Caminho para a Ação. Agora é sua vez. Mas e se vocês discordarem? Alguns fatos estão errados e as narrativas dela são completamente deturpadas. Quer dizer, pelo menos são muito diferentes da sua narrativa. E agora?

Concordar

Quando observamos famílias e grupos de trabalho tendo discussões acaloradas, é comum percebermos um fenômeno bastante intrigante: ainda que as várias partes discutam ferozmente, na verdade elas estão tendo uma *concordância feroz*. Elas concordam com todos os pontos importantes, mas continuam brigando. É que encontraram um modo de transformar diferenças sutis num debate acirrado.

Por exemplo, ontem à noite seu filho adolescente desrespeitou de novo o horário de chegar em casa. Você e seu marido passaram a manhã discutindo a infração. Na última vez que Tiago chegou tarde, você concordou em lhe dar um castigo, mas hoje está chateada porque parece que seu marido está recuando, sugerindo que o garoto ainda pode ir ao treino de futebol esta semana. Mas na verdade o que houve foi apenas um mal-entendido. Você e seu marido *concordam* com o castigo – a questão central. Você achou que ele estava renegando o acordo quando, na verdade, vocês não tinham decidido a data em que o castigo começaria. Você precisou recuar e ouvir o que os dois estavam dizendo para perceber que na verdade não estavam discordando, e sim concordando de modo agressivo.

A maioria das discussões consiste em disputas pelos 5% a 10% dos fatos e das narrativas sobre os quais as pessoas discordam. E mesmo sendo verdade que em algum momento vocês vão precisar resolver suas diferenças, não é por aí que deveriam começar. Comecem por uma área de concordância.

O ponto de partida é o seguinte: se você concorda totalmente com o caminho da outra pessoa, diga isso e vá em frente. Não transforme uma concordância numa discussão.

Complementar

Claro, o motivo para que a maioria das pessoas transforme concordâncias em discussões é que discordamos de determinada parte do que a outra pessoa disse. Não importa que seja uma parte *pequena*. Se é um ponto de discordância, pulamos em cima dele como se fosse a última fatia de torta de chocolate no bufê de sobremesas.

Fazemos isso porque desde cedo fomos treinados para buscar pequenos erros. Já no jardim de infância aprendemos que quem dava a resposta certa virava o queridinho da professora. Estar certo é bom. Claro, se outros alunos derem a resposta certa, eles viram os queridinhos, portanto acertar primeiro é ainda melhor. Aprendemos a procurar os menores erros nos fatos e ideias que nos são apresentados. Em seguida, apontamos esses erros. Estar certo às custas dos outros é o melhor dos mundos.

Ao terminar sua formação, você tem praticamente um Ph.D. em captar diferenças triviais e torná-las gigantescas. Assim, quando alguém dá uma sugestão (baseada em fatos e narrativas), você está procurando algo do qual discordar. E, em vez de permanecer num diálogo saudável, vocês acabam tendo uma concordância feroz.

Quando observamos pessoas hábeis em dialogar, fica claro que elas não estão num jogo de trívia como *Perfil* ou *Master* – procurando diferenças triviais e proclamando-as aos brados. Na verdade elas estão procurando pontos de concordância. Por isso, costumam começar com a palavra "concordo". Em seguida, conversam sobre a parte em que estão de acordo. Pelo menos é por aí que começam.

E quando a pessoa meramente *deixa de fora um elemento* da discussão, as pessoas hábeis concordam e complementam a questão. Em vez de dizer "Está errado. Você esqueceu de mencionar...", dizem: "Claro. Além disso, percebi que..."

Se você concordar com o que foi dito mas a informação for incompleta, construa. Mostre as áreas de concordância e em seguida acrescente elementos que foram deixados fora da discussão.

Comparar

Por fim, se vocês discordam, compare seu caminho com o do outro. Isto é, em vez de sugerir que a *outra pessoa* está errada, sugira que *vocês* discordam. Na verdade ela pode estar errada, mas você não tem certeza até ouvir os dois lados da história. Por enquanto você só sabe que os dois têm opiniões diferentes. Assim, em vez de declarar "Está errado!", comece com uma abertura não impositiva mas honesta. Por exemplo:

"Eu vejo a coisa de modo diferente. Vou te dizer como."

"Cheguei a essa opinião a partir de uma perspectiva diferente."

"Tenho informações diferentes. Posso dizer quais são?"

Em seguida compartilhe o seu caminho usando as habilidades CALMA apresentadas no Capítulo 8. Isto é, comece compartilhando suas observações. Apresente-as sem impor e convide a pessoa a questionar suas ideias. Depois de ter compartilhado seu caminho, convide a pessoa a ajudar você a compará-lo com a experiência dela. Juntos, analisem e expliquem as diferenças.

Em suma: para se lembrar dessas habilidades, lembre-se dos 3 Cs: *Concorde* quando estiverem concordando. *Complemente* quando a pessoa deixar de incluir elementos fundamentais. *Compare* quando tiverem opiniões diferentes. Não transforme as diferenças em discussões que levem a relacionamentos pouco saudáveis e resultados ruins.

ANTES DE EXPLORAR OS CAMINHOS DOS OUTROS, ESTABELEÇA AS EXPECTATIVAS

Ao explorar os caminhos dos outros, você está tentando criar segurança para que eles exponham suas ideias, mas o reservatório só se amplia quando as ideias deles *e* as suas são ouvidas. As *suas* ideias também precisam estar no reservatório. Mas você criará mais segurança para os outros se ajudá-los a apresentar as ideias deles no início, antes de você mergulhar no reservatório com todas as suas ideias. Comece ouvindo, depois fale.

Isso pode ser difícil, principalmente quando há o medo de ouvir e não ser ouvido. Tio Carlinhos adora dar opiniões políticas durante a ceia de Natal. Mas assim que alguém verbaliza uma opinião diferente, ele fala por cima da pessoa ou muda de assunto. Como garantir que você terá uma chance de ser ouvido também?

Não se pode forçar ninguém a ouvir. Só porque você as escutou, não significa que elas vão escutá-lo. Apesar disso, a maioria das pessoas sente alguma obrigação de agir de modo recíproco. Se você escutou com disposição genuína e explorou primeiro as opiniões do outro, é provável que ele se disponha a ouvir você. Uma opção é definir essa expectativa antecipadamente. Por exemplo, quando tio Carlinhos começar mais um discurso, estabeleça alguns limites para a conversa: diga que você quer ouvir a opinião dele e pergunte se ele estará disposto a ouvir a sua depois.

Digamos: "Tio, sei que esse é um assunto importante para você e eu gostaria sinceramente de ouvir e entender seu ponto de vista. Tenho quase certeza de que é diferente do meu, mas quero saber o que você pensa. Prometo ouvir de mente aberta. Será que depois você teria interesse em ouvir o meu ponto de vista de mente aberta?"

Se tio Carlinhos recusar, você pode se retirar da conversa de consciência limpa. Nada obriga você a ouvir os monólogos dele. Mas é bem possível que ele concorde com esse pedido razoável. Quando for sua vez de dar sua opinião, não fique surpreso se ele precisar de um lembrete gentil (ou cinco!) do compromisso que assumiu.

Minha conversa crucial: Daryl K.

Há algumas semanas, um amigo que respeito muito me falou sobre o livro *Conversas Cruciais*. A ideia me chamou a atenção, porque estou enfrentando alguns problemas de liderança complicados, todos envolvendo conversas potencialmente difíceis que levam a decisões importantes. A ideia me intrigou a ponto de eu ir direto comprar o livro. Assim que comecei a ler, não consegui mais largá-lo. Naquela noite e na manhã seguinte, li como se fosse um romance, já que cada página continha ajuda para o atoleiro em que me encontrava.

Veja bem, eu estou nos últimos estágios de uma grande negociação com um sócio importantíssimo. Queremos criar juntos uma empresa de capital de risco na Europa, para desenvolver mais a nossa tecnologia. À medida que nos aproximávamos de um acordo nos últimos dois meses, as discussões começaram a ficar ruins, inclusive com telefonemas acalorados e desconfiança de ambos os lados. Eu não estava conseguindo encontrar um jeito bom de conduzir aquelas conversas. Há duas semanas, recebemos uma proposta de contrato, por isso precisaríamos chegar a um acordo ou seguir caminhos separados. Se nos separássemos, os dois lados sabiam que as coisas terminariam mal. Assim, em desespero, me reuni na semana passada com eles para resolver os impasses e chegar a um acordo.

Enquanto me preparava para a reunião, reli o livro, e foi como uma luz se acendendo. Cheguei às negociações armado com uma nova abordagem de comunicação. Literalmente roteirizei meus argumentos e fiz umas "colas" para lembrar o processo do diálogo. Segui o processo indicado no livro e tudo funcionou maravilhosamente bem. Houve muitos momentos em que o diálogo começou a se perder, mas todas as vezes consegui restaurá-lo e levar a discussão adiante. Uma das coisas mais difíceis que precisei fazer foi resistir ao impulso de discutir defendendo o meu ponto de vista e, em vez disso, restaurar a segurança simplesmente explorando a perspectiva do outro lado. Depois de seis horas de reunião, tínhamos o esboço de um contrato muito bom – para ambas as partes.

O acordo foi finalizado nos últimos dois dias. Negociar os detalhes dos documentos finais sob uma enorme pressão temporal, pelo telefone e em dois continentes, foi desafiador e repleto de momentos tensos. Ontem mesmo, no momento de maior tensão, parecia que o negócio inteiro iria por água abaixo. Levei quatro horas ao telefone para restaurar o diálogo, de modo a resolvermos os últimos detalhes. Ontem à noite, restava colocar *uma* palavra no contrato de 17 páginas. Eu não queria ceder e o pessoal do outro lado tentou me intimidar. Precisei recuar (de novo) e explorar os pontos de vista deles e restaurar a segurança encontrando um Objetivo Mútuo. Resolvemos o detalhe final com bastante facilidade num telefonema às cinco da manhã, no qual usei o processo de comunicação para alcançar um entendimento comum entre as partes.

Tenho plena convicção de que não teríamos conseguido concluir o negócio se um bom amigo não tivesse me recomendado essa poderosa abordagem de comunicação.

RESUMO: EXPLORAR OS CAMINHOS DOS OUTROS

Para encorajar o fluxo de ideias e ajudar seu interlocutor a deixar o silêncio ou a violência para trás, explore o Caminho para a Ação dele. Comece com uma postura de interesse, empatia e paciência. Isso ajuda a restaurar a segurança.

Depois, use quatro poderosas habilidades de escuta para refazer o Caminho para a Ação da outra pessoa até chegar às origens:

- **Pedir.** Comece simplesmente expressando interesse pelas opiniões da pessoa.
- **Espelhar.** Aumente a segurança reconhecendo respeitosamente as emoções que a pessoa parece estar sentindo.
- **Parafrasear.** À medida que a pessoa começa a expor parte da narrativa dela, repita o que você ouviu para mostrar não somente que entende, mas também que é seguro para ela expressar o que está pensando.

- **Estimular.** Se a pessoa continuar fechada, estimule-a. Tente adivinhar o que ela está pensando e sentindo.

Quando você começar a reagir, lembre-se de:

- **Concordar.** Quando tiverem basicamente a mesma opinião.
- **Complementar.** Se a pessoa omitir algo, veja em que pontos vocês concordam, depois complemente.
- **Comparar.** Quando tiverem discordâncias significativas, não sugira que a pessoa está errada. Em vez disso, compare os dois pontos de vista.

> *Ninguém pode me magoar*
> *sem minha permissão.*
> – GANDHI

10

PEGAR SUA CANETA DE VOLTA

Como ser resiliente ao ouvir um feedback difícil

Certa vez, um dos autores deste livro estava numa festa de casamento fazendo um longo brinde ao casal e, todas as vezes que se referia à noiva, usava erroneamente o nome da ex-mulher do noivo. Estava todo confiante com seu discurso até usar o nome errado pela quarta vez. Nesse ponto, um convidado não aguentou mais e gritou:

– Não é Becky, é Bonnie!

Ai.

É difícil ouvir um feedback negativo. Algumas das conversas mais cruciais acontecem quando ouvimos críticas a nosso respeito. Mas há uma diferença entre receber feedback e ser agredido pelo feedback. A maioria das pessoas já foi agredida por feedbacks em algum momento da vida. No meio de uma reunião, ao cruzar o corredor ou numa avaliação de desempenho, alguém desfere um soco verbal que abala nosso psicológico. E, para alguns, a vida nunca mais é a mesma.

Carmem, por exemplo. Carmem trabalhava numa empresa familiar. Um dia ela pediu feedback ao tio, um dos fundadores. Ele tirou os óculos, olhou no fundo dos olhos dela e disse:

– Você deveria ser mais como sua irmã.

Carmen recorda:

– Fiquei atônita. Minha irmã é miúda, sedutora e vive adulando os homens. Eu sou alta, independente, desembaraçada, direta e trabalho com homens de igual para igual. – Em seguida, acrescenta: – Isso foi há décadas, mas até hoje não sai da minha mente.

Estudamos a história de algumas centenas de pessoas que foram agredidas pelo feedback em algum momento da vida e a maioria falou sobre as cicatrizes que carrega desses breves encontros. Quando a gente lê o que elas ouviram, fica fácil concluir que o dano era inevitável. Algumas foram agredidas pelo feedback no trabalho, com afirmações do tipo:

- *"Você é uma pessoa maligna. É um ladrão. Um lixo."*
- *"Pare de ser um capacho para todo mundo que entra na sua sala. E, por favor, pense em se demitir – eu preciso de guerreiros, não de covardes."*
- *"Você é preguiçosa e arrogante."*
- *"Você é venenoso e tóxico."*
- *"Você só sabe reclamar."*
- *"Você é preguiçoso. Acho que não tem nenhuma ambição nem motivação."*

Outras pessoas ficaram abaladas depois de uma fala em casa:

- *"Você está tão desesperada para ter um amor que acabou aceitando esse namorado."*
- *"Você supostamente é um grande comunicador no trabalho, mas não sabe se comunicar comigo."*
- *"Quem contrataria você?"*
- *"Você só quer ter filhos para ter algum amigo."*
- *"Você é um m$@#% inútil e só se importa consigo mesmo."*

Ficamos pasmos ao ver quantas pessoas lembravam cada palavra do que tinha sido dito, como se estivesse bordado numa tapeçaria mental. Essas poucas palavras despedaçaram a autoconfiança, a esperança e, em alguns casos, os planos de vida.

Mas, afinal, o que fazer? Será que nosso bem-estar pode ser demolido a qualquer momento se a pessoa certa disser a coisa errada?

LIÇÕES DE FEEDBACK DADAS POR CRIMINOSOS

Nós, os autores, passamos boa parte da nossa vida profissional dizendo ao mundo que o melhor modo de ajudar as pessoas a receber feedbacks negativos e agir a partir deles é melhorar a forma de transmitir a mensagem. Nos capítulos anteriores apresentamos ferramentas que você pode usar a fim de evitar que a pessoa se sinta atacada (Criar Segurança) enquanto você diz as coisas certas (CPR), do modo certo (CALMA) e pelos motivos certos (Começar pelo Coração). E estamos convictos da validade dessas ideias.

Mas subestimamos fortemente como a comunicação pode ser melhorada se aperfeiçoarmos nossa capacidade de ouvir coisas difíceis, não importando como essas mensagens sejam passadas – isto é, até conhecermos uma centena de criminosos no centro de Salt Lake City, no estado americano de Utah.

Na esquina da rua 700 Leste com a 100 Sul de Salt Lake City fica uma mansão vitoriana de três andares com fachada de tijolinhos vermelhos, construída em 1892. Foi a primeira construção com encanamento interno da cidade. Hoje em dia, algo ainda mais inovador acontece ali. A casa é a sede da The Other Side Academy (Academia O Outro Lado), a Tosa. Seus moradores são 120 pessoas que foram presas, em média, 25 vezes. Antes de chegar ali, a maioria delas passou anos, até mesmo décadas, levando uma vida de crime e vício nas ruas. Uma mulher que chamaremos de Glória vivia embaixo de uma ponte com a mãe desde os 5 anos. Aos 10, quando a mãe a apresentou à metanfetamina, ela achou que tivesse descoberto um superpoder. Na época em que se candidatou à The Other Side Academy, Glória estava respondendo à acusação de ter agredido brutalmente o namorado. Outro aluno, Jeffrey, tinha passado seis anos nas ruas deixando que as pessoas fizessem coisas indizíveis com ele em troca de drogas. Um homem que chamaremos de Dominic teve um início promissor numa quadrilha esfaqueando um sem-teto. Os alunos da Tosa têm muitos problemas.

A maioria fica de dois a quatro anos ali, como alternativa a uma nova temporada na penitenciária. Durante esse tempo, eles se empenham para superar uma vida inteira de autodestruição. Na Tosa não há profissionais (terapeutas, conselheiros, guardas), nada além de uma família de pessoas no mesmo barco que precisam encontrar um modo de serem autossuficientes. Ninguém paga para estar ali. A Tosa não recebe nenhum valor de seus alunos, de planos de saúde nem do governo. Os alunos administram empresas de alto nível que geram renda e os ajudam a aprender novos hábitos para viver e trabalhar com outras pessoas.

Quando chegam à Tosa, os alunos costumam se comportar de modo impulsivo, egoísta, depressivo, racista, preguiçoso, defensivo e desonesto. Cadeias e penitenciárias não são boas escolas preparatórias para o decoro profissional. Até porque ninguém é preso por cantar alto demais no coro da igreja. Se você já reclamou de pessoas problemáticas no seu local de trabalho, imagine como seria administrar uma empresa em que todos os funcionários fossem alunos da Tosa!

No entanto, a cada ano desde sua fundação em 2015, as empresas da Tosa têm tido as melhores avaliações do seu ramo. A empresa de mudanças número 1 do estado é a da Tosa. A Figura 10.1 apresenta uma avaliação de cliente típica das centenas de cinco estrelas recebidas pela empresa.

No segmento de construção, a Tosa tem uma reputação impecável de integridade e qualidade. E se você ler as avaliações on-line do brechó-butique deles, pensará que as pessoas estão descrevendo uma estadia num resort de luxo. Como isso é possível? Como pessoas tão marcadas por circunstâncias de vida terríveis podem trabalhar juntas harmoniosamente para alcançar resultados que causariam inveja às melhores empresas do planeta?

A resposta: os Jogos.

Todas as terças e sextas, das 19 às 21 horas, os alunos se reúnem para os chamados Jogos. Os líderes da Tosa usam essa palavra para lembrar aos alunos que, tal como nos esportes, os Jogos da Tosa podem ser intensos e desafiadores, seguem regras que resguardam sua segurança, não duram para sempre e permitem que o participante siga em frente quando terminam. Nos Jogos, os alunos se sentam em grupos de 20 e trocam feedbacks crus. A crença fundamental que sustenta a prática é de que a implacável exposição à verdade é o melhor caminho para a empatia, o crescimento e a felicidade.

> ★★★★★
>
> 👤 **Berkeley R.**   10 de agosto de 2020
>
> Quando li as opiniões maravilhosas sobre a The Other Side Movers, pensei: como uma empresa de mudanças pode receber notas tão maravilhosas??!! Bom, porque ela é INCRÍVEL!
>
> Eles cobram por hora e são SUPER rápidos, sobem e descem escadas praticamente correndo. Além de o preço ser ótimo, eles são extremamente respeitosos, profissionais, dedicados e se importam com os seus pertences.
>
> O supervisor que me atendeu, Laef, me mostrou um arranhão minúsculo num portal da minha casa, algo que eu não teria notado nem em um milhão de anos, mas ele fez questão de me mostrar porque esse é o tipo de cuidado que eles têm no trabalho.
>
> 10 milhões de estrelas. Contrate a empresa, se puder!

Figura 10.1 Uma típica avaliação da The Other Side Movers

Os Jogos às vezes são intensos, com um vocabulário grosseiro. Um único aluno pode ser o foco das outras 19 pessoas do seu grupo durante 15 a 20 minutos sem folga. Seus colegas apresentam provas de que ele agiu de modo desonesto, manipulador, preguiçoso, egoísta ou arrogante. Há pouca ênfase na diplomacia. Em vez disso, eles se concentram em ajudar as pessoas a aprender a "aceitar o jogo" – significa, em essência, aprender a ouvir sem tentar se defender. Os veteranos aconselham a "apenas ouvir, depois colocar tudo num saco e levar para o travesseiro à noite. Lá você pode decidir o que absorver e o que descartar".

Mas, por favor, entenda: não estamos contando sobre os Jogos para eximir você da responsabilidade de falar ou escrever de modo respeitoso. Tudo que você aprendeu neste livro diz o contrário. A Tosa tem sua lógica específica para que essa população específica nessa situação específica se beneficie dessa abordagem específica. No entanto, concordando ou não com essa lógica, há algo impressionante que podemos aprender com o que acontece com as pessoas que aprendem não somente a participar desse tipo de dinâmica, mas também a se beneficiar do processo.

Não é de surpreender que os novos alunos não aceitem muito bem os jogos. Fecham-se, negam o que não querem ouvir ou reagem com hostilidade. Mas isso muda depressa. Eles logo aprendem a deixar que digam o que quiserem, como quiserem. Descobrem que eles próprios são a única fonte garantida para o sentimento de segurança e valor. Essa descoberta é libertadora. Eles param de culpar o mundo pelo que sentem e se tornam responsáveis pela própria serenidade.

Metaforicamente falando, aprendem a pegar sua caneta de volta.

Pense na sua caneta como a capacidade de definir o seu valor. De posse da sua caneta, você pode ser o autor das palavras. Seu valor é intrínseco a você? Tem a ver com sua aparência? Depende das suas realizações, de quantas pessoas o admiram ou de determinada pessoa amá-lo de volta?

Você nasceu com sua caneta na mão. Bebês não se abalam com as opiniões alheias, não têm necessidade de confirmação de algo que parece acima de qualquer dúvida. Não importa se a vovó gostaria que eu fosse mais parecido com ela, se o titio acharia melhor se eu tivesse olhos azuis ou se minha irmã mais velha queria que eu fosse menina. Mas isso muda conforme crescemos. À medida que aprendemos a perceber as emoções e os julgamentos das pessoas ao nosso redor, uma mudança se dá em nós. Não procuramos mais os outros simplesmente em busca de ajuda, informação ou companheirismo – coisas que eles podem nos oferecer. Sem perceber, entregamos nossa caneta a eles.

Quem está de posse da própria caneta pode redigir os termos de seu bem-estar. Tem dias que estamos em plena posse da nossa caneta. Tem quem goste de nós, tem quem não goste. Algumas coisas correm bem, outras não. Nossa segurança pessoal não depende das opiniões dos outros a nosso respeito, e sim de uma certeza inata de nosso valor. Nosso valor não aumenta e diminui se alguém ri da nossa piada ou não. Somos donos da nossa caneta.

Mas um dia acontece uma mudança sutil sem que a gente perceba. Fazemos uma apresentação fantástica. As pessoas concordam nos momentos certos, anotam cada ideia nossa. No final, um colega com quem nunca falamos diz que foi a melhor apresentação de projeto que já viu. A sensação é boa. Muito boa. A comissão se reúne e aprova nossa proposta. A sensação é ainda melhor. Então nosso chefe nos chama e diz: "Tenho grandes planos para você. Vamos conversar amanhã." Baixamos os olhos e vemos que a caneta sumiu. Sabemos que ela está por aí, em algum lugar, mas quem se importa? A vida é boa.

Acontece uma mudança quando não olhamos para os outros apenas em busca de informação. Começamos a olhá-los em busca de definição. Não desfrutamos simplesmente da aprovação dos outros – *precisamos* dela. A partir desse momento, estamos fundamentalmente inseguros. Agora as pessoas que estão com nossa caneta controlam nosso bem-estar emocional. Embora o dia de hoje esteja bom, o amanhã está repleto de perigos. Parafraseando o pastor Cornelius Lindsey, se você viver pelo elogio, morrerá pela crítica.

Às vezes entregamos nossa caneta sem pensar. Não percebemos o momento em que nosso centro de gravidade muda. Nos inclinamos muito para a frente e, em vez de apenas gostar dos elogios, passamos a precisar deles. Às vezes fazemos isso com uma esperança ingênua de que as evidências exteriores cuidem melhor de nós do que nós mesmos. E em outras ocasiões isso é apenas uma solução rápida. Não nos dispomos a fazer o trabalho necessário para permanecer firmes, preferindo, em vez disso, nos apoiar na aprovação. Então uma ou duas Conversas Cruciais nos lembram que esse modo de vida nos deixa fundamentalmente instáveis.

O modo como você recebe feedback não depende tanto do conteúdo da mensagem e mais de onde está sua caneta.

O ENIGMA DO FEEDBACK

Depois de ver os alunos da Tosa se tornarem mestres em receber feedback, começamos a nos dar conta de um enigma. Para ajudar você a entender o que nos deixou perplexos, leia esta lista de "feedbacks difíceis" que algumas pessoas disseram ter recebido. Em seguida, classifique-os, começando pelo menos doloroso até o mais doloroso de ouvir – de acordo com o que você imagina que tenha sido para as pessoas que de fato o ouviram.

- *"Você é venenoso e tóxico."*
- *"Você começa as conversas pelo meio. Não pergunta às pessoas se elas têm tempo, só sai falando quando acha conveniente."*

- *"Você é uma pessoa maligna. É um ladrão. Um lixo."*
- *"Quando você perde a cabeça, as pessoas podem se sentir desrespeitadas."*
- *"Você precisa olhar profundamente para dentro a fim de descobrir e eliminar suas deficiências."*

Centenas de pessoas fizeram essa tarefa. A ordem mais comum é:

1. *"Você começa as conversas pelo meio. Não pergunta às pessoas se elas têm tempo, só sai falando quando acha conveniente."*
2. *"Quando você perde a cabeça, as pessoas podem se sentir desrespeitadas."*
3. *"Você precisa olhar profundamente para dentro para descobrir e eliminar suas deficiências."*
4. *"Você é venenoso e tóxico."*
5. *"Você é uma pessoa maligna. É um ladrão. Um lixo."*

Perceba que, ao classificá-los desse modo, você faz uma suposição tácita. A ordem se baseia na gravidade da mensagem. Presumimos que pequenas críticas a comportamentos facilmente mutáveis machucariam menos do que grandes julgamentos sobre profundas falhas de caráter. Não temos dúvida de que ser chamado de "lixo" criaria feridas profundas, ao passo que "Você começa as conversas pelo meio" seria como um corte bobo no dedo. É essa crença que nos distrai do trabalho necessário para diferenciar os julgamentos que os outros fazem a respeito do nosso valor.

As pessoas que sofreram tais insultos nos expressaram quanto a mensagem doeu e quanto tempo a dor durou. Com base nos relatos delas, a "ordem correta" seria:

1. *"Você começa as conversas pelo meio. Não pergunta às pessoas se elas têm tempo, só sai falando quando acha conveniente."*
1. *"Quando você perde a cabeça, as pessoas podem se sentir desrespeitadas."*
1. *"Você precisa olhar profundamente para dentro para descobrir e eliminar suas deficiências."*
1. *"Você é venenoso e tóxico."*
1. *"Você é uma pessoa maligna. É um ladrão. Um lixo."*

Sim, todas foram igualmente dolorosas. Nenhum conteúdo e nenhuma fala previu a magnitude do dano! Sem dúvida existia algum outro fator em ação.

VOLTANDO À THE OTHER SIDE ACADEMY

O tempo que passamos na Tosa nos ajudou a ver, de novo, que o modo como você se sente com relação ao feedback tem a ver com quem segura a caneta, e não com o que é dito ou mesmo como é dito. Nosso problema é o fato de acharmos que o conteúdo ou a forma do feedback determinam quais serão nossos sentimentos.

É noite de sexta-feira. O alvo do Jogo é Marlin, um ex-viciado e ex-presidiário de 55 anos com a aparência de um marinheiro calejado. Em repouso, seu rosto é sempre carrancudo. Ele está na Tosa há três anos. Quando chegou, estava emocionalmente frágil. A menor crítica ou sugestão de reprovação o lançava num ataque de fúria verbal. Ele vivia sendo alvo do Jogo por ser grosseiro, egocêntrico e defensivo. Mas isso mudou.

Atualmente ele é mestre de obras na The Other Side Builders. Um dos novos alunos que trabalham com ele começa sem dó nem piedade:

– Você é um maníaco por controle, Marlin. Eu não sou idiota, tenho experiência em construção. Sei fazer as coisas. Mas não importa se o meu jeito de trabalhar pode dar certo, tem que ser do seu! Você sente algum barato mantendo a gente sob controle total? Por que você não me deixa fazer do meu jeito às vezes?

Marlin absorve tudo. Está sentado confortavelmente, com os braços e as pernas relaxados. Enquanto o aluno continua, o rosto de Marlin fica triste. Quando o colega termina, ele baixa os olhos, respira fundo e diz:

– Não pensei em como você se sentiria com isso. Tem razão. Eu ajo assim. Vou mudar isso.

Há três anos, Marlin tinha medo da verdade e ansiava por aprovação. Hoje em dia ele anseia pela verdade e tem medo da aprovação. Aprendeu a manter a aprovação a uma distância saudável – a tratá-la como informação, não como afirmação. Como isso aconteceu?

AS DUAS PARTES DA CANETA

Ele aprendeu a pegar sua caneta de volta.

Vamos pensar mais um pouco na ideia da caneta. O feedback só dói quando acreditamos que ele ameaça uma ou ambas as nossas necessidades psicológicas mais fundamentais: segurança (física, social ou material) e valor (amor-próprio, autoestima ou autoconfiança).

Vamos ampliar a definição da caneta como o poder de definir do que precisamos para atender essas duas necessidades.

Primeiro a segurança. Muitos alunos da Tosa cresceram em condições de insegurança extrema, por isso acreditam que sua segurança está sempre em risco. E, mais importante, que são incapazes de garanti-la a si mesmos. Ainda que nossa criação possa ter sido diferente da deles, muitos de nós, enquanto crescíamos, tivemos experiências que nos deixam cautelosos em algumas situações. Em consequência, entramos em algumas conversas sentindo uma apreensão desnecessariamente alta.

Então ficamos adultos e adquirimos mais recursos para cuidar de nós mesmos, mas não atualizamos nossas crenças sobre segurança. E essas crenças controlam nossa vida. Quando nosso chefe, nosso companheiro ou companheira, nosso vizinho ou alguém no metrô começa a nos criticar, nossa reação emocional é totalmente desproporcional ao risco concreto. Por quê? Porque equiparamos aprovação a segurança e reprovação a perigo. E deixamos de atualizar essa equação à medida que nossa capacidade de assumir a responsabilidade por nossa segurança aumentava.

Quando nos tornamos adultos, a caneta é nossa. Somos responsáveis por nós mesmos e capazes de cuidar de nós mesmos. Certo, existem ocasiões em que o feedback inclui ameaças financeiras ("Vou demitir você"), ameaças às relações ("Vou embora de casa") ou até mesmo ameaças físicas ("Vou bater em você"). Nessas situações, a reação adequada é algum nível de medo. Mas nossa análise dos 445 episódios que as pessoas relataram no estudo mostrou que as ameaças diretas são uma exceção rara. Na maioria dos casos é a nossa reação defensiva, combativa ou ressentida ao feedback que nos coloca em risco, mais do que o próprio feedback. E um motivo para ficarmos tão defensivos é que subestimamos nossa capacidade de nos protegermos. Você não fica com raiva quando está confiante. Fica com raiva quando sente medo.

Agora vamos falar sobre valor. Comecemos com duas suposições:

1. Saber a verdade é algo totalmente bom. Quanto mais verdade uma pessoa souber, melhor poderá viver.
2. O feedback dos outros é a pura verdade, a pura falsidade ou alguma mistura das duas coisas. Em geral é uma mistura.

A reação sensata ao feedback seria o que os alunos da Tosa fazem: colocar num saco, separar o que é verdade e descartar o resto. Mas não é o que fazemos. Seja verdadeiro, falso ou uma combinação dos dois, reagimos indiscriminadamente com dor, vergonha, medo ou raiva. Por quê? Porque vivemos com medo de não termos valor. É o medo de sermos inadequados, indignos de amor ou sem valor que torna as opiniões dos outros tão ameaçadoras. Quando outra pessoa segura nossa caneta, vivemos com medo constante de desaprovação. O feedback não é mais uma acusação do nosso comportamento – é uma auditoria do nosso valor.

Quando entregamos nossa caneta na mão de alguém, estamos abdicando da responsabilidade de definir os termos do nosso valor. Paramos de gerar sentimentos de valor e começamos a procurá-los. E essa procura perpetua nossos sentimentos de insegurança.

Será que realmente vivemos num mundo tão frágil que uma única pedra verbal pode derrubá-lo? Não até perdermos o controle da nossa caneta.

DOMINANDO O FEEDBACK

Os alunos da Tosa se tornam mestres em receber feedback. Não é incomum ouvir veteranos da instituição reclamarem que faz muito tempo que não têm um jogo difícil. "Não quero que parem de me ajudar a crescer", explicam. Quatro ferramentas os ajudam a não se permitirem ser definidos pelo feedback e a se beneficiarem dele. Essas ferramentas os levam a buscar segurança e seu valor dentro de si, não externamente.

As ferramentas formam a sigla CURA.

1. **Conectar-se.** Respirar fundo e devagar faz você lembrar que está em

segurança. Sinaliza que você não precisa se preparar para se defender fisicamente. Ter consciência dos seus sentimentos também ajuda. Procure dar nome a suas emoções à medida que as percebe em si – isso ajuda a se distanciar um pouco de suas emoções. Você está magoado, com medo, desconfortável, envergonhado? Se conseguir pensar no que está sentindo, ganhará mais poder sobre o sentimento. Além disso, identificar, examinar e questionar as narrativas que levaram a esses sentimentos pode ser útil (ver o Capítulo 5). Alguns alunos se conectam consigo mesmos buscando em seu interior verdades tranquilizadoras; por exemplo, repetindo uma afirmação como "Isso não pode me ferir, estou em segurança" ou "Se eu cometi um erro, não significa que eu seja um erro". Marlin recuperou sua caneta e redigiu os termos de seu valor próprio: "Tenho um valor infinito, intrínseco e eterno. Não sou definido pelo meu passado nem pela opinião alheia. Meu valor vem do meu potencial e das minhas escolhas." Conectar-se com essas ideias durante os Jogos funciona como uma âncora para ele. Algumas pessoas que acreditam num poder superior encontram apoio também em orações para resgatar a certeza do seu valor.
2. **Utilizar.** Tenha interesse em compreender e explorar o que é dito. Faça perguntas e peça exemplos. Depois, simplesmente ouça. Como aprendemos no capítulo anterior, manter o foco no conteúdo pode ser uma vacina contra a postura defensiva. Concentrar-se em entender e assimilar ajuda a interromper nossa tendência a levar as coisas para o lado pessoal. É difícil se diminuir e se torturar quando se está ocupado decifrando algo. A melhor "charada de curiosidade" é responder à seguinte pergunta: "Por que uma pessoa razoável, racional e decente diria o que ele/ela está dizendo?" Descole-se do que está ouvindo, como se estivesse sendo dito sobre outra pessoa. Isso ajudará a abrir mão da necessidade de avaliar o conteúdo. Simplesmente aja como um bom repórter tentando entender a história.
3. **Recuperar-se.** Nesse ponto, às vezes é melhor pedir um tempo. A sensação de controle traz a sensação de segurança. E recuperamos a sensação de controle quando exercemos nosso direito de conversar apenas quando estivermos de fato prontos. Explique que você gos-

taria de um tempo para refletir e que vai responder quando puder. Assim como os alunos da Tosa, separe as tarefas de coleta e triagem. Ponha tudo num saco e faça a triagem mais tarde. Permita-se sentir e se recuperar da experiência antes de fazer qualquer avaliação. Na Tosa, às vezes os alunos simplesmente dizem: "Vou dar uma olhada nisso." Eles não concordam. Não discordam. Simplesmente prometem examinar sinceramente o que ouviram, no seu tempo. Colocam tudo no reservatório de ideias e deixam marinando até estarem em plena posse de sua caneta. Você pode encerrar um episódio desafiador dizendo simplesmente: "Para mim é importante entender isso direito. Preciso de um tempo. Mais tarde volto a falar com você sobre o que concluí." Então use qualquer prática que ajude você a se reconectar com a sensação de segurança e de valor próprio.

4. **Aplicar.** Examine o que foi dito. Se você tiver feito um bom trabalho restabelecendo os sentimentos de segurança e valor, vai buscar a verdade em vez de ficar buscando falhas no feedback, em uma atitude defensiva. Examine o saco/reservatório de ideias. Mesmo que 95% seja lixo e 5% seja ouro, procure o ouro. Quase sempre há pelo menos um cerne de verdade no que as pessoas dizem. Examine a mensagem até encontrá-la. Depois, se for adequado, reconecte-se com a pessoa que deu o feedback e reconheça o que ouviu, o que aceita e o que se compromete a fazer. Às vezes pode ser necessário revelar sua visão das coisas. Se você fizer isso sem necessidade oculta de aprovação, não precisará ser defensivo nem combativo.

Hoje Marlin se porta com uma autoconfiança tranquila. Fez as pazes com os pais e os irmãos, com quem viveu em guerra por três décadas. Em três anos, participou de 300 Jogos. É feedback à beça. Porém Marlin aprendeu que sua reação ao feedback era mais importante do que o feedback em si. Passou a enxergar os Jogos que recebia mal como um lembrete de que tinha trabalho interno a fazer. À medida que aprendia a ser o guardião da própria segurança e do próprio valor, passou a cultivar uma paz de espírito que mudou tudo.

A dor que sentimos quando somos "agredidos pelo feedback" é sintoma de um problema muito mais profundo. As pessoas que reconhecem e abordam esse problema não melhoram apenas nessas Conversas Cruciais; ficam mais preparadas para todas as vicissitudes da vida.

RESUMO: PEGAR SUA CANETA DE VOLTA

Quando perceber que está reagindo mal a feedbacks difíceis, lembre a si mesmo que você pode controlar grande parte de sua reação. "Pegue sua caneta de volta" tomando medidas para garantir sua segurança e reafirmar seu valor próprio. Depois, use quatro habilidades para controlar o modo como lida com as informações dadas pelos outros:

1. **Conecte-se.** Respire fundo, dê nome às suas emoções e apresente a si mesmo verdades tranquilizadoras que estabeleçam sua segurança e seu valor.
2. **Utilize.** Demonstre interesse em compreender. Faça perguntas e peça exemplos. E depois apenas escute. Mantenha certa distância do que está sendo dito, como se fosse algo referente a outra pessoa.
3. **Recupere-se.** Peça um tempo, se necessário, para se recompor emocionalmente e processar o que ouviu.
4. **Aplique.** Examine o que foi dito. Procure o que há de verdade ali em vez de procurar os erros. Se for adequado, procure novamente a pessoa que lhe deu o feedback e reconheça o que ouviu, o que aceita e o que se compromete a fazer. Se necessário, apresente seu ponto de vista de modo não combativo.

PARTE 3

Como encerrar

As habilidades para encerrar uma Conversa Crucial são enganosamente simples. A maioria das pessoas sabe que *deveria* usá-las, mas não usa. E paga caro por isso.

Não cometa o erro de ignorá-las por parecerem óbvias. Elas são um ótimo exemplo de que o "senso comum" nem sempre é uma "prática comum". A aplicação regular dessas habilidades ajudará você a evitar uma quantidade enorme de trabalho para lidar com expectativas frustradas e lembranças dissonantes.

As habilidades apresentadas no Capítulo 11, "Partir para a ação", garantirão que você tenha expectativas claras com relação a como as decisões serão tomadas e quem fará o quê e quando depois da sua Conversa Crucial.

> *Todo homem tem o poder de não fazer nada.*
> – SAMUEL JOHNSON

11
PARTIR PARA A AÇÃO

Como transformar Conversas Cruciais em ação e resultados

Até aqui, sugerimos que colocar mais informações no reservatório contribui para o diálogo. Para encorajar esse livre fluxo de ideias, compartilhamos as habilidades que aprendemos observando pessoas hábeis em dialogar. Neste ponto, se você seguiu alguns dos nossos conselhos ou todos eles, está andando por aí com os reservatórios cheios. As pessoas que caminham perto de você devem ouvir o barulho da água balançando.

É hora das duas últimas habilidades. Ter mais ideias no reservatório, até mesmo possuí-las em conjunto, não garante que todos concordam com o que faremos com elas. Muitas vezes deixamos de converter as ideias em ações por dois motivos:

- Não temos expectativas claras em relação a como as decisões serão tomadas.
- Não fazemos um bom trabalho em agir a partir das decisões que tomamos.

Isso pode ser perigoso. Quando as pessoas passam da fase de acrescentar ideias ao reservatório para a ação é um momento perfeito para o surgimento de novos desafios.

DIALOGAR NÃO É O MESMO QUE TOMAR DECISÕES

Os dois momentos mais arriscados nas Conversas Cruciais costumam ser o início e o final. O início, porque você precisa criar segurança, senão tudo irá por água abaixo, e o final, porque, se você não tomar cuidado ao esclarecer a conclusão e as decisões que fluem do Reservatório de Ideias Compartilhadas, mais tarde pode ter suas expectativas frustradas. Isso pode acontecer de duas maneiras.

Como as decisões serão tomadas? Primeiro, as pessoas envolvidas podem não entender como as decisões serão tomadas. Por exemplo: Carol está irritada. Renato acabou de lhe repassar um e-mail confirmando um cruzeiro de três dias; o e-mail agradece pela reserva e pelo depósito de 500 dólares que ele fez.

Há uma semana eles tiveram uma Conversa Crucial sobre seus planos de férias. Os dois expressaram respeitosamente quais eram suas ideias e preferências. Não foi fácil, mas por fim decidiram que um cruzeiro funcionaria bem. Mas agora Carol está chateada. Renato, por sua vez, está perplexo; ele jurava que ela ficaria em êxtase.

Carol concordou *em princípio* com um cruzeiro. Não concordou com esse cruzeiro específico. Renato achou que qualquer um serviria e tomou a decisão sozinho. Divirta-se no cruzeiro, Renato.

Será que algum dia vamos decidir? O segundo problema com a tomada de decisão acontece quando nenhuma decisão é tomada. Conversas Cruciais são difíceis. Quando conseguimos concluir uma com sucesso, muitas vezes ficamos tão aliviados que simplesmente a encerramos logo, com uma expressão sincera de gratidão: "Obrigado. Estou muito feliz porque tivemos essa conversa." Ficamos nos sentindo bem porque, puxa, ninguém chorou nem gritou. Uma vitória e tanto. Mas, como não esclarecemos o que entendemos nem nossas decisões solidificadas, as ideias se vão e se dissipam, ou não conseguimos pensar o que fazer com elas.

DECIDAM COMO DECIDIR

Podemos resolver esses dois problemas se, antes de tomar uma decisão, os envolvidos decidirem como decidir. Não deixe que as pessoas presumam que dialogar é o mesmo que decidir. O diálogo é um processo para colocar todas as ideias relevantes num reservatório compartilhado. Esse processo, claro, envolve todo mundo. Mas permitir – ou mesmo encorajar – que as pessoas compartilhem suas ideias não significa que elas terão participação garantida em todas as decisões. Para evitar expectativas frustradas, separe o diálogo das decisões. Deixe claro como as decisões serão tomadas – quem estará envolvido e por quê.

Quando a linha de autoridade é clara. Quando está numa posição de autoridade, você decide qual método de decisão será usado. Gerentes e pais, por exemplo, decidem como decidir. Isso faz parte da responsabilidade deles como líderes. Vice-presidentes, por exemplo, não pedem a seus funcionários horistas que decidam sobre alteração de preços ou de linhas de produtos. Isso cabe aos líderes. Pais e mães não pedem aos filhos pequenos que escolham os dispositivos de segurança da casa ou que estabeleçam o próprio horário de dormir. Isso cabe aos pais e mães. Claro, tanto líderes quanto pais delegam mais decisões aos subordinados diretos quando estes garantem a responsabilidade, mas ainda assim é a figura de autoridade que decide qual método de tomada de decisão usar. Decidir quais decisões delegar e quando fazer isso faz parte da sua função administrativa.

Quando a linha de autoridade não é clara. Nesse caso, pode ser bastante difícil decidir como decidir. Por exemplo, pense numa conversa que você teve com a professora da sua filha. A professora decidiu que sua filha deveria repetir o ano. Você não concorda. Mas de quem é a escolha, afinal? Quem decide de quem é a escolha? Todo mundo tem direito de opinar e depois vota? A responsabilidade é da direção da escola? Como os pais têm a responsabilidade definitiva, será que eles deveriam consultar especialistas e depois decidir? Será que ao menos existe uma resposta clara para essa pergunta difícil?

Um caso assim é perfeito para o diálogo. Todos os participantes precisam colocar suas ideias no reservatório – inclusive as opiniões sobre quem deverá fazer a escolha final. Isso faz parte das ideias que vocês precisam discutir. Se não falarem abertamente sobre quem decide e por quê, e se suas opiniões divergirem muito, provavelmente terminarão numa batalha acalorada que só poderá ser resolvida no tribunal. Quando as conversas são mal conduzidas, é exatamente lá que esses assuntos são solucionados – *Família Silva contra Escola Vale Feliz.*

O que fazer, então? Conversar abertamente sobre as capacidades e os interesses da sua filha *e também* sobre como a escolha final será feita. Não mencione advogados ou um processo judicial de início; isso apenas abala a segurança e estabelece um clima de antagonismo. Seu objetivo é ter uma conversa aberta, honesta e saudável sobre uma criança, e não exercer influência, fazer ameaças ou derrotar educadores. Ouça as opiniões dos especialistas disponíveis e discuta como e por que eles deveriam ser envolvidos. Quando a autoridade para tomar a decisão não for clara, use suas melhores habilidades de diálogo para colocar ideias no reservatório. Decidam juntos como decidir.

Os quatro métodos de tomada de decisão

Quando vocês estão decidindo como decidir, é bom ter um modo de conversar sobre as opções de tomada de decisão disponíveis. Existem quatro maneiras comuns: comando, consulta, voto e consenso. Essas quatro trazem graus crescentes de envolvimento. Envolvimento maior traz o benefício de maior comprometimento, mas também a maldição da redução da eficiência na tomada de decisões. Assim, como vocês decidem quem vai decidir? As pessoas inteligentes escolhem qual desses quatro métodos atende melhor às circunstâncias específicas.

Comando
Vamos começar com decisões tomadas sem qualquer envolvimento. Isso acontece de três maneiras. Tomamos decisões autônomas na nossa área de responsabilidade, forças externas fazem exigências (que nos deixam sem espaço de manobra) ou entregamos as decisões a outras pessoas e seguimos sua liderança. Na verdade, a *maioria* das decisões na vida são decisões de

comando. Uma pessoa escreve o e-mail, aprova a ordem de compra ou elabora a apresentação. O mundo ficaria travado se o envolvimento de outras pessoas se tornasse a norma, e não a exceção.

Quando você é o chefe, toma uma quantidade de decisões em nome da simples eficiência. E é assim que deve ser. Uma característica básica para se tornar um líder eficaz é saber quais decisões merecem ser tomadas mais lentamente para permitir algum nível de envolvimento na forma de consulta, votação ou consenso.

No caso de forças externas, os clientes estabelecem preços, agências determinam padrões de segurança e outros órgãos governamentais simplesmente fazem exigências. Por mais que os funcionários gostem de achar que seus chefes estão sentados fazendo escolhas, em geral eles estão apenas passando adiante as exigências das circunstâncias. Essas são decisões de comando. No caso de decisões de comando externas, não cabe a nós decidir o que fazer. O que nos cabe é fazer a coisa funcionar.

No caso de delegar decisões, decidimos se essa é uma questão de risco tão baixo a ponto de não nos importarmos em participar da decisão ou se confiamos completamente na capacidade da pessoa delegada para tomar a decisão certa. Um envolvimento maior não acrescentaria vantagem alguma. Em equipes fortes e em relacionamentos saudáveis, muitas decisões são tomadas entregando a escolha final a alguém que achamos que tomará uma boa decisão. Não queremos gastar nosso tempo com isso e, de boa vontade, entregamos a decisão a outra pessoa.

Consulta
Este é um processo em que os tomadores de decisões convidam outras pessoas a influenciá-los antes de escolher. Essa consulta pode envolver especialistas, uma população representativa ou mesmo qualquer pessoa que queira dar uma opinião. A consulta pode ser um modo eficaz de angariar ideias e apoio sem ficar atolado no processo decisório. Pelo menos não muito. Líderes, pais e até mesmo casais inteligentes costumam tomar decisões assim. Reúnem ideias, avaliam opções, fazem uma escolha e depois informam ao grupo de pessoas envolvidas.

Voto

A votação é mais adequada em situações em que a eficiência é o valor mais alto – e há várias opções boas. Os membros da equipe percebem que talvez não consigam sua primeira opção, mas francamente não querem perder tempo discutindo interminavelmente o assunto. Eles podem discutir as opções por um tempo e depois fazer uma votação. Diante de várias boas opções, a votação é uma ótima maneira de poupar tempo, mas jamais deve ser usada quando os membros da equipe não se comprometem a apoiar qualquer decisão que for tomada. Nesses casos, é necessário consenso.

Consenso

Esse método pode ser tanto uma bênção fantástica quanto uma maldição frustrante. Decidir por consenso é conversar até todo mundo concordar verdadeiramente com uma decisão. Esse método pode proporcionar uma unidade tremenda e decisões de alta qualidade. Se for mal aplicado, porém, pode ser um tremendo desperdício de tempo. Só deve ser usado com (1) questões arriscadas e complexas ou (2) questões em que absolutamente todos os envolvidos precisam apoiar a escolha final.

Quatro perguntas importantes

Ao escolher entre os quatro métodos de tomada de decisão, considere as seguintes questões:

1. **A quem importa?** Defina quem deseja genuinamente se envolver na decisão, além das pessoas que serão afetadas. Esses são os seus candidatos para o envolvimento. Não envolva pessoas que não se importam.
2. **Quem sabe?** Identifique quem tem o conhecimento necessário para que seja tomada a melhor decisão. Encoraje essas pessoas a participar. Tente não envolver quem não tenha nenhuma informação nova a agregar.
3. **Quem precisa concordar?** Pense nas pessoas de cuja cooperação você pode precisar, seja na forma de autoridade ou de influência, em qualquer decisão que venha a tomar. É melhor envolver essas pessoas do que surpreendê-las e depois enfrentar sua resistência explícita.

4. **Quantas pessoas vale a pena envolver?** Procure envolver o menor número de pessoas, mas sem deixar de considerar a qualidade da decisão e o apoio que as pessoas darão a ela. Pergunte-se: "Temos pessoas suficientes para fazer uma boa escolha? Precisamos envolver outras pessoas para obter o apoio delas?"

Diga em voz alta

Assim que vocês tiverem avaliado as opções e decidido como vão decidir, certifique-se de acrescentar essa informação fundamental ao reservatório. Pode parecer óbvio, mas nós, autores, ficamos pasmos com a frequência com que esse passo é negligenciado. Por exemplo: você precisa tomar uma decisão importante sobre características fundamentais de um novo produto e quer obter muitas ideias de especialistas diversos. Você manda o convite para uma reunião destinada a "discutir características do novo produto". A discussão é frutífera e a reunião é encerrada com um consenso bastante claro entre os especialistas reunidos. Em seguida, você avalia algumas pesquisas de mercado, recebe feedback da equipe financeira e faz alguns testes com clientes. Por fim, você pega todas essas informações e toma uma decisão. A sua decisão.

Essa é uma clássica decisão de consulta e você está satisfeito. Até o momento em que manda o e-mail ao grupo inicial, delineando as características que você decidiu para o produto. Em minutos, sua caixa de entrada está cheia de respostas frustradas. E qual é a essência delas? "Por que você se deu ao trabalho de nos envolver se ia acabar fazendo o que queria?"

O que aconteceu? Bom, você convocou a reunião inicial sabendo que seria uma decisão de consulta. As pessoas se reuniram, ouviram você pedir ideias e presumiram que a decisão seria por consenso. Esse é um equívoco bastante compreensível e comum, especialmente quando se está lidando com decisões por consulta *versus* decisões por consenso. Mas também é fácil evitá-lo. Assim que tiver decidido como vai decidir, avise a todos.

Pode ser tão simples quanto dizer: "Suas ideias são fundamentais neste projeto. E saibam que esta é uma decisão por consulta. Vou receber as ideias de vocês, além de outras, e tomar a decisão final."

Ou então: "Eu gostaria que esta fosse uma decisão por consenso, mas precisamos definir isso hoje e temos apenas uma hora para a reunião. Se chegarmos a um consenso nesse tempo, ótimo. Caso contrário, vou analisar todas as ideias e tomar a decisão final."

E você? Aqui vai um ótimo exercício para equipes ou casais, principalmente se estiverem frustrados com o processo de tomada de decisão. Faça uma lista de algumas decisões importantes que estão sendo tomadas na equipe ou no relacionamento. Em seguida, discutam como cada decisão está sendo tomada atualmente e como cada uma delas *deveria* ser tomada – use, para tanto, as "quatro perguntas importantes". Por fim, decida como vocês tomarão decisões no futuro. Uma Conversa Crucial sobre suas práticas decisórias pode solucionar muitos problemas frustrantes.

ATRIBUA TAREFAS: COLOQUE AS DECISÕES EM PRÁTICA

Toda Conversa Crucial precisa terminar com uma decisão? Não necessariamente. Se o objetivo de uma conversa for conseguir avançar e melhorar nossos resultados, então sim, é quase certo que precisemos encerrar com uma decisão: o que vai ser diferente por causa dessa conversa? Às vezes, porém, colocamos tantas informações novas no reservatório que talvez não estejamos prontos para uma decisão no final da conversa. E tudo bem. No entanto, embora não precise terminar com uma decisão, toda conversa precisa terminar com um compromisso. Pode ser um compromisso de mudar ou de agir. Ou pode ser um simples porém sincero compromisso de pensar nas novas ideias que foram trocadas.

Ao terminar suas conversas assumindo compromissos, aborde estes quatro elementos (às vezes resumidos pela sigla QQQA):

- **Quem?**
- Faz o **quê?**
- **Quando?**
- Como fazer o **a**companhamento?

Quem?

Segundo um velho ditado inglês, "o que é responsabilidade de todo mundo não é responsabilidade de ninguém". Se você não atribuir tarefas específicas a pessoas específicas, há grandes riscos de que todo o trabalho que teve para tomar uma decisão acabe não dando em nada.

Na hora de atribuir tarefas, lembre que não existe "nós". "Nós", nesse caso, significa "eu não". É um código. Mesmo quando as pessoas não estão tentando se livrar de uma tarefa, a palavra "nós" pode levá-las a acreditar que outros assumirão a responsabilidade.

Dê nome a cada responsabilidade. Tanto em casa quanto no trabalho. Se você está distribuindo tarefas domésticas, lembre-se de ter uma pessoa específica para cada tarefa. Se for designar duas ou mais pessoas para uma mesma tarefa, nomeie uma delas como responsável – senão qualquer senso de responsabilidade será perdido numa enxurrada de acusações mais tarde.

Faz o quê?

Especifique com clareza as entregas e os resultados que você tem em mente. Quanto mais turvas forem as expectativas, maior a probabilidade de decepção.

Uma vez, por exemplo, o excêntrico empreendedor Howard Hughes designou uma equipe de engenheiros para projetar e construir o primeiro automóvel a vapor. Ao falar de seu sonho de um veículo que funcionasse com água quente, ele não lhes deu praticamente nenhum direcionamento.

Depois de vários anos de trabalho árduo, os engenheiros produziram o primeiro protótipo com dezenas de tubos percorrendo a lataria do carro – assim resolvendo o problema de onde colocar toda a água necessária para que um carro funcionasse a vapor. O veículo era essencialmente um radiador gigante.

Quando Hughes perguntou aos engenheiros o que aconteceria se o carro sofresse uma batida, eles explicaram, nervosos, que os passageiros seriam cozinhados vivos, como lagostas numa panela. Hughes ficou tão chateado com o que a equipe havia produzido que insistiu que o veículo fosse cortado em pedaços de no máximo 10 centímetros. Foi o fim do projeto.

Aprenda com Hughes. Ao atribuir uma tarefa, antes de qualquer coisa esclareça as condições limites do que você deseja. Digamos: "Quero um carro a vapor *que seja no mínimo tão seguro, tão bonito e tão eficaz quanto os modelos a gasolina.*" Muitos casais têm esse tipo de problema quando um dos cônjuges não quer ter o trabalho de pensar cuidadosamente no "produto final" desejado e mais tarde fica chateado porque seus desejos não especificados não foram atendidos. Se já redecorou um cômodo com uma pessoa amada, você sabe do que estamos falando. É melhor gastar um tempo antes, esclarecendo exatamente o que vocês querem, em vez de desperdiçar recursos e ferir sentimentos no final.

Para ajudar a esclarecer os resultados que deseja, use a Contraposição. Se você já viu pessoas entendendo errado determinada atribuição, explique esse erro comum como exemplo do que você *não* quer. Se possível, dê exemplos concretos. Em vez de falar em termos abstratos, apresente um protótipo ou uma amostra. Nós, os autores, aprendemos esse truque ao contratar um arquiteto famoso. Ele falou banalidades vagas sobre o que entregaria e aquilo nos pareceu fantástico. "Vou fazer um escritório aberto moderno que pode se transformar facilmente num cenário industrial", prometeu o sujeito, fazendo gestos sugestivos. Dezenas de milhares de dólares depois, ele nos entregou algo que se parecia mais com *Star Wars* do que com o Vale do Silício. Tivemos que refazer tudo do zero. A partir daí, aprendemos a mostrar fotos e indicar o que queríamos e o que não queríamos. "*Não* use móveis, cores, itens de decoração ou materiais que não sejam familiares para funcionários de empresas da Fortune 500" e "*Faça* parecido com estas fotos". Quanto mais clara a imagem projetada do resultado final, menores os riscos de uma surpresa desagradável.

Quando?

É chocante a frequência com que as pessoas deixam esse elemento de fora de uma atribuição. Em vez de dar um prazo, simplesmente dizem "um dia desses". Com prazos vagos ou não verbalizados, outras urgências surgem e a tarefa acaba indo para o fim da fila, onde logo é esquecida. Atribuições sem prazo são muito melhores em produzir culpa do que em estimular ação. Objetivos sem prazos não são objetivos, são apenas orientações.

Como fazer o acompanhamento?

Sempre combinem a frequência e o método que vocês usarão para acompanhar as tarefas. Pode ser um simples e-mail confirmando a realização de um projeto, pode ser um relatório completo numa reunião de equipe ou de família. Em geral, o acompanhamento é feito com verificações de progresso à medida que a tarefa é realizada.

Na verdade é bastante fácil incluir métodos de acompanhamento na própria atribuição da tarefa. Por exemplo: "Me ligue quando tiver terminado o dever de casa. Depois você pode ir brincar com seus amigos. Está bem?"

Ou talvez você prefira se guiar por marcos significativos do projeto: "Avise quando tiver terminado a pesquisa na biblioteca. Depois a gente define os próximos passos." Os marcos, claro, precisam estar ligados a uma data fixa: "Avise assim que tiver terminado a parte de pesquisa desse projeto. Você tem até a última semana de novembro, mas se terminar antes, me ligue."

Lembre-se: se quiser que as pessoas tenham responsabilidade, você precisa lhes dar a oportunidade de prestar contas. Crie uma expectativa de acompanhamento para cada tarefa atribuída.

Aplicando o QQQA em questões pessoais

Encerrar uma conversa decidindo **q**uem fará o **q**uê, **q**uando e como será o **a**companhamento parece bastante simples no trabalho ou em situações que envolvem um grupo. Muitas organizações têm estruturas projetadas especificamente para registrar itens de ação e decisões. Mas imaginamos que muitos dos leitores estejam pensando numa Conversa Crucial pessoal, cara a cara, e talvez tendo alguma dificuldade nesse sentido.

Talvez seja com um chefe, um colega de trabalho ou um familiar. É igualmente fundamental encerrar essas conversas com um plano de quem fará o quê, quando e como o acompanhamento acontecerá. Caso contrário, é bem provável que essa conversa precise ser repetida. Mas como fazer isso sem parecer ridiculamente burocrático?

Veja três dicas para a ação no final de uma Conversa Crucial pessoal:

Primeiro faça um resumo, para entender melhor. É sempre uma boa ideia recapitular a conversa para garantir que as pessoas estejam de acordo. Pode ser útil dizer por que você está resumindo. Por exemplo: "Ótimo. Essa conversa foi muito útil e parece que estamos realmente num bom lugar. Quero recapitular o que conversamos, só para ter certeza de que entendi tudo."

Depois certifique-se de ter identificado uma ação. O que vai mudar por causa dessa conversa? De novo, pode ser útil deixar claro o motivo para isso: "Estou muito feliz porque tivemos essa conversa. Parece que fomos numa boa direção. E quero garantir que tenho clareza com relação ao que cada um de nós precisa fazer de modo diferente para avançarmos. Com relação aos meus compromissos, eu vou…"

Por fim, vocês precisam planejar o acompanhamento. Ninguém é perfeito, e é bem possível que alguém, talvez você mesmo, não cumpra perfeitamente os compromissos assumidos. Tudo bem. Afinal de contas, isso é parte de ser humano. Mas é bom ter um plano para o acompanhamento, de modo a perceber as coisas logo e corrigi-las quanto antes.

Fazer acompanhamento com um subordinado direto ou com seu filho é uma coisa. Mas como se faz acompanhamento com seu chefe, um líder de nível superior ou um colega que está há muito tempo na empresa? Pode ser útil pensar no acompanhamento mais como um plano de verificação do que de avaliação. Por exemplo: "Achei fantástico. Obrigado pela conversa. Vou separar um horário na semana que vem só para garantir que, depois de termos tido tempo de analisar isso, tudo ainda pareça ok e funcionando para nós dois."

DOCUMENTE SEU TRABALHO

Não deixe o seu trabalho guardado apenas na memória. Se você fez esforço para completar uma Conversa Crucial, não desperdice todas as ideias que criou, confiando apenas na memória. Anote os detalhes das conclusões, decisões e tarefas. Lembre-se de registrar quem faz o quê e quando. Repasse suas anotações em momentos importantes (geralmente no encontro ou reunião seguinte) e reveja as tarefas.

Ao revisar o que deveria estar pronto, cobre os responsáveis. Quando alguém deixa de cumprir uma promessa, é hora de dialogar. Discuta o assunto usando as habilidades CALMA que abordamos no Capítulo 8.

Quando você cobra responsabilidade, não somente aumenta a motivação e a capacidade de as pessoas cumprirem as promessas. Também cria uma cultura de integridade.

RESUMO: PARTIR PARA A AÇÃO

Transforme suas Conversas Cruciais bem-sucedidas em ótimas decisões e em ação conjunta evitando as armadilhas das expectativas não realizadas e da inércia.

Decidam como decidir
- *Comando*. As decisões são tomadas sem envolver outras pessoas.
- *Consulta*. As ideias do grupo são coletadas e depois um subgrupo decide.
- *Voto*. Uma percentagem predeterminada de votos determina o que será feito.
- *Consenso*. Todo mundo chega a um acordo e apoia a decisão final.

Conclua com clareza
- Determine *quem* faz *o quê* e *quando*.
- Deixe totalmente claras as entregas desejadas.
- Estabeleça as datas ou períodos de *acompanhamento*.
- Anote os compromissos assumidos e os acompanhe.
- Finalmente, cobre responsabilidade das pessoas.

> *Boas palavras valem muito e custam pouco.*
> – GEORGE HERBERT

12

É, MAS...

Conselhos para casos difíceis

Quando nos reunimos com facilitadores de Conversas Cruciais de todo o mundo, eles informam que no final das aulas há sempre alguém que levanta a mão e diz algo do tipo: "É, isso tudo é incrível, mas..." Por exemplo: "É, mas o meu chefe jamais reagiria assim!" ou "É, mas minha filha adolescente é capaz de ignorar um tsunami!". Outra fala comum: "É, mas e se eu não estiver com o meu manual de treinamento quando chegar o momento crucial?" As pessoas podem pensar em dezenas de motivos pelos quais as habilidades das quais falamos não se apliquem aos desafios que elas enfrentam.

Na verdade, as habilidades de diálogo que apresentamos se aplicam a praticamente qualquer problema que você possa imaginar, mas, como algumas situações são mais difíceis do que outras, escolhemos alguns casos complicados para ilustrar a robustez do conhecimento que você tem agora. Vamos falar um pouco sobre cada um deles.

ASSÉDIO SEXUAL OU MORAL

"E se alguém não estiver me assediando descaradamente mas eu não gostar de como estou sendo tratada? Como posso abordar o assunto sem criar inimizade?"

O ponto perigoso

Alguém está fazendo comentários ou gestos que você considera ofensivos. Não é algo frequente e é sutil a ponto de você não ter certeza se o RH ou o seu chefe poderiam ajudar. O que fazer?

Em situações como essa, é fácil pensar que o ofensor tem todo o poder. Parece que as regras de convívio social permitem que os outros se comportem de modo inadequado e acaba parecendo que você está exagerando se reclamar.

Em geral, a grande maioria desses problemas desaparece se for discutida em particular, com respeito e firmeza. Seu maior desafio será o respeito. Se você se sujeitou a esse comportamento por tempo demais, tenderá a recorrer a uma Narrativa de Vilão cada vez mais feroz sobre o ofensor, o que vai intensificar suas emoções a ponto de você partir para cima dele cuspindo fogo – mesmo que seja apenas através da linguagem corporal.

A solução

Complete suas narrativas. Se você tolerou esse comportamento por muito tempo antes de ter a conversa, admita. Isso pode ajudar a tratar o indivíduo como uma pessoa razoável, racional e decente – ainda que parte do comportamento dele não se encaixe nessa descrição.

Quando sentir algum respeito pela outra pessoa, você estará em condições de começar. Depois de estabelecer um Objetivo Mútuo para a conversa, use as habilidades CALMA para esclarecer o seu caminho. Por exemplo:

(Estabelecendo o Objetivo Mútuo) *"Eu gostaria de falar sobre uma coisa que está interferindo no meu trabalho com você. É um assunto difícil, mas acho que vai nos ajudar a trabalhar melhor em equipe. Está bem?"*

(Declarando CALMA) *"Quando entro na sua sala, muitas vezes você me olha de cima a baixo. E quando me sento perto de você na frente de um computador, às vezes você coloca o braço no encosto da minha cadeira. Não sei se você percebe que está fazendo essas coisas, por isso pensei em falar, porque elas me deixam desconfortável. Como você enxerga isso?"*

Se você conseguir manter o respeito e a privacidade e ao mesmo tempo demonstrar firmeza na conversa, a maior parte dos problemas de comportamento vai cessar. E lembre: se o comportamento passar do ponto e a pessoa parecer sexualmente agressiva de modo intencional, você deve contatar o RH em vez de tentar uma conversa privada e perigosa. Além disso, se depois de uma conversa assim o comportamento continuar, envolva o RH para garantir que seus direitos e sua segurança estejam protegidos.

UM CÔNJUGE HIPERSENSÍVEL

"Mas o que você faz quando seu cônjuge é sensível demais?" Você tenta dar algum feedback construtivo, mas ele ou ela reage com tanta intensidade que você acaba se fechando no silêncio.

O ponto perigoso

Muitos casais, no primeiro ano de casamento, chegam a um acordo não verbalizado que afeta sua comunicação pelo resto da vida a dois. Digamos que uma pessoa é sensível e não aceita feedback ou que a outra não saiba dar feedback de modo adequado. Eles acabam concordando tacitamente em não dizer nada um ao outro. Vivem em silêncio. Os problemas precisam ser gigantescos para ser discutidos.

A solução

Esse costuma ser um problema de não saber esclarecer seu caminho usando a CALMA. Quando alguma coisa estiver incomodando você, detecte-a logo. A Contraposição também pode ajudar: "Não estou tentando criar problema, só quero cuidar disso antes que fuja ao controle." Compartilhe seus fatos descrevendo os comportamentos que você observou: "Quando Jimmy deixa o quarto bagunçado, você usa sarcasmo para chamar a atenção dele. Você chama o garoto de 'porco' e depois ri, como se não estivesse falando sério." Explique as consequências em tom moderado: "Creio que isso não está tendo o efeito que você quer. Ele não capta a dica e acho que está começando a ficar ressentido com você" (sua narrativa). Abra espaço para questionamento: "Você enxerga isso de outro modo?"

Por fim, Aprenda a Olhar sinais de que a segurança corre perigo e Crie Segurança. Quando você faz um bom trabalho com as habilidades CALMA e os outros ficam na defensiva, recuse-se a concluir que o problema é impossível de ser discutido. Trabalhe melhor sua abordagem. Afaste-se do assunto em pauta, faça o necessário para garantir que a outra pessoa se sinta segura e depois tente sinceramente usar as habilidades CALMA para esclarecer seu ponto de vista.

Quando cônjuges param de trocar feedback útil, perdem a ajuda de um confidente e orientador de toda a vida. Perdem centenas de oportunidades de se ajudar mutuamente e de se comunicar de modo mais construtivo.

CONFIANÇA PERDIDA

"Mas e se eu simplesmente não confiar na pessoa? Ele deixou de cumprir um prazo importante. Agora não sei se vou poder confiar nele de novo."

O ponto perigoso

Muitas pessoas presumem que confiança é algo que ou você tem, ou não tem. Ou você confia em alguém, ou não confia. Isso coloca muita pressão sobre a confiança. "Por que eu não posso chegar depois da meia-noite? Você não confia em mim?", pergunta seu filho adolescente.

A confiança não precisa ser oferecida universalmente. Na verdade, em geral ela é oferecida em graus variados e depende muito do assunto. Ela depende também de dois outros aspectos: motivação e capacidade. Por exemplo: talvez você confie que, se necessário, eu tentarei fazer uma ressuscitação cardiopulmonar; afinal de contas, sou uma pessoa motivada. Mas não confia que eu vá conseguir, pois não sei nada sobre isso.

A solução

Trate da confiança com relação à questão, e não à pessoa.

Quando se trata de recuperar a confiança nos outros, não seja exigente demais. Tente confiar neles no momento, e não em todas as situações. Você não precisa confiar nas pessoas com relação a tudo. Crie segurança para você no momento, fale das suas preocupações. Sem impor, use as ferramentas CALMA para esclarecer o que você vê acontecendo: "Tenho a impressão de que você só está falando do lado bom do seu plano. Preciso saber dos possíveis riscos para me sentir confortável. Tudo bem?" Se a pessoa estiver fazendo um jogo, chame-a à responsabilidade. Além disso, não use sua desconfiança como um porrete para castigar as pessoas. Se elas mereceram sua desconfiança em uma área, não deixe que isso atrapalhe sua percepção geral sobre o caráter delas. Se você criar uma Narrativa de Vilão, exagerando o fato de a pessoa ser indigna de confiança, acabará dando a ela motivo para ser ainda menos digna da sua confiança. Criará assim um ciclo de autodestruição e obterá mais daquilo que *não* quer.

NÃO DEMONSTRA INICIATIVA

"Mas e se a questão não for algo que a pessoa esteja fazendo, e sim algo que ela não esteja fazendo? Algumas pessoas da minha equipe de trabalho fazem o que é pedido, e nada mais. Se encontram um problema, tentam resolvê-lo apenas uma vez. Se não funciona de primeira, desistem."

O ponto perigoso

A maioria das pessoas fala mais sobre a presença de um mau comportamento do que sobre a ausência de um bom comportamento. Quando alguém realmente faz bobagem, os líderes e os pais se sentem compelidos a agir, mas, quando simplesmente deixam de ser excelentes, é difícil saber o que dizer.

A solução

Estabeleça expectativas mais altas. Não fale de uma situação específica; fale do padrão geral. Se você quiser que uma pessoa demonstre mais iniciativa, diga isso a ela. Dê exemplos específicos de quando ela encontrou uma barreira e recuou depois de uma única tentativa de superá-la. Deixe totalmente claro que você elevou a expectativa. Discutam juntos o que a pessoa poderia ter feito para ser mais persistente e mais criativa na busca de uma solução.

Por exemplo: "Pedi que você fizesse isso antes de eu voltar de viagem. Você encontrou um problema, tentou me contatar e deixou um recado com meu filho de 4 anos. O que você poderia ter feito para me localizar?" ou "Que outra estratégia você poderia ter seguido nesse caso?".

Observe o que você tem feito para compensar a falta de iniciativa da pessoa. Você se responsabilizou pelo acompanhamento das tarefas? Nesse caso, fale com a pessoa que ela deve assumir essa responsabilidade. Você delegou a tarefa a mais de uma pessoa, para ter certeza de que seria feita? Nesse caso, peça que o responsável original informe sobre o andamento das coisas com antecedência, de modo que você só precise acionar outra pessoa se houver necessidade evidente de mais recursos.

Pare de agir a partir das suas expectativas de que os outros não terão iniciativa. Fale sobre elas e busque acordos que coloquem a responsabilidade nos membros da equipe e que ao mesmo tempo lhe deem informações a tempo, para que você não fique na mão.

DELICADO E PESSOAL

"Mas e se for um assunto íntimo demais, como um problema de higiene? Ou talvez a pessoa seja chata e os outros a evitem. Como falar de algo sensível assim?"

O ponto perigoso

A maioria das pessoas foge de questões delicadas como o diabo foge da cruz. E não é à toa. Infelizmente, quando o medo e o constrangimento prevalecem sobre a honestidade e a coragem, podemos passar anos sem receber uma informação tremendamente útil.

Então, quando enfim se manifestam, as pessoas vão do silêncio direto para a violência. Piadas, apelidos e outras tentativas disfarçadas de dar um vago feedback são coisas indiretas e desrespeitosas. Além disso, quanto mais tempo você passar sem dizer nada, maior será a dor quando finalmente der a mensagem.

A solução

Use a Contraposição. Explique que você não quer magoar os sentimentos da pessoa, mas que quer dizer uma coisa que pode ser útil. Estabeleça um Objetivo Mútuo. Deixe claro que suas intenções são genuínas. Além disso, explique que você se sente relutante em falar do assunto por causa da natureza pessoal, mas que, como o problema está interferindo na eficiência da pessoa, você realmente precisa fazer isso. Descreva o problema com cautela. Não se alongue nem exagere. Mencione os comportamentos específicos e depois busque soluções.

Ainda que nunca sejam fáceis, essas discussões definitivamente não precisam ser ofensivas.

E TEM MAIS

As Conversas Cruciais não são apenas as conversas importantes, previstas e às vezes temidas que você planeja com cuidado e depois desenvolve com precisão e elegância. Muitas delas acontecem sem aviso, a qualquer momento e com praticamente qualquer pessoa. À medida que continuar praticando suas habilidades, você perceberá que ficou mais alerta e mais hábil em lidar até mesmo com situações mais complicadas. Mas não vamos abandoná-lo aqui.

Organizamos uma enorme biblioteca de situações do tipo "Mas e se" – situações em que as pessoas acham difícil usar suas habilidades. Por exemplo:

- Como denunciar microagressões ou racismo?

- Como reagir a acusações falsas?
- Como dizer a verdade quando ela parece dura e até mesmo brutal?
- Como confrontar um mentiroso?
- Como dizer a verdade a alguém que está no poder?
- Como conversar com uma pessoa que você não respeita?
- Como defender sua moral e seus valores?

No correr dos anos oferecemos dicas, conselhos e até mesmo roteiros para essas Conversas Cruciais na nossa newsletter semanal e no blog Crucial Skills (cruciallearning.com/blog), ambos em inglês. Convidamos você a ler, a cada semana, respostas para questões da vida real. E, claro, adoraremos receber suas perguntas. Além disso, você pode pesquisar no nosso banco de dados de mais de mil respostas anteriores, que lhe darão conselhos direcionados quando você mais precisar.

> *Posso vencer qualquer discussão. Cientes disso, as pessoas ficam longe de mim nas festas. Como sinal do grande respeito que têm por mim, muitas vezes nem me convidam.*
> – DAVE BARRY

13
JUNTANDO TUDO
Ferramentas para a preparação e o aprendizado

Se você leu até aqui num período de tempo curto, provavelmente se sente como uma sucuri que acabou de engolir um bezerro. É muita coisa para digerir.

Neste ponto, você pode estar imaginando como vai conseguir memorizar e aplicar todas as ideias expostas neste livro – ainda mais durante algo tão imprevisível e dinâmico como uma Conversa Crucial.

Este capítulo vai ajudá-lo na tarefa intimidante de tornar as ferramentas e habilidades de diálogo mais fáceis de lembrar e usar. Primeiro vamos contar o que ouvimos de pessoas que mudaram de vida usando essas habilidades. Depois vamos apresentar um modelo para ajudá-lo a organizar visualmente os nove princípios do diálogo. Por fim, mostraremos um exemplo de Conversa Crucial em que todos os princípios do diálogo são aplicados.

DOIS PRINCÍPIOS FUNDAMENTAIS

Ao longo dos anos, aprendemos muito sobre como vários leitores transformam essas ideias em novos hábitos. Algumas pessoas progridem escolhendo uma habilidade que elas sabem que vai ajudá-las a dialogar numa Conversa

Crucial daquele momento. Simplesmente usar uma ferramenta nova é um excelente modo de começar. Se isso levar a resultados melhores, você terá mais probabilidade de continuar usando-a, até isso virar um hábito.

Outras pessoas se concentram menos nas habilidades e mais nos princípios. Por exemplo, você pode começar aumentando sua capacidade de dialogar tornando-se mais consciente destes dois princípios fundamentais.

Aprender a olhar. O primeiro princípio para a mudança positiva é Aprender a Olhar. Isto é, as pessoas que melhoram suas habilidades de diálogo se perguntam continuamente se estão dentro ou fora do diálogo. Só isso já faz uma diferença enorme. Mesmo aquelas que não conseguem lembrar ou nunca aprenderam as habilidades CALMA, PEPE ou CURA, etc., conseguem se beneficiar deste material apenas se perguntando se os outros ou elas próprias estão recorrendo ao silêncio ou à violência. Elas podem não saber exatamente como resolver o problema que estão enfrentando, mas sabem que, se não estão dialogando, não há como sair algo bom dali. Então tentam algo para retomar o diálogo. E, bem, tentar já é melhor do que não fazer nada.

Lembre-se de se fazer a importante pergunta: "Nós estamos num embate ou num diálogo?" É um excelente ponto de partida.

Muitas pessoas obtêm ajuda adicional aprendendo a olhar com os amigos. Elas estudam o livro ou treinam em família ou em equipe. Ao compartilharem conceitos e ideias, aprendem um vocabulário comum. Esse modo compartilhado de falar sobre Conversas Cruciais ajuda a promover a mudança.

Talvez o modo mais comum de a linguagem do diálogo entrar na conversa cotidiana seja com esta declaração: "Acho que nos afastamos do diálogo." Esse lembrete simples ajuda as pessoas a se conter a tempo, antes que haja grandes danos à relação. Já observamos equipes de executivos, grupos de trabalho e casais simplesmente deixando evidente que estavam recorrendo ao silêncio ou à violência, mas outras pessoas frequentemente reconhecem o problema e agem para corrigi-lo: "Tem razão. Não estou dizendo o que precisa ser dito" ou "Desculpa. Tentei impor meu ponto de vista".

Criar segurança. O segundo princípio fundamental é Criar Segurança. Já sugerimos que o diálogo consiste no fluxo livre de opiniões e ideias e que o principal obstáculo para o fluxo é a falta de segurança. Ao perceber que você e outras pessoas se afastaram do diálogo, faça algo para criar mais segurança. Qualquer coisa. Sugerimos algumas habilidades, mas elas são meramente um punhado de práticas comuns. Não abrangem tudo. Sem dúvida existem muitas coisas que você pode fazer para aumentar a segurança. Se simplesmente perceber que o seu desafio é criar segurança, 90% das vezes fará, intuitivamente, algo proveitoso.

Às vezes se cria segurança fazendo uma pergunta e demonstrando interesse pelo ponto de vista dos outros. Às vezes um toque adequado (se estiver lidando com pessoas queridas e familiares, mas não no trabalho, onde tocar alguém pode ser assédio) pode comunicar segurança. Pedidos de desculpas, sorrisos e até mesmo propor um breve "intervalo" podem ajudar. A ideia principal é Criar Segurança. Faça alguma coisa para provar que você se importa com os interesses do outro e que o respeita. E lembre: praticamente todas as habilidades que abordamos neste livro, desde a Contraposição até Estimular, constituem ferramentas para criar segurança.

Esses dois princípios formam a base para reconhecer, construir e manter o diálogo. Quando o conceito de diálogo é introduzido, essas são as ideias que a maioria das pessoas pode entender e aplicar nas Conversas Cruciais. Agora vamos analisar os outros princípios que apresentamos.

COMO SE PREPARAR PARA UMA CONVERSA CRUCIAL

Aqui vai uma última ferramenta para ajudá-lo a transformar essas ideias em ação. É um modo poderoso de treinar a si mesmo – ou outra pessoa – para ter uma Conversa Crucial. Ela pode literalmente ajudá-lo a identificar o local exato em que está com dificuldade e a habilidade específica que pode ajudá-lo a avançar.

Veja a tabela 13.1, "Modelo de referência para Conversas Cruciais". A primeira coluna mostra os nove princípios de diálogo que já apresentamos. A segunda resume as habilidades associadas a cada princípio. A última coluna é o melhor lugar para começar a se desenvolver ou a orientar os outros. Essa coluna inclui uma lista de perguntas que ajudarão a aplicar habilidades específicas às suas conversas.

Tabela 13.1 Modelo de referência para Conversas Cruciais

Princípio	Habilidade	Pergunta crucial
1. Identificar o assunto (Capítulo 3)	Separar, Escolher, Simplificar	Qual é o assunto certo a ser abordado para ir em direção ao que eu realmente quero?
	CPR (Circunstância, Processo/Padrão, Relacionamento)	É uma questão de Circunstância, Padrão/Processo ou Relacionamento?
2. Começar pelo Coração (Capítulo 4)	Focar no que você realmente quer	Estou agindo como se eu realmente quisesse o quê? • Para mim • Para os outros • Para o relacionamento O que eu deveria fazer agora para ir em direção ao que realmente quero?
3. Dominar suas narrativas (Capítulo 5)	Refazer seu Caminho para a Ação Separar os fatos da narrativa Estar atento aos três truques de narrativa Completar sua narrativa	Como estou me comportando? O que estou sentindo? Que narrativa está criando esses sentimentos? Voltar aos fatos: o que ouvi ou vi que sustenta minha narrativa? Existem outros fatos que questionam minha narrativa? Estou criando Narrativas de Vítima, Vilão ou Impotente? O que estou fingindo não saber sobre o meu papel no problema? Por que uma pessoa razoável, racional e decente faria isso? O que devo fazer agora para ir em direção ao que realmente quero?

Princípio	Habilidade	Pergunta crucial
4. Aprender a olhar (Capítulo 6)	Estar atento para quando a conversa ficar crucial Estar atento a problemas de segurança Estar atento ao seu Estilo Sob Tensão	Estou recorrendo ao silêncio ou à violência? Outras pessoas estão fazendo isso?
5. Criar segurança (Capítulo 7)	Pedir desculpas quando for adequado Usar a Contraposição para desfazer ou prevenir mal-entendidos Usar o CRIB para chegar a um Objetivo Mútuo	Por que a segurança corre perigo? • Estabeleci algum Objetivo Mútuo? • Estou mantendo o Respeito Mútuo? O que farei para restaurar a segurança?
6. Declarar CALMA (Capítulo 8)	**C**ompartilhar seus fatos **A**presentar sua narrativa **L**evar em consideração outras opiniões **M**oderar o tom **A**brir espaço para o questionamento	Estou realmente aberto a outras opiniões? Estou falando do assunto real? Estou expressando meu ponto de vista com confiança?
7. Explorar os caminhos dos outros (Capítulo 9)	**P**edir **E**spelhar **P**arafrasear **E**stimular **C**oncordar **C**omplementar **C**omparar	Estou examinando ativamente outros pontos de vista? Estou evitando discordâncias desnecessárias?
8. Pegar sua caneta de volta (Capítulo 10)	**C**onectar-se **U**tilizar **R**ecuperar-se **A**plicar	O que preciso fazer para me sentir seguro? O que preciso fazer para afirmar o meu valor?
9. Partir para a ação (Capítulo 11)	Decidir como vocês vão decidir Documentar as decisões e fazer acompanhamento	Como tomaremos as decisões? O que faremos e quando? Como faremos o acompanhamento?

VEJAMOS COMO TUDO ISSO FUNCIONA

Finalmente, incluímos aqui um caso ampliado, para mostrar como ficam esses princípios quando você se encontra no meio de uma Conversa Crucial. Ele delineia uma discussão difícil entre você e sua irmã sobre a divisão da herança da sua mãe. O caso foi elaborado de modo a exemplificar onde os princípios se aplicam e revisar rapidamente cada um deles à medida que surge na conversa.

A conversa começa com você falando da casa de praia da família. O enterro da sua mãe foi há um mês e chegou a hora de dividir os bens. Você não está nem um pouco ansiosa por isso.

O assunto fica mais delicado porque você sente que, como cuidou praticamente sozinha da sua mãe nos últimos anos, deveria receber uma parcela maior da herança. Mas você duvida que sua irmã vá pensar do mesmo modo.

Sua Conversa Crucial

> **Você:** *Precisamos vender a casa de praia. Nunca vamos lá, e precisamos do dinheiro para pagar as despesas que eu tive cuidando da mamãe nos últimos quatro anos.*

> **Irmã:** *Por favor, não venha tentar lançar culpa em mim. Eu mandava dinheiro todo mês para ajudar. Você sabe que, se eu não precisasse viajar a trabalho, iria querer que ela ficasse na minha casa.*

Você percebe que as emoções já estão se intensificando. Você está ficando na defensiva e sua irmã parece irritada. Esta é uma Conversa Crucial e não começou bem.

Identificar o assunto

Você tem vários assuntos competindo pela sua atenção: "Como serei recompensada?", "Como vamos dividir os outros bens?", "Existem mágoas em relação a como mamãe foi cuidada?", "Há desconfiança ou sentimentos de desrespeito entre nós?", "O luto por mamãe está interferindo?". E assim por diante. Vocês não vão conseguir avançar enquanto não concordarem com o assunto a discutir.

Como todos os assuntos são importantes, você opta por deixar que sua irmã decida o assunto, para mostrar que se importa com os sentimentos dela.

Você: (Estimulando) *Parece que precisamos conversar sobre outras coisas antes de chegarmos à casa de praia. Você acha que eu fiquei ressentida com a forma como você participou dos cuidados com mamãe no final? É sobre isso que você quer conversar?*

Começar pelo Coração
Faça uma pausa e pergunte-se o que você realmente quer. É melhor fazer isso antes de se encontrar com sua irmã. Desse modo, quando ela tiver uma reação emocional, você terá uma perspectiva mais ampla que a ajudará a permanecer no rumo.

Em última instância, você quer ser compensada adequadamente pelo tempo e pelo dinheiro que gastou. Também quer manter um bom relacionamento com sua irmã. Você sabe que ela está de luto e que até pode sentir culpa por não ter se envolvido tanto no final. Você quer ajudá-la a processar esses sentimentos, mas não quer se render ao Dilema do Tolo. Assim, ao entrar nesse assunto, você se pergunta: "Como posso garantir que serei tratada com justiça e apoiar minha irmã?"

Dominar suas narrativas
Você admite que está criando Narrativas de Vítima e de Vilã. Ficou ressentida com sua irmã porque ela se envolveu menos nos cuidados com sua mãe. Mas você nunca conversou com ela sobre esses sentimentos. Você a transformou em vilã porque isso era mais fácil do que pedir a ela que ajudasse mais. Você "completa sua narrativa" se perguntando: "O que estou fingindo não saber com relação ao meu papel no problema?" Você pode ver claramente que jamais falou sobre suas necessidades e agora a culpa por não ter adivinhado que você queria ajuda.

Você se pergunta: "Por que uma pessoa razoável, racional e decente faria o que ela fez?" Isso ajuda a enxergar que o fato de sua mãe morar a 1 quilômetro da sua casa e a duas horas de avião da sua irmã tem muito a ver com o modo como as coisas aconteceram. Claro, sua irmã poderia ter se oferecido mais, porém aqui há algo mais do que uma irmã preguiçosa que não se importava com a mãe.

Agora você está emocionalmente pronta para abrir a boca.

Aprender a olhar
Entre na conversa envolvendo-se em dois níveis: *circunstância* e *processo*. Preste atenção no que sua irmã está dizendo (circunstância). Mas também preste atenção nos sinais de que a segurança corre perigo (processo).

Sua irmã recorreu à violência com a reação à sua proposta de compensação. Começou a acusar você e levantou a voz. Usando Aprender a Olhar, você reconhece isso como sinal de que ela se sente ameaçada.

Criar segurança
Use a Contraposição para ajudar sua irmã a entender seu objetivo. Quando confiam na sua *intenção*, as pessoas se sentem mais seguras para lidar com *conteúdos* sensíveis.

> **Você:** *Sei que neste momento nós duas temos muitos sentimentos sobre um monte de coisas. Estamos de luto. E temos problemas para resolver. Temos uma história juntas. Quero resolver os problemas práticos de um modo que seja justo para nós duas. Não quero sugerir que essas preocupações financeiras tenham algo a ver com quanto você amava mamãe, mas também quero que você saiba que eu te amo e que estou aqui para apoiar você no luto. Eu também preciso de você. Antes de passarmos para o assunto das despesas, o que posso fazer por você?*
>
> **Irmã:** *Claro, eu gostaria de ter estado mais presente no final. Me sinto péssima, achando que decepcionei a mamãe. E que decepcionei você. Mas também sinto que você usou isso contra mim.*

Pegar sua caneta de volta
É difícil ouvir a alegação da sua irmã de que você estava intencionalmente fazendo com que ela se sentisse culpada. A princípio você fica na defensiva e quer contra-atacar. Mas respira fundo. E se lembra de que a opinião dela a

seu respeito não define você. Você se lembra de que os sentimentos dela são dela e se desloca para uma posição de curiosidade, a fim de entender o Caminho para a Ação da sua irmã. Por que ela se sente assim?

Explorar os caminhos dos outros
Estimulando, você pergunta: "Pelo visto, você percebeu coisas em mim que a fizeram pensar que estou ressentida. É isso? O que eu fiz para que você pensasse assim?"

À medida que sua irmã continua a se abrir, você percebe que "agiu" a partir de algumas das suas preocupações em vez de "falar" sobre elas. E pede desculpas por isso. Reconhece que às vezes ficou ressentida e que alguns desses sentimentos eram injustos, já que para você era fácil ajudar e para ela era difícil. Tendo resolvido essa questão, você passa para o assunto seguinte.

Declarar CALMA
Você ainda quer resolver suas preocupações com relação à compensação.

Você: *Podemos falar sobre as despesas agora?*

Você precisa compartilhar seus fatos e suas conclusões com sua irmã de um modo que a deixe segura para apresentar a narrativa dela.

Você: *É que eu gastei um bocado de dinheiro cuidando da mamãe e trabalhei muito cuidando dela em vez de contratar uma enfermeira. Sei que você também gostava da mamãe, mas sinceramente sinto que fiz mais do que você no cuidado cotidiano, portanto me parece justo usar um pouco do que ela deixou para repor parte do que eu gastei. Você enxerga isso de outro modo? Eu gostaria mesmo de saber.*

Irmã: *Claro. Por que você não me manda um boleto?*

Parece que sua irmã não está concordando de verdade com esse arranjo. A voz dela soa tensa e seu tom é de alguém que cede, não que concorda de verdade.

Explorar os caminhos dos outros
Como parte do seu objetivo é preservar o bom relacionamento com sua irmã, é importante que ela coloque ideias no reservatório. Use as habilidades de questionamento para explorar ativamente os pontos de vista dela.

Você: (Espelhando) *Você diz isso de um jeito que faz parecer que não está concordando com a minha sugestão.* (Pedindo) *Tem alguma coisa que eu estou deixando de ver nessa situação?*

Irmã: *Não. Se você acha que merece mais do que eu, deve estar certa.*

Você: (Estimulando) *Você acha que estou sendo injusta? Que não estou reconhecendo suas colaborações?*

Irmã: *Sei que não estive muito presente nos últimos dois anos. Precisei viajar muito a trabalho. Mas mesmo assim visitei a mamãe sempre que pude e mandei dinheiro todo mês para colaborar. Me ofereci para ajudar a pagar uma enfermeira, se você achasse necessário. Não sabia que você sentia que sua parcela de responsabilidade era injusta, e parece que esse seu pedido de mais dinheiro não tem motivo.*

Você: (Parafraseando) *Então você acha que estava fazendo tudo que podia para ajudar e está surpresa por eu achar que deveria ser compensada?*

Irmã: *Bom, sim.*

Agora você entende a perspectiva da sua irmã e ainda discorda até certo ponto. Use os 3 Cs para explicar as diferenças entre o seu ponto de vista e o dela. Você concorda em parte com a visão da sua irmã. Use a habilidade de Complementar para enfatizar aquilo com que você concorda e para deixar claros os pontos em que vocês divergem.

Você: *É verdade. Você fez muito para ajudar. E eu sei que era caro visitar a mamãe tantas vezes. Optei por não contratar um profissional porque ela se sentia mais confortável sendo cuidada por mim e eu não me inco-*

modava com isso. Nunca falei com você sobre o que eu estava fazendo e nunca estabeleci uma expectativa de que poderia vir a receber uma parcela diferente na divisão dos bens por causa disso. Fiz porque quis. Ainda acho que é um pedido razoável ser compensada financeiramente por ter ajudado a evitar o gasto com a contratação de uma enfermeira. Mas não dei a você a chance de avaliar isso antes de tomar a decisão. Além do mais, houve algumas despesas extras, e parece que você não sabia delas. A medicação que ela tomou nos últimos 18 meses custava o dobro da anterior, e o plano de saúde só cobriu parte das internações no hospital. Tudo isso foi se somando.

Irmã: *Então é dessas despesas que você está falando? Será que a gente pode dar uma olhada nelas, para ver como pagar?*

Partir para a ação
Você quer criar um plano definido para ser reembolsada por essas despesas e quer que as duas concordem com o plano. Busquem um consenso sobre o que vai acontecer, documentem *quem* faz *o quê* e *quando* e definam como fazer o *acompanhamento*.

Você: *Eu anotei todas as despesas que ultrapassaram a quantia com que nós duas tínhamos concordado em contribuir. Será que a gente pode dar uma olhada nisso amanhã e conversar sobre o que é justo que eu receba de volta?*

Irmã: *Claro. Vamos conversar sobre o espólio e ver como fazer a divisão.*

Dialogando

Você e sua irmã ainda têm muito a resolver. Mas colocar todas as suas ideias no reservatório e encorajar sua irmã a colocar as dela levou-as ao diálogo. Com um fluxo livre de ideias, as discussões futuras de vocês duas provavelmente serão mais úteis e menos dolorosas do que se você não tivesse iniciado essa conversa e a conduzido habilmente.

Minha Conversa Crucial: Afton P.

Teve um verão em que meu marido conseguiu um cobiçado estágio em Genebra, na Suíça, para as Nações Unidas. Enquanto estávamos lá, fiquei amiga da representante de uma ONG voltada para mulheres. Ela estava fazendo os preparativos para a futura Subcomissão para a Promoção e Proteção dos Direitos Humanos.

Acreditando na importância do trabalho desse comitê, eu me envolvi nos esforços para buscar o apoio da ONU para impedir abusos dos direitos humanos das crianças. O foco estava no sequestro e na segurança das crianças, especificamente na opressão da expressão religiosa, em crianças sendo usadas como soldados e meninas vendidas como escravas sexuais. Essas práticas abomináveis eram largamente ignoradas pelas autoridades de alguns países.

Enquanto o comitê começava a planejar o relatório que apresentaríamos à subcomissão, fiquei preocupada com o que era dito e o que não era dito. A chefia do comitê da nossa ONG sugeriu enfaticamente que evitássemos mencionar países específicos onde essas injustiças aconteciam. Sendo uma estudante de 22 anos, ainda não calejada na política, perguntei: "Por quê?" O comitê respondeu que precisava ter cuidado extremo para não ofender determinadas autoridades desses países que "fingiam não ver" esses abusos, por medo de prejudicar as relações.

Fiquei num dilema: queria promover uma mudança verdadeira, mas acreditava que nosso relatório teria pouco peso se falássemos apenas em termos gerais, e tive medo de perder uma grande oportunidade nesse fórum. Pensei imediatamente no livro *Conversas Cruciais* e estava me mordendo por não tê-lo levado – quem iria imaginar que eu precisaria dele durante um verão na Suíça? Felizmente, eu me lembrava dos aspectos básicos e usei seus princípios enquanto expressava a crença de que era possível sermos honestos e ao mesmo tempo respeitosos ao apresentarmos informações sensíveis.

Para minha surpresa, eles pediram que eu escrevesse o relatório. Fiquei empolgada, mas também aterrorizada com o dano que poderia causar se não tivesse cuidado ao falar de pessoas de muitos países com culturas diversas. Passei praticamente dias inteiros e várias noites em claro tentando redigir cuidadosamente um retrato respeitoso dos problemas, apresentando os fatos e me concentrando num objetivo mútuo: direitos humanos para crianças em condições de sofrimento. O comitê concordou que minha versão era mais objetiva e demonstrava sensibilidade adequada.

As surpresas continuaram: 10 dias antes da apresentação, o comitê pediu que eu apresentasse o relatório à subcomissão! Foi tanto um choque quanto uma honra. Ainda que isso tenha elevado minha ansiedade a um novo patamar, aceitei na hora e passei dias e noites insones me preparando para o evento.

Quando finalmente chegou minha vez de apresentar o relatório, eu estava empolgada e ansiosa. No final, pareceu que muitas pessoas na plateia estavam comovidas e algumas tinham até mesmo lágrimas nos olhos. Outras vieram rapidamente pedir uma cópia do meu discurso para ser divulgado e para fins de documentação. Algumas estavam emocionadas e muitas me agradeceram por falar daqueles temas sensíveis.

Aprendi muitas lições com essa experiência, mas uma que se destaca é a importância de perceber que é possível ser honesto e respeitoso usando as habilidades certas. Conhecer os recursos para Conversas Cruciais me ajudou a transformar uma experiência intimidante numa oportunidade memorável e significativa para defender algo em que eu acreditava.

CONCLUSÃO: NÃO SE TRATA DE COMUNICAÇÃO, E SIM DE RESULTADOS

Vamos terminar onde começamos. Iniciamos este livro sugerindo que, de certa forma, fomos arrastados um tanto involuntariamente para o tema da comunicação. O que mais nos interessava *não* era escrever um livro sobre comunicação, e sim identificar *momentos cruciais* – em que as ações das pessoas afetam de modo desproporcional suas organizações, seus relacionamentos e suas vidas. Nossa pesquisa nos levou repetidamente a nos concentrarmos em momentos em que as pessoas precisam se manifestar em conversas arriscadas, nos sentidos emocional e político. Foi por isso que passamos a chamar esses momentos de *Conversas Cruciais*. Descobrimos que, vezes sem conta, o que nos separa do que realmente queremos é o *tempo de espera*. O problema não são os problemas em si. O problema é o tempo que levamos desde o momento em que detectamos o problema até o momento em que encontramos um modo de confrontá-lo, discuti-lo e solucioná-lo. Se você reduzir esse tempo, tudo fica melhor.

Nossa única motivação ao escrever este livro foi ajudar você a melhorar os resultados que são mais importantes para você. E, enquanto o concluímos, nosso maior desejo é que você alcance isso. Comece já. Identifique uma Conversa Crucial que você possa melhorar *agora mesmo*. Reveja este último capítulo para identificar o princípio ou a habilidade que vai ajudá-lo a conduzi-la de modo mais eficaz do que nunca. Em seguida, faça uma tentativa.

Uma coisa que nossa pesquisa demonstra claramente é que você não precisa ser perfeito para avançar. Não precisa se preocupar se só fizer um progresso hesitante. Garantimos que, se você persistir e trabalhar com essas ideias, verá uma melhora significativa nos seus relacionamentos e nos seus resultados. Esses momentos são realmente cruciais, e um pouquinho de mudança pode levar a um progresso gigantesco.

NOTAS

Capítulo 1

1. Clifford Notarius e Howard Markman, *We Can Work It Out: Making Sense of Marital Conflict* (Nova York: G.P. Putnam's Sons, 1993), pp. 20-22, 37-38.
2. Dean Ornish, *Love and Survival: The Healing Power of Intimacy* (Nova York: HarperCollins, 1998), p. 63.
3. Ornish, *Love and Survival*, pp. 54-56.

Capítulo 2

1. Rodwin, B. A., Bilan, V. P., Merchant, N. B., Steffens, C. G., Grimshaw A. A., Bastian, L. A., e Gunderson, C. G., "Rate of Preventable Mortality in Hospitalized Patients: A Systematic Review and Meta-analysis", *J Gen Intern Med*. Julho de 2020, 35(7): 2099-2106. Epub 21 de janeiro de 2020. https://pubmed.ncbi.nlm.nih.gov/31965525/.

GOSTOU DO LIVRO?
CONHEÇA OS CURSOS

SOLUÇÕES EM RELACIONAMENTOS

Conversas Cruciais.
MASTERING DIALOGUE
Transforme discordância em diálogo ao se pronunciar com franqueza e respeito e sem demora.

Conversas Cruciais.
ACCOUNTABILITY
Resolva problemas de baixo desempenho, falta de compromisso e expectativas frustradas.

SOLUÇÕES EM DESEMPENHO

O Poder do Hábito™
Aprenda a ciência por trás da formação de hábitos e crie novos hábitos pessoais e profissionais.

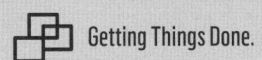

Getting Things Done.
Gerencie atenção, energia e fluxo de trabalho para alcançar maior produtividade com menos estresse.

SOLUÇÕES EM LIDERANÇA

Influência Crucial
Habilidades de liderança para criar mudanças duradouras de comportamento.

Para saber mais sobre os cursos, acesse:
www.Aspectum.com.br

aspectum

www.CrucialLearning.com

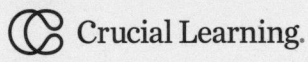

Crucial Learning.

SOBRE A CRUCIAL LEARNING

A Crucial Learning torna o mundo melhor ao contribuir para o aperfeiçoamento das pessoas. Combinando pesquisas de ciências sociais com um método de ensino inovador, criamos experiências de aprendizado flexíveis que ensinam habilidades comprovadamente eficazes para resolver os mais desafiadores problemas pessoais, interpessoais e organizacionais.

Oferecemos cursos nas áreas de relacionamentos, desempenho e liderança, com foco nos comportamentos que mais impactam os resultados – as chamadas habilidades cruciais.

Entre nossos premiados cursos estão Conversas Cruciais, Influência Crucial, O Poder do Hábito e Getting Things Done (GTD), que são acompanhados pelo livro de cada curso. Juntos, eles vêm ajudando milhões de pessoas a construir melhores relacionamentos e resultados. Quase metade das empresas Forbes Global 2000 já utilizou essas habilidades cruciais para melhorar a saúde e o desempenho organizacional.

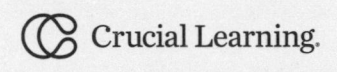

Crucial Learning.

www.CrucialLearning.com

OUTROS LIVROS DOS AUTORES

"Sou um devoto fiel desse método que aumentou não apenas minha produtividade, mas também meu bem-estar. O GTD está se espalhando pelo mundo todo. É um movimento genuíno."
– DANIEL PINK, autor de *Motivação 3.0*

"Incisivo, provocador e útil."
– JIM COLLINS, autor de *Empresas feitas para vencer*

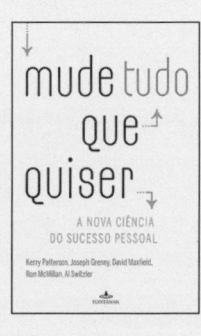

"Este livro ensina uma maneira poderosa de adaptar sua vida e sua carreira."
– TONY HSIEH, ex-CEO da Zappos

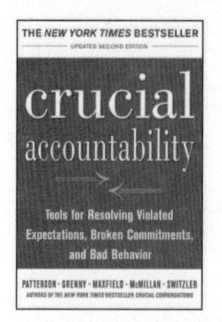

"Se nesta década você for ler apenas um livro de 'gestão', eu recomendo que seja este."
– TOM PETERS, autor de *Humanismo extremo*

"Influenciar o comportamento humano é um dos maiores desafios da liderança. Este livro oferece ensinamentos valiosos sobre como promover mudanças de comportamento duradouras."
– SIDNEY TAUREL, presidente da Pearson

RECURSOS PARA LEITORES

Alguma vez você já pensou que saberia nadar só por ter lido um livro sobre os mares? Pode acreditar, não funciona. As habilidades para Conversas Cruciais também não são algo que você consiga dominar apenas com leitura. É preciso praticar repetidas vezes. E nós tornamos isso muito mais fácil.

Estes recursos são usados no premiado curso Conversas Cruciais e estão sendo disponibilizados gratuitamente para os leitores deste livro. Basta acessar www.conversascruciais.com.br, preencher o formulário e você terá tudo à mão!

Assista a exemplos em vídeo

Ainda não tem segurança para conduzir uma Conversa Crucial? Você não é o único. Assista a exemplos e veja estudos de casos reais em que foram usadas as lições do livro.

Descubra seu Estilo Sob Tensão

Como você se comporta quando se vê em uma conversa difícil? Faça o teste para descobrir. Este recurso vai ajudar você a perceber qual é sua reação automática a Conversas Cruciais.

Tenha sempre com você um modelo a seguir

Agora que você leu o livro, um dos maiores desafios será simplesmente lembrar o que aprendeu. Você pode fazer o download do modelo com lembretes visuais que servirão de referência para refrescar sua memória.

Participe da comunidade

Se você achou muito útil o capítulo "É, mas...", inscreva-se na newsletter da Crucial Learning e faça sua pergunta. Toda semana nossos autores e especialistas respondem a uma pergunta dos leitores.

Explore questões para discussão propostas pelos autores

Tópicos de discussão relevantes para guiar o próximo encontro do seu clube do livro ou grupo de leitura.

Encontre tudo isso e muito mais em: **www.conversascruciais.com.br**